ACCESO GRATIS *a la Lectura en la Nube*

Para visualizar el libro electrónico en la nube de lectura envíe junto a su nombre y apellidos una fotografía del código de barras situado en la contraportada del libro y otra del ticket de compra a la dirección:

ebooktirant@tirant.com

En un máximo de 72 horas laborables le enviaremos el código de acceso con sus instrucciones.

La visualización del libro en **NUBE DE LECTURA** excluye los usos bibliotecarios y públicos que puedan poner el archivo electrónico a disposición de una comunidad de lectores. Se permite tan solo un uso individual y privado.

POLÍTICA, BIODERECHO Y LIBERACIÓN DEL JAGUAR EN MÉXICO

CONSEJO EDITOR COLECCIÓN ANIMALES Y DERECHO

Directora

Marita Giménez-Candela

Max-Planck Institut für ausländisches öffentliches Recht und Völkerrecht. Heidelberg. Deutschland

Miembros

Diana Valentina Cerini

Università di Milano-Bicocca. Italia

David Favre

Michigan State University. USA

Lihong Gao

University of Economics and Law. China

Jean Pierre Marguénaud

Institut de Droit Européen des Droits de l'Homme. Université de Montpellier. France

Anne Peters

Max-Planck Institut für ausländisches öffentliches Recht und Völkerrecht. Heidelberg Deutschland

Francesca Rescigno

Alma Mater Bononiensis. Università di Bologna. Italia

Heron José de Santana Gordilho

Universidade Federal da Bahía. Brasil

Procedimiento de selección de originales, ver página web:

www.tirant.net/index.php/editorial/procedimiento-de-seleccion-de-originales

POLÍTICA, BIODERECHO Y LIBERACIÓN DEL JAGUAR EN MÉXICO

Angel Daen Morales García
Jonatan Job Morales García

tirant lo blanch
Valencia, 2026

Copyright ® 2026

Todos los derechos reservados. Ni la totalidad ni parte de este libro puede reproducirse o transmitirse por ningún procedimiento electrónico o mecánico, incluyendo fotocopia, grabación magnética, o cualquier almacenamiento de información y sistema de recuperación sin permiso escrito de los autores y del editor.

En caso de erratas y actualizaciones, la Editorial Tirant lo Blanch publicará la pertinente corrección en la página web www.tirant.com.

La presente obra ha sido sometida a la revisión de pares ciegos según el protocolo de publicación de la editorial a efectos de ofrecer el rigor y calidad correspondiente tanto en su contenido como en su forma, aplicándose los criterios específicos aprobados por la Comisión Nacional E 016 (BOE num. 286, de 26 de noviembre de 2016).

Directora de la Colección

MARITA GIMÉNEZ-CANDELA

Senior Researcher Max Planck Institut for Comparative Public Law and International Law, Heidelberg. Deutschland

© Angel Daen Morales García
Jonatan Job Morales García

© TIRANT LO BLANCH
EDITA: TIRANT LO BLANCH
C/ Artes Gráficas, 14 - 46010 - Valencia
TELFS.: 96/361 00 48 - 50
FAX: 96/369 41 51
Email: tlb@tirant.com
www.tirant.com
Librería virtual: www.tirant.es
DEPÓSITO LEGAL: V-885-2026
ISBN: 979-13-7040-178-8
MAQUETA: Tink Factoría de Color

Si tiene alguna queja o sugerencia, envíenos un mail a: *atencioncliente@tirant.com.* En caso de no ser atendida su sugerencia, por favor, lea en *www.tirant.net/ index.php/empresa/politicas-de-empresa* nuestro procedimiento de quejas.

Responsabilidad Social Corporativa: http://www.tirant.net/Docs/RSCTirant.pdf

A mis amigos y maestros Enrique Dussel †, Steven Wise †,
Leif Korsbaek † y Marita Giménez-Candela, quienes siempre
confiaron en la generosidad del conocimiento
y nos forjaron para enfrentar las injusticias,
sus palabras trascienden la eternidad.

A mis prójimos animales; mis grandes maestros.

A Silvia Garcia, nuestra madre, quién nos enseño a nunca rendirnos
y a mantener una indomable rebeldía.

A Quetzal Morales, por enseñarnos
la poética vida contemplativa.

A mis amigos jaguares que nos guían.

Índice

Introducción

Los jaguares (*Panthera onca*) son individuos con mundo y tienen una compleja importancia en múltiples horizontes; desde una dimensión zooética, ecológica y social hasta una antropológica por su vínculo biocultural con diversas sociedades humanas principalmente con pueblos y comunidades indígenas de América que mantienen en diversos espacios y territorios una relación dual milenaria con estos felinos. Desde la dimensión zooética y etológica estos seres tienen-configuran su ser en el mundo, ellos existen, son individuos únicos e irrepetibles, presentan distinciones en su individualidad como conjunción de su corporalidad, mentalidad e incluso colectividad, tienen una historia y por sus cualidades desarrollan una biografía con la capacidad de desplegar un mundo como nota constitutiva real de su existencia, en su devenir pueden tener experiencias subjetivas del mundo por constituirse en seres con autoconciencia que básicamente integran en su 'yo' una sintiencia-emotividad, pensamiento-cognición: *zoo cogitans*[1] y voluntad, conformándose desde su esfera individual en sujetos zooéticos en las sociedades humanas que han desarrollado una conciencia moral de especie que se apertura al jaguar y lo circunscribe dentro del círculo de la empatía y la compasión.

Los jaguares por ser animales mamíferos tienen una cognición compleja —*zoo cogitans*— y pueden desarrollar múltiples habilidades mentales como el razonamiento causal, la imaginación, la apreciación del tiempo, la inteligencia, los instintos, los comportamientos, las pautas sociales bien definidas, las habilidades lógico-matemáticas y la atribución mental —conceptos abiertos o pluriversales— que en conjunto con otras cualidades mentales les permiten sentir y pensar su mundo y actuar con voluntad en el, en su devenir estos individuos se desarrollan en un nicho ecológico e interiorizan los factores exter-

---

1 Denominamos *zoo cogitans* a la conjunción del pensamiento y la cognición de un individuo animal que le permite tener una mente. Cfr. THE CAMBRIDGE DECLARATION ON CONSCIOUSNESS (2012) http://fcmconference.org/img/CambridgeDeclarationOnConsciousness.pdf

nos de su vida, conformando una vida interior. Cada jaguar posee su propia idiosincrasia y puede desarrollar una individualidad física y mental con consciencia de su existencia; sus circuitos cerebrales, sus sustratos neurológicos y los procesos cognitivos-corporales le permiten una gran amplitud de experiencias, percepciones, emociones y racionalización de su mundo, constituyendo en cada ejemplar un ser en sí mismo que en su devenir está sujeto a su entorno social y ambiental, en este sentido los jaguares tienen pautas de comportamiento colectivas, por ejemplo, desarrollan la ritualización de prácticas, tabúes y ceremonias, llegan a tener tradiciones culturales y conductuales únicas, en su pluralidad algunos de ellos tienen conocimiento aplicado a la medicina herbolaria conforme a la diversidad florística de su territorio singular, incluso entre éstos las afecciones paternales y filiales conjugan un sentido socio-moral o de la conciencia del otro a través de la empatía, en un sistema complejo estos individuos desarrollan procesos históricos culturales que conducen a la formación de pautas sociales y dan una identidad colectiva a cada territorio de jaguares, en este sistema colectivo que se desarrolla en los entornos socioanimales de los jaguares se pueden mencionar de manera enunciativa y no limitativa entre sus cualidades grupales: el aprendizaje, la división de actividades, juegos, creatividad e inventiva, comportamiento social, rituales, lenguaje-comunicación, imitación y valores. Estos elementos se pueden integrar en diversas prácticas que se van afinando y complejizando en la conjunción mente-cultura[2]. En las interacciones de los jaguares dentro de su entorno social forman individuos particulares que tienen una presencia psicológica subjetiva única e irremplazable. Esto da pauta a la aparición del vinculo social entre los individuos en el mundo, manteniendo una relación conforme a la base de la diferencia individual que constituye a cada organismo animal en sociedad y lo distingue de otro, manteniendo un conjunto de cualidades únicas entre los organismos dentro del entorno social.

Una visión etológica comparativa de los animales bajo la concepción funcional entre diversos organismos mastozoológicos permite

---

2 Vid. MORALES, J. La asolación del jaguar en el capital, en dA. Derecho Animal (Forum of Animal Law Studies) 12/1 (2021) 52-54.

comprender al jaguar como un ser grupal y sensible a las emociones ajenas que reacciona ante los necesitados conforme a su círculo de compasión, esta empatía requiere conciencia del otro y sensibilidad a las necesidades ajenas, incluso realizan comportamientos desinteresados cuyo único objetivo es el bien de la comunidad, esto nos arroja una nueva visión acerca de los jaguares como seres con mente autónoma y con sistemas mentales complejos. Esta empatía tiene como punto base y fuente el cuidado parental que se desarrolla a través de la atención de los progenitores en propiciar condiciones que mejoran las posibilidades de su descendencia, es una conducta exhibida por los miembros de la familia para favorecer e incrementar las posibilidades de sobrevivencia de la descendencia, en este sentido, los factores genéticos y evolutivos han dado pauta a la conformación de animales sociales con un alto grado de cefalización como el jaguar.

Desde lo individual a lo colectivo, los jaguares usan sus pensamientos en la cotidianidad de su vida y en cada paso sienten, piensan y perciben su entorno con múltiples fenómenos relacionados individualmente con su mente autónoma, inteligencia, razonamiento, emotividad, autoconciencia, hasta su comprensión colectiva con múltiples procesos sociales ya que mantienen una vida compartida por los miembros de sus grupos y engloban la información conformada por conocimientos, costumbres, destrezas e incluso transmisión cultural, además de las tendencias y preferencias subyacentes, procedentes de la exposición y aprendizaje de los otros, este último es un requisito fundamental que se compone, por mencionar de algunos elementos, de diversas respuestas integradas y estímulos, incluyendo motivos, señales perceptuales y conceptuales, respuestas, asociaciones y reforzamientos, lo que permite concebir el aprendizaje como una tarea creadora donde los conocimientos construyen y reconstruyen el saber enseñado al sujeto reforzando su capacidad de pensar, sentir, imaginar, proyectar, hacer y transformar conforme a la voluntad[3]. Las múltiples cualidades biológicas y etológicas de los jaguares como seres con mundo son la base material sobre la que se

---

3 Vid. MORALES, J., MORALES, A., CEBALLOS, G., GIMÉNEZ-CANDELA, M. Tepeyóllotl: corazón de la montaña. El jaguar en Hidalgo. (México 2024) 32-38.

constituye la dimensión zooética de su trascendencia en las sociedades humanas.

Desde un enfoque ecológico el jaguar es una especie focal al integrarse como una especie sombrilla, bandera, emblemática, clave e indicadora[4]. Es una especie sombrilla[5] porque su existencia en los ecosistemas implica la conservación, presencia y permanencia de múltiples especies, incluyendo pueblos y comunidades humanas, en esta relación al conservar al jaguar se pueden proteger debajo de el a una gran cantidad de especies silvestres —efecto paraguas—, lo que incluye geográficamente grandes áreas debido a que el jaguar tiene hábitos que implican movimientos diarios o estacionales[6]. El felino más grande de América es considerado una especie indicadora porque se puede determinar la calidad ambiental y el correcto funcionamiento de los procesos ecológicos por su presencia ya que es particularmente sensible a la perturbación y daño ambiental. Asimismo, es una especie emblemática y bandera por conformar simbólica e iconográficamente representaciones en diversos grupos sociales humanos. También es una especie clave ya que enriquecen el funcionamiento del ecosistema de una manera única y significativa, estos felinos afectan, directa o indirectamente, a la comunidad de sus presas potenciales y estos a su vez pueden tener una influencia en la dinámica y estructura de los ecosistemas, conformando el valor

---

4 MILLER, B., READING, R., STRITTHOLT, J., CARROLL, C., NOSS, R., SOULÉ M., SÁNCHEZ, O., TERBORGH, J., BRIGHTSMITH, D., CHEESEMAN, T., FOREMAN, D. Using focal species in the design of nature reserve networks, in Wild Earth 11 (1999) 81-92; MILLER, B., DUGELBY, B., FOREMAN, D., MARTÍNEZ DEL RÍO, C., NOSS, R., PHILLIPS, M., SOULÉ, J., TERBORGH, J., WILLCOX, L. The importance of large carnivores to healthy ecosystems, in Endangered Species Update 18 (2001) 202-210.

5 En 1981, Frankel y Soulé fueron pioneros en utilizar el término "paraguas" para sugerir que las medidas de conservación dirigidas a las especies más grandes podrían conferir protección a lo que ellos llamaron "especies más densas". Vid. FRANKEL, O., SOULÉ, M. Conservation and evolution (United Kingdom 1981) 121.

6 THORNTON, D., ZELLER, K., RONDININI, C., BOITANI, L., CROOKS, K., BURDETT, C., RABINOWITZ, A., QUIGLEY, H. Assessing the umbrella value of a range-wide conservation network for jaguars (Panthera onca), in Ecological Applications 26 (2016) 1112-1124.

ecológico más importante del felino[7]. Al ser un depredador tope en los sistemas tróficos, su importancia ecológica es vital para los ecosistemas donde interactúa, por lo tanto, la decadencia de las poblaciones de jaguar en su hábitat natural produce un efecto cascada en las demás especies silvestres, acelerando el proceso de defaunación, extinción de especies y miseria de los animales[8]. Es tan importante su presencia en los ecosistemas que no solo establece una relación directa con los elementos bióticos, sino que incluso tiene una relación estrecha con elementos abióticos de los ecosistemas como el agua y otros servicios ecosistémicos[9].

---

7 Vid. TERBORGH, J., ESTES, J., PAQUET, P., RALLS, K., BOYD-HEGER, D., MILLER, B., NOSS, R. The Role of Top Carnivores in Regulating Terrestrial Ecosystems, in SOULÉ, M., TERBORGH, J. (Eds.). Continental Conservation (USA, 1999).

8 En un paralelismo desde una dimensión mítica, mística y biocultural, la concepción del jaguar como especie clave e indicadora fue desarrollada desde tiempos prehispánicos por los sabios y eruditos indígenas dentro de la cosmovisión local; el jaguar era considerado en el México prehispánico como la deidad Tepeyóllotl: el señor de los animales. Tepeyóllotl significa el corazón de la montaña; una parte vital de las montañas y que, sin él, al igual que cualquier organismo sin corazón, se muere. Yóllotl; corazón, se interrelaciona con vivir, yóllotl significa la esencia o fuerza de la vida, lo que es propio del ser viviente, incluso se asocia a las facultades cognoscitivas, volitivas, creativas y sentimentales, el jaguar como Tepeyóllotl refleja su vínculo con los ecosistemas e interacciones biológicas, conformándose como el corazón de las montañas y señor de los animales y elemento de las cosas sagradas. El elemento vital de las montañas como organismo es el jaguar y sin él, los demás animales y las montañas pierden su esencia o fuerza de vida. Vid. MORALES, D., MORALES, J. Patrimonio Cultural y Biodiversidad; el caso del jaguar mexicano, en Boletín Mexicano de Derecho Comparado 153 (2018) 973-999; OLIVIER, G. Tepeyóllotl, "corazón de la montaña" y "señor del eco": el dios jaguar de los antiguos mexicanos, en Estudios De Cultura Náhuatl 28 (1998) 99-141.

9 de la TORRE, J., MEDELLÍN, R. Jaguars Panthera onca in the Greater Lacandona Ecosystem, Chiapas, Mexico: population estimates and future prospects, in Oryx 45 (2011) 546-553.

«Imagen 1.1» Dialogando con las estrellas: El jaguar dialoga con las estrellas y crean el universo, maravillados el uno del otro deciden ser uno, las estrellas se adhieren a su cuerpo, el Tépetl (Montaña) brilla con el jaguar. Elaboración propia.

Desde un enfoque social y antropológico biocultural, la historia compartida de los pueblos prehispánicos de Mesoamérica desde épocas muy tempranas desarrolló una base cultural común enraizada en prácticas culturales asociadas al jaguar, sobre la cual se desplegó una pluralidad cultural en torno a esta especie, convirtiéndose en parte del núcleo duro de la tradición mesoamericana. En México, las prácticas asociadas al jaguar tienen una similitud profunda intercultural, radicada en un complejo articulado de elementos culturales sumamente resistentes al cambio que actúan como estructurantes del acervo tradicional, al conformarse estos animales en el núcleo duro social de las culturas populares, principalmente de los pueblos indígenas e incluso en los pueblos y comunidades afrodescendientes, el jaguar forma parte del *ethos* social y sin ellos, las sociedades asentadas en el actual territorio mexicano no serían como las conocemos. La relación biocultural «Imagen 1.2» no es determinante como elemento histórico concluso, este se mantiene actualmente en un continuo devenir en diversas prácticas, manteniéndose en la actualidad bajo múltiples representaciones, una de ellas se manifiesta como símbolo de resistencia principalmente en espacios rurales megadiversos de México quienes conservan y replican la vitalidad de la imagen y simbolismo del jaguar para enfrentar procesos de colonización, extractivismo y despojo, vinculando en sí la fuerza colectiva social con la fuerza del jaguar en la defensa de sus derechos y territorio[10].

---

10 MORALES, A., MORALES, J. Patrimonio Cultural y Biodiversidad... *Op. Cit.* 993.

«Imagen 1.2» Maestro del universo: el jaguar llena el universo, es el universo mismo, somos nosotros. Nada es más grande que el universo. Elaboración propia.

Pese a la importancia en sí misma de los jaguares en una dimensión zooética, además de su trascendencia en una gama amplia de dimensiones, principalmente ecológica, social y biocultural desde un enfoque antropológico, actualmente estos felinos enfrentan una grave presión por afectaciones y daños causados por factores humanos que tienen su origen fundamentalmente en el especismo, el capitalismo y la ignorancia que no permite la compresión de su otredad y vitalidad en los procesos sociales, culturales y ambientales que soportan diversos derechos humanos, principalmente los DESCA, afectar al jaguar es dañar a todos los humanos, primeramente a las sociedades humanas rurales donde coexisten: cuando un jaguar sufre y muere por el especismo —indicador de marginación— prolifera la violencia, la ignorancia y la pobreza. Los jaguares han sido excluidos a la periferia dentro de la totalidad especista de dominación desde una dialéctica ontológica dual que los reduce a través de su cosificación en cosas, cosas-sentido, productos, mercancías o capital natural desde una mediación racional instrumental especista y como el enemigo a vencer que afecta el mundo-totalización del especismo, esta dialéctica colonial posiciona a los jaguares hacia lo otro-negativo; el ser con el que se compite; una amenaza, convirtiéndose en un adversario, eliminando la compasión en su dominación. Sobre esta base se ha sistematizado la esclavitud-asolación-aniquilación de los jaguares que suprime cualquier alteridad con ellos, posicionándolos en la totalidad del mundo social humano especista como medios para sus fines y si son excluidos como medios y atentan contra el capital se posicionan como el enemigo a vencer. La represión sistematizada especista de dominación encubre y olvida el ser y la esencia de este felino para mantener la legitimidad y legalidad de instituciones y órganos estructurales, infraestructurales y superestructurales de su dominación hegemónica generalizada, misma que se extiende hasta nuestros tiempos. Comprender la dominación, los campos políticos y jurídicos del especismo enfocado en la miseria del jaguar es fundamental para eliminar el eterno retorno de la dominación y la conservación perniciosa del felino y así crear en la utopía realizable desde el derecho de liberación animal con esquemas que sean compatibles con su conservación, la protección de derechos humanos y los derechos del jaguar desde una visión integral. En este punto se llega al momento crucial de la liberación, donde se trazan las sendas situadas en una zooética que muestra la compleja articulación de las masas victimadas excluidas, que emergen y rugen la liberación como comunidades críticas, con núcleo de referencia en el jaguar como el otro; mi prójimo. Se trata de los nuevos movimientos sociales que surgen en una lucha por el reconocimiento de los jaguares como víctimas y en una cercanía comprenderlos como prójimos y operar en una transformación hacia la práctica de liberación situándose en las complejidades del siglo XXI en Latinoamérica para dar una esperanza a estos majestuosos seres.

Capítulo I

Política del asedio del jaguar

1. ENCUBRIMIENTO Y DOMINACIÓN

La contraposición del humano sobre el jaguar bajo un precepto de exclusión se practica desde el ejercicio del poder y la dominación, este poder se ha ejercido hasta hacer posible el dominio total bajo una transformación y conceptualización negativa del jaguar como los enemigos a vencer así como su reducción al valor de uso y al valor de cambio[11] que se obtienen de ellos en un acto colonialista de despojo para ser incorporados al mercado desde cosas-sentido, productos, mercancías y capital natural, esta fuerza cosificadora que reprime, abstrae de estos felinos su corporeidad en relación directa con su identidad, conformada básicamente por la emotividad-sintiencia, *zoo cogitans* y voluntad —de manera integral su jaguaridad— para sufrir una transformación ontológica de dominación que los encubre y conceptualiza en atención a su mediación instrumental especista que estructuran las instituciones de dominación sobre los jaguares-cosas-enajenables: la propiedad y la posesión, lo que establece correlativamente el derecho de dominio sobre la cosa-jaguar que está a voluntad del dominador —*dominium*— y que constituye parte de su patrimonio, en este momento dialéctico especista sujeto-objeto, el jaguar se ha convertido en una cosa enajenable en relación a la propiedad-posesión bajo el dominio humano. Este punto cúspide de cosificación del jaguar se manifiesta en una gama amplia de relaciones que inciden en las sociedades humanas, cuando existe un beneficio de utilidad antrópica basada en el valor de uso y valor de cambio se genera un proceso de explotación animal que puede llegar a concebirse en un tipo de esclavitud y aniquilación. Desde una concepción antagónica instrumental de mediación en alienación al especismo, cuando existe un perjuicio sobre el humano o cuando el jaguar no

---

11 Vid. MORALES, J. La asolación del jaguar en el capital, en DA. Derecho Animal. Forum of Animal Law Studies 12 (2021) 48-62.

ha reflejado una utilidad y obstaculiza los fines humanos del capital como en el caso del conflicto ganadero por la depredación, los jaguares son perseguidos hasta su exterminio.

Las relaciones de dominio del humano en represión del jaguar bajo el pensamiento especista son dinámicas y complejas, se organizan en una figura global de opresión y se singularizan en cada núcleo social humano, en algunas sociedades humanas han propiciado la aniquilación de esta especie desde una escala local —como en el caso del Estado de Tabasco, México, donde solamente se tienen registros de pieles y fotografías de los jaguares asesinados[12], con probabilidades muy bajas de población del felino—, regional, e incluso en una escala nacional como en el caso de El Salvador y Uruguay donde los jaguares en vida libre son sólo un recuerdo[13]. En un ámbito nacional, los espacios y territorios rurales de México son las principales zonas donde se generan las interacciones materiales e inmateriales entre el humano y el jaguar, en estas zonas se presentan grandes contrastes; por un lado, son sitios megadiversos que cuentan con una gran diversidad biológica y son zonas pluriculturales con una base social y cultural en el gran mosaico étnico de pueblos y comunidades indígenas, al mismo tiempo, son las áreas con mayor afectación por la crisis ambiental y por la violencia social, conformando espacios de marginación, destrucción, violencia y hostilidad que empobrecen a sus habitantes.

Los elementos ambientales y sociales convergen y se transforman en unos de los múltiples factores determinantes dentro de la ruralidad mexicana, esto genera una fuerza centrípeta que incide potencialmente en la relación humano-jaguar como centro, por la vitalidad de la ruralidad en esta relación, es importante un acercamiento a ella

---

12 HIDALGO-MIHART, M., CONTRERAS-MORENO, F., DE LA CRUZ, A., JUÁREZ-LÓPEZ, R., VALERA-AGUILAR, D., PÉREZ-SOLANO, L., HERNÁNDEZ-LARA, C. Registros recientes de jaguar en Tabasco, norte de Chiapas y oeste de Campeche, México, en Revista Mexicana de Biodiversidad 86 (2015) 469-477.

13 PEREIRA-GARBERO, R., SAPPA, A. XVIII. Historia del Jaguar en Uruguay y la Banda Oriental, en MEDELLÍN, R., de la TORRE, A., ZARZA, H., CHÁVEZ, C., CEBALLOS, G. (Coords.). El jaguar en el siglo XXI. La perspectiva continental (México 2016) 482-497.

desde una dimensión diacrónica social posicionándose inicialmente en el siglo XX que permita comprender la actualidad: en este lapso el México rural posrevolucionario bajo la reforma agraria dejó un legado de lucha y violencia sistemática que el campesino ha sufrido hasta la actualidad en un ambiente opresivo, como elemento secundario de esta herencia una gran cantidad de comunidades rurales tienen fuerza efectiva armada, incluso en cada núcleo familiar por lo menos cuentan con un arma de fuego que es parte de su cotidianidad en el campo —armas que obtienen actualmente en su mayoría del mercado ilícito nacional e internacional principalmente de EE. UU.—. En esta centuria a lo largo del país han existido múltiples encuentros violentos entre asesinatos, quema de viviendas y comunidades, desaparición de poblados y destierros de comunidades enteras derivado de las reformas agrarias en el país y el reparto de la tierra[14]. Desde un enfoque socioeconómico la violencia contra el campesinado tiene un eje importante en la transformación del sistema imperante, de un modelo agrario-industrial a un modelo industrial-agrario bajo condiciones de desarrollo capitalista tardío sometido a la hegemonía del poder teniendo así un carácter monopólico y dependiente con grandes beneficios, detrás de este éxito se esconde la lacerante realidad; el beneficio del capital trae consigo la miseria al campo y poco a poco los campesinos han ido perdiendo la posesión de la tierra y se han convertido en trabajadores con salarios precarios, esto ha significado para el campesino: hambre, desempleo, hacinamiento, falta de educación, salud y servicios básicos, así como una paupérrima capacidad de satisfacer sus necesidades básicas ante un grupo de dominación conformado por agroexplotadores, capital financiero y monopolios transnacionales con un exagerado poder adquisitivo y de privilegios, convirtiéndose en los amos del campo y de la economía rural, el incremento acelerado de la acumulación de capital en el campo, trajo consigo una tremenda desigualdad en las sociedades rurales[15], ante la dominación rural muchos campesinos y defensores

---

14 Vid. HUIZER, G. La lucha campesina en México (México 1970).

15 COLMENARES, I., GALLO, M., GONZÁLEZ, F., HERNÁNDEZ, L. Cien años de lucha de clases (1876-1976) (México 1985) 183-188.

comunitarios en resistencia han sido asesinados[16] para evitar que lideren a sus pueblos en autodefensa y revolución en la lucha por la tierra y la justicia social, los asesinos de los dominadores y la fuerza gubernamental armada reducen la fuerza colectiva, perdiendo cada día múltiples derechos.

La caída de producción agropecuaria junto con la inestabilidad social, política, cultural y ambiental hacen que el campo mexicano esté en crisis desde hace varias décadas, la política agraria que ha impulsado el capitalismo en el campo ha descompuesto los núcleos sociales rurales y con ello, uno de los principales soportes de la estabilidad del sistema social en su conjunto[17]. Esta política del estado ha consistido en deteriorar la posición económica y social de los núcleos rurales ante la empresa agrícola capitalista, incluso el individualismo ha permeado los núcleos sociales y los han debilitado, en suma, se vive un deterioro general de las relaciones rurales que afectan más a los campesinos pobres quienes se encuentran sometidos a múltiples relaciones de explotación por parte de los dominadores que al controlar los sistemas se apoderan de la vida rural[18], en conjunto con una alienación de masas, esta fuerza dominante busca conceptualizar al mexicano en una imagen en sí enraizada en la pasividad, la inferioridad y en la servidumbre ante los representantes del orden imperante, en este fenómeno marginal se populariza las explicaciones de la clase dominante[19], lo que sujeta al campesinado a la pobreza y frustración en una lucha constante contra el hambre y la enfermedad, así como una desconfianza y miedos extremos a los otros. Bajo la dominación y la violencia social el mundo del campesino es duro y les asusta, en su miseria compartida la desconfianza, el pesimismo, la inferioridad y la malicia constituyen un aspecto de la vida campesina[20], esto hace que

---

16 Vid. SILVA, J. Lucio Cabañas y la guerra de los pobres (Venezuela 2017) 176-180.

17 Vid. LEAL, J., HUACUJA, M. Los problemas del campo mexicano, en Estudios Políticos, Revista del Centro de Estudios Políticos II (1976) 17-34.

18 Vid. BARTRA, A. Sobre las clases sociales en el campo mexicano, en Cuadernos Agrarios 1 (1976) 17-28.

19 MONSIVÁIS, C. La cultura popular y urbana, en Revista Nexos 1 (1978) 4-7.

20 FROMM, E., CACCOBY, M. Sociopsicoanálisis del campesino mexicano (México 1987) 60 y ss.

la característica esencial del campesino en sitios rurales oprimidos radique en las relaciones de explotación de que es objeto, a pesar de que en ocasiones parezca manifestar características distintas, su existencia está condicionada por la de su explotador, el capitalista tradicional[21], esta sociedad de dominación es el eje vertebrador de la existencia de la pobreza ya que la desigualdad constituye un elemento consubstancial y necesario para la persistencia del sistema, en este sentido, la pobreza se presenta como un fenómeno inelíminable y se transforma en un elemento útil que contribuye a la reproducción de la estructura social y de las situaciones de dominación que en cada momento histórico se suceden; las riquezas de algunos, aquí las miserias de muchos[22].

Las sociedades rurales en México con presencia de jaguar generalmente tienen una brecha amplia de desigualdad y marginación en diferentes niveles direccionados hacia el límite paupérrimo, la pobreza toma distintas concepciones y modalidades, teniendo como eje el entorno en que rodea la situación marginal de las personas y grupos sociales en relación a las privaciones de capacidades básicas que tiene una persona. En las distintas dimensiones de la violencia en espacios rurales, dentro de la multiplicidad de elementos sincrónicos sociales que la determinan actualmente se añade la conjunción de drogas, crimen, delitos, corrupción política e inseguridad, migración, desplazamiento y desaparición forzada, así como las distintas expresiones de la narcocultura con una singularidad basada en que las actividades productivas del narcotráfico se encuentran arraigadas en determinadas poblaciones del México rural[23], lo que perpetúa la crisis, el despojo y la violencia en los espacios rurales.

En estos espacios complejos de dominación es donde generalmente se desarrollan las interacciones conflictuales en un primer

---

21 POZAS, R., de POZAS, I. Los indios en las clases sociales de México (México 1990) 157.

22 MORELL, A. La legitimación social de la pobreza (Barcelona 2002) 129.

23 PADILLA, L. Corrupción policiaca en Sinaloa en el temprano combate a las drogas. El caso contra Francisco de la Rocha Tagle en 1947, en BRITO, F., PEREA, D., y VIDALES, M. (Coords.). Violencia, criminalidad y delito en Sinaloa. Del siglo XX al pasado reciente (México 2023) 169-194.

momento entre el humano y el jaguar, bajo un largo proceso de colonización se ha estructurado en el imaginario social a través de la manipulación, la alienación y el encubrimiento que el jaguar es la amenaza o el opresor que hace daño; cuando un jaguar se acerca a las poblaciones humanas, generalmente se forman grupos de cazadores para asesinarlos, el simple hecho de que los pobladores rurales sepan que existe un jaguar en las cercanías del poblado es un motivo suficiente para aniquilarlos y en caso que tengan crías-hijos, los esclavizan como mascotas hasta su muerte. Este adoctrinamiento se basa en una alienación especista que tiene una importante carga derivada de la colonización, generalmente los pueblos y comunidades rurales oprimidas de América bajo este adoctrinamiento ven al jaguar como el opresor, esta tendencia histórica culpabiliza al más pobre y vulnerable de su propia situación, donde se condiciona al jaguar como animal que hace daño para ser aniquilado, con lo que se les responsabiliza de la miseria que padecen y a la vez se evita responsabilizar al propio sistema; la acción opresora que mantiene a las sociedades rurales en la miseria no se asocia a este animal, quien los tiene oprimidos no es el jaguar, quien afecta su economía no es el jaguar, quien afecta sus derechos no es el jaguar, este felino, al igual que ellos, son oprimidos: los sin mundo. Al perseguir al jaguar y eliminar la alteridad con él se encuentran en estas sociedades rurales a conciencias dominadas, al opresor introyectado; por detrás de esos ojos que persiguen para asesinar, de esa impenetrabilidad en las sociedades rurales especistas, están los ojos del opresor introyectado en ellos. Las formas y comportamiento de los oprimidos alienados, su manera de "estar siendo" en el mundo es resultado de la opresión y del alojo del opresor[24], replicando la misma violencia que los tiene dominados.

Las relaciones de dominación y encubrimiento del humano sobre los jaguares tienen una estructura económica y simbólico-social que, a través de una racionalización instrumental especista, definen el campo de la dominación animal donde los dominantes apuntan a mantener la posición ocupada y, por lo tanto, a perpetuar el *statu quo*, manteniendo y haciendo mantener los principios que fundan la do-

---

[24] Vid. FREIRE, P. Pedagogía del oprimido (México 2005) 217-218.

minación[25]. El campo político de la dominación antrópica del jaguar está constituido por el espacio donde se desarrollan las acciones, sistemas e instituciones propias de su asolación-esclavitud-aniquilación, en este espacio el sujeto-dominador mantiene como constante unívoca su soberanía y totalización cerrada para oprimir y reducir en un acto de fuerza hegemónica al jaguar básicamente en una cosa-objeto, configurándose en su devenir el encubrimiento en cosa-sentido, producto, recurso, mercancía o capital natural conforme la funcionalidad instrumental especista en un complejo mundo-campo de dominación centrado en el sujeto especista-capitalista que es el fundamento de la dominación, es el elemento principal del mundo unívoco estructurado en diversos sistemas y subsistemas de la totalización que mantienen como "lo que es" la violencia contra el jaguar. El campo político especista del asedio del jaguar es un espacio dinámico donde el sujeto hegemónico ejerce la fuerza conforme a su voluntad direccionada en la dominación del felino, creando estructuras de poder institucionalizadas permanentes donde se somete, tortura, oprime y reduce al jaguar a una cosa en sentido funcional del mundo especista, esta totalidad funcional crea funciones interrelacionadas que entre ellas mismas conforman un todo orgánico funcional donde se establece la posición dominante del sujeto-actor del campo de dominación especista en relación a la mediación instrumental del jaguar-cosa como elemento estático de una estructura y superestructura donde se ejerce el poder, dando lugar a la conformación del estado especista en donde el nivel práctico-político determina, y es determinado por la relación socioeconómica del sujeto como fin en sí mismo en mediación del jaguar-cosa, producto, mercancía y capital natural.

El campo especista de dominación del jaguar en su devenir presenta modificaciones en su estructura sin poner en cuestión al campo mismo de la dominación, por eso la dominación desde una perspectiva jurídico histórica como subcampo ha presentado modi-

---

25 Vid. BOURDIEU, P. El sentido social del gusto. Elementos para una sociología de la cultura (México 2017) 153-230.

ficaciones, pero en esencia, el elemento dominador se mantiene[26] adecuándose temporalmente a los procesos históricos con una dinámica que mantiene el eterno retorno de la dominación, por eso existe la veda del jaguar desde 1987 y al mismo tiempo hasta la actualidad se sigue teniendo un aprovechamiento de ellos, solo que ahora sustentablemente conforme a los requerimientos ambientales y de economía verde del siglo XXI[27]. Cuando se constituye un campo sistematizado en cuyo interior está conformada la relación asimétrica de destrucción del otro —el jaguar— se refleja en una gama amplia de prácticas cuyo objetivo es el mismo: la ganancia a costa del asedio del jaguar, consagrándose toda una cultura de dominación especista como valor moral; el mundo es como es, creando un campo político que se sostiene de una moral de dominación que elimina la dignidad del jaguar al reducirlo a una cosa.

La relación *Homo sapiens-Panthera onca* desde una perspectiva diacrónica muestra que el conflicto, como fenómeno de violencia y poder, tiene como cimiento interior básico al especismo y la ignorancia que imposibilita la compresión de la alteridad zooética con el jaguar, teniendo piezas clave del andamiaje social que se manifiestan principalmente en: 1) explotación y dominación por el ejercicio del poder, 2) intereses socioeconómicos —ganancia del capital— basados en: a) transformación en cosa-objeto-mercancía asociado al valor de uso y valor de cambio, b) afectaciones al capital, 3) competencia con cazadores y 4) miedo y desconocimiento. La perspectiva histórica conflictual del humano en contra del jaguar son la base para la comprensión del fenómeno de esclavitud-asolación-aniquilación del felino en México que, en diversas sociedades se siguen replicando. La ideología especista que reduce y cosifica al jaguar conforme a la mediación del humano se manifiesta en su esclavitud, asolación y aniquilación que se ha insertado en la cotidianidad como “lo que es”, siendo aceptable y benéfica en diversos campos y superestructuras, así, el campo político y sus subcampos han consolidado una

---

26 MORALES, D, MORALES, J., Genealogía diacrónica del conflicto humano-jaguar, en dA. Derecho Animal (Forum of Animal Law Studies) 12 (2021) 41.

27 Vid. Esta obra 6. Ruptura de la veda ante la progresión del especismo sustentable.

totalización del especismo que tiene temporalmente como punto clave exponencial el encubrimiento en octubre de 1492, cuando se toma posesión de los espacios territoriales de América por parte de la corona española a través del despojo y el encubrimiento del otro, en este momento la colonización generó una ruptura de la relación humano-jaguar pluriversal local hacia una hegemonía impuesta desde fuera en una dialéctica especista de colonización. Esta reducción-cosificación del jaguar se ha fortalecido por cinco centenarios de licitud y ser moralmente aceptable, hasta la declaración de la veda de esta especie, primero, desde un enfoque temporal corto en 1980-1981 y posteriormente en 1987 se va a declarar su veda indefinida de aprovechamiento en todo el territorio nacional, quedando en consecuencia estrictamente prohibida la caza, captura, transporte, posesión y comercio de esta especie, el jaguar por primera vez en la historia moderna va a tener una protección por estar en peligro de extinción. En 488 años —7 años posteriores alcanza la veda definitiva— de ideología especista de dominación europea a través de la ontología dialéctica especista se posicionó al jaguar dualmente como aquello a destruir y en la última centuria a explotar conforme a su reducción y cosificación en el capital, en este gran periodo de tiempo, el especismo colonialista permeó en un sincretismo en las sociedades de México hasta volver habitual y cotidiano el encubrimiento del jaguar, eliminando cualquier compasión en su miseria. La hegemonía y legalidad de este enfoque de destrucción tiene una carga antiquísima asociada a un pasado cinegético lícito y moralmente aceptable de exterminio, donde el aparato político social permitió ejercer el dominio y destrucción como mecanismos de poder sobre esta especie, evolucionando a una dominación para satisfacer una demanda de las sociedades de consumo modernas, pero en sí, manteniendo estático el campo de la dominación.

En este sistema el jaguar es cosificado y su existencia es reducida de acuerdo al fetichismo de la mercancía en valor de uso, su posterior valor de cambio y sus servicios en una dominación integral, al someterse al modo de producción, el jaguar es asociado por analogía de cosa a las mercancías y no como lo que en realidad es, esto da como resultado una explotación diversificada como fuente del capital, cuyo fin directo es la creciente acumulación de la riqueza. El jaguar-mercancía solamente vale por la ganancia, y esta se produce a través de diversas formas de esclavitud-asolación-aniquilación del felino, redimensionando el ser, la esencia y el concepto del jaguar, la transformación especista ontológica del jaguar como elemento del capital se manifiesta en una gran gama de cosas-sentido que dictan las sociedades de consumo, estos productos culturales cosas-sentido se asocian principalmente a los siguientes elementos —no limitativos—: 1) alimentación y abasto para el uso de su carne, productos, subproductos y derivados, 2) mascotismo, 3) medicina, 4) ornamento, 5) vestimenta, 6) espectáculos, 7) cultura, 8) rituales, 9) misticismo-religión y 10) entretenimiento, entre las múltiples formas de explotación-dominación del jaguar, en el último tercio del siglo XX se le dio una importancia al jaguar como producto del capital natural en la sustentabilidad por los 11) servicios ambientales que brindan al humano, en este racionalismo capitalista-ambientalista todos los anteriores elementos se justificarán desde la sustentabilidad.

En el devenir conjugado del especismo y el capitalismo en la historia moderna, en la edad de oro del siglo XX[28] la mercantilización del jaguar se fortaleció exponencialmente conforme al crecimiento, estabilidad y bienestar social posterior a la era de las catástrofes mundiales, donde el nuevo orden mundial, el sistema económico y la tecnificación industrial fomentaron la intensificación, extensión y normalización del especismo como parte del capitalismo globalizado, con el auge de la utopía neoliberal había que dejar que cada individuo persiguiera su satisfacción sin restricciones, dejando en un abismo al jaguar. Este momento del jaguar como materia prima y mercancía industrial en el libre mercado conforma la cúspide del encubrimiento ontológico de su ser y esencia por la cosificación-propiedad y marcó el paso al derrumbamiento por la crisis social; en tan solo tres años comprendidos de 1968 a 1970 en México se exportaron legalmente a Estados Unidos de América 1300 pieles de jaguar[29], lo que conforma una cuarta parte de la población total actual. Ante este panorama en respuesta ante las décadas de crisis el racionalismo capitalista se adaptó rápidamente al ambientalismo conforme la agenda política socio ambiental por ser uno de los temas

---

[28] Vid. HOBSBAWM, E. Historia del siglo XX (Buenos Aires 1998) 229-399.

[29] Vid. MORALES, J. La asolación del jaguar... *Op. Cit.* 52.

más importantes; la sociedad de consumo llega a presentar óbices en la aniquilación-asolación-esclavitud cuando se afectan los intereses de algunos sectores sociales[30], sin embargo, debido a su dinamismo, es capaz de establecer mecanismos a través de la racionalidad al servicio del capital para perpetuar la dominación mediante la tecnificación del mercado zootécnico, donde el producto-mercancía necesita "sustentabilizarse" y ahora ser cosechado en granjas-cárceles-cotos-zoológicos, estandarizando la producción para satisfacer a la sociedad de consumo con determinados estándares y medidas regulatorias, teniendo ahora un jaguar-mercancía direccionado a satisfacer a las sociedades de consumo pero sin importancia ecológica directa en la vida silvestre por ser creado desde las entrañas del capitalismo especista, ahora este jaguar sin trascendencia ecológica es un producto de segunda, es el perfeccionamiento del aprovechamiento racional de la sustentabilidad especista para la eterna ganancia a costa de su miseria.

La sustentabilidad del especismo-capitalismo se asocia a la condición del sistema abierto de dominio del capital ya que este sistema fluye libremente en la acumulación y la ganancia, si bien pareciera que la sustentabilidad como visión de un mundo justo permea en la actualidad en algunas sociedades al considerar a algunos animales como especies en riesgo y valorizar su importancia ambiental y cultural, en realidad esto encubre una forma de explotación ya que se transforma en una ganancia-beneficio para el capital a fin de que

---

30 En el racionalismo ambiental cuando un animal silvestre está en peligro de extinción, por la importancia ambiental que el organismo representa en los ecosistemas y los DESCA, se implementan mecanismos para su conservación, sin embargo, esto en la práctica no funciona así, ya que solamente cuando la especie tiene una importancia para el capital, o con un sesgo antropocentrico como a la salud humana pero siempre asociada al capital, el animal como especie tendrá un valor y accionar para la conservación, caso contrario, la especie estará condenada a la extinción como en el caso de la vaquita marina en el alto golfo de México ya que su situación es alarmantemente crítica, pese a los esfuerzos esta especie no contó con una protección y conservación efectiva; el capital dictó el rumbo hacia su extinción. Cfr. CCA. Vaquita marina: expediente de hechos relativo a la petición SEM-21-002 (Montreal 2025) Disponible en: https://www.cec.org/wp-content/uploads/wpallimport/files/21-02-ffr_es.pdf (última consulta, 20.9.2025).

persista el dominio a largo plazo, conformando una conservación del jaguar perniciosa que busca siempre la ganancia del capital y el eterno retorno del especismo, ahora las palabras dominación, sufrimiento, violencia, muerte, esclavitud, asolación y miseria del jaguar serán sustituidas por aprovechamiento sustentable, aprovechamiento racional cinegético, uso racional, capital natural y desarrollo sustentable para lograr que todo el mundo acepte el camino de la dominación y al mismo tiempo ardan en deseos de demostrar entusiasmo y esperanza por el cuidado del medio ambiente.

La conceptualización calificativa del jaguar dentro de los sistemas políticos y jurídicos como especie en peligro de extinción sólo se da por que el capital se ve obligado a tomar este giro, debido a la flexibilidad y dinamismo de este sistema, el jaguar como especie en peligro de extinción tiene un asedio que se da bajo el termino mercantil del aprovechamiento sustentable, que es la forma en que el capital puede seguir controlando la vida de los jaguares por la eternidad. Dentro de la alienación especista que reduce al jaguar a la mediación instrumental, en el caso de aquellos jaguares que afectan los intereses del humano, estos seres son denominados animales tornados perjudiciales, donde su captura, reubicación e incluso realizarles un daño es necesario para no afectar la totalización del sistema, su ser en sí, dignidad e importancia zooética no existe, son desplazados a la periferia —la selva propiedad privada no les pertenece ni ningún lado, su espacio territorial se conforma de espacios marginales en exclusión y contaminación, incluyendo los basureros de los humanos—.

En 2024 se realizó por parte del equipo de Biofutura el primer censo estatal de jaguar en el estado de Hidalgo, México, donde se obtuvieron registros de un jaguar viviendo en un basurero ilegal del municipio de Pacula, Hidalgo, México[31], el cual presentaba una herida de arma de fuego en su mandíbula[32], este fenómeno se replica en diversas zonas marginales de la Península de Yucatán, México,

---

31 ANCJ. Tercer censo nacional del jaguar. Resultados y perspectivas (México 2025) 6-9.

32 El jaguar fue rescatado del basurero por las autoridades del gobierno del estado de Hidalgo, sin embargo, al poco tiempo murió. Este daño a la fauna silvestre y maltrato animal nunca fue notificado a la autoridad federal cor-

donde existe la presencia de estos felinos en los basureros de las megalópolis. Asimismo, es común la traslocación de jaguares que están en zonas hoteleras, residenciales o que afectan los intereses humanos —v.g. ganaderos—, tan sólo en 2014, la Procuraduría Federal de Protección al Ambiente (Profepa) aseguró alrededor de 31 ejemplares vivos de jaguar de los cuales se desconoce, en la mayoría de los casos, el procedimiento de captura y manejo que se siguió[33], en su ideología especista con un fuerte engranaje en el capitalismo, estos animales "problema" afectan principalmente intereses económicos, turísticos y de desarrollo, incluso consideran que su simple presencia es un riesgo para la población[34]. No solamente el desarrollo económico de las megaempresas torna perjudicial al jaguar, también las comunidades indígenas mal asesoradas consideran que encerrar jaguares problemáticos en las comunidades y obtener ingresos por los daños que causan es una opción para su conservación; el 3 de julio de 2015 diversas comunidades indígenas de Yucatán junto a lideres de Pronatura Península de Yucatán, A.C., solicitaron un permiso a las autoridades federales ambientales para tener en un encierro "digno" a un jaguar silvestre que ellos consideraron problemático, mencionaron que el jaguar les causó daños a diversas comunidades mayas, este daño alcanzó una cifra económica de $100,000.00 (cien mil pesos mexicanos) por lo que querían tenerlo en un encierro para cobrar al público que quisiera verlo y así saldar la cuenta con las comunidades, ante la negatividad gubernamental, demandaron el Juicio de Ampa-

---

respondiente para investigar los posibles delitos, quedando en impunidad y negligencia. Vid. Art. 222 CNPP.

33 CEBALLOS, G., CERECEDO-PALACIOS, G., ZARZA, H., BERNAL, J., BROUSSET, D., CASSAIGNE, I., LAZCANO, M., TOWNS, V., CRUZ, E., MOCTEZUMA, O., NÚÑEZ, R., ORTIZ, S., REMOLINA, F., ROSAS, V. (Cols.). Protocolo de atención a jaguares silvestres en México. Captura y reubicación (México 2018) 23.

34 Vid. AZUARA, D., MANTEROLA, C., PALLARES, E., SOLER, A., RIVERA, A., CASAIGNE, I., WOOLRICH, D., NUÑEZ, R., CASO, A., CARVAJAL, S., GUTIÉRREZ, J., FALLER, J., ACOSTA, E., CALLEJA, M.,, SANTAMARÍA, A.,, CRUZ, E., MOCTEZUMA, O., CARREÓN, G., BRAVO; J., LOPÉZ, C., BROUSSET, D., SARACHO, E., ROSAS, O., ARANDA, M. REMOLINA, F., CORTES, F., OROPEZA, P., MANRIQUEZ. R. Protocolo de atención a conflictos con felinos silvestres por depredación de ganado (México 2007).

ro 1229/2015, radicado en el Juzgado Cuarto de Distrito en el Estado de Yucatán. La sentencia sobreseyó el juicio de amparo únicamente por lo que ve al acto reclamado consistente en la orden de traslado de un ejemplar de jaguar capturado el diecinueve de junio de dos mil quince en la comunidad Tesoco Nuevo, Tizimín, Yucatán. Por las acciones irresponsables el jaguar estuvo en un cautiverio prolongado[35], lo que causó su muerte. El asedio del jaguar se da desde múltiples espacios y cada día disminuye su espacio territorial orillándolo a la periferia.

En la modernidad, el especismo como fuerza de dominación ha reducido en un acto de cosificación perpetua al jaguar conforme al valor que tiene en las sociedades de consumo estructurándose en relaciones económicas y mercantiles del capital; estos productos, mercancías, capital natural y la variante de fuerza de trabajo asociado a los servicios ambientales son el resultado de la transformación fetichista acorde a la modalidad y temporalidad del capitalismo, quien lo absorbe, eliminando su ser y esencia para emerger como una cosa-propiedad del capital para su uso —sustentable en las sociedades actuales— en mediación instrumental especista para los fines humanos de dominación. El capital no se limita a apropiarse de la naturaleza para convertirla en mercancías, el capital rehace la naturaleza y sus productos biológica y físicamente, así como política e ideológicamente a su imagen y semejanza, una naturaleza especí-

---

[35] Los abogados de Biofutura junto con organizaciones locales de la Península de Yucatán ingresaron al Juzgado Cuarto de Distrito diversos documentos jurídicos a favor de la liberación inmediata del jaguar, logrando persuadir con alegatos al órgano jurisdiccional que conocía del Amparo Indirecto 1229/2015, asimismo, se tuvieron reuniones con la Dirección General de Vida Silvestre (DGVS) para colaborar en la elaboración de un nuevo acto administrativo conforme a las exigencias del juzgado y así liberar al jaguar en estricto apego al marco legal, pese a que la DGVS creó los nuevos actos administrativos de manera pronta para negar a los solicitantes el cautiverio del felino y ordenar la liberación inmediata del jaguar, el cautiverio prolongado y la ignorancia principalmente de los supuestos defensores ambientales causó la muerte del jaguar. Vid. Informe de Comisión DGVS-SEMARNAT 22-11-2017. Disponible en: https://dsiappsdev.semarnat.gob.mx/inai/IX/2017/713/4T/UR_713_RUC_31311_Informe_de_Comision_2017.pdf (última consulta, 20.9.2025).

ficamente capitalista[36], en este proceso, el jaguar como elemento de la naturaleza es conceptualizado acorde a su valor instrumental en el capital, el mecanismo impreso de esta dominación se asocia a la estructura ideológica de la dominación especista que encubre al jaguar, lo transforma y forma una fetichización especista; un referente ausente que separa al individuo dominador del —no— sujeto-jaguar que está consumiendo, esto a su vez separa al —no— sujeto-jaguar del producto final en el que se convierte el jaguar, esto invisibiliza y elimina la violencia de dominación inherente al consumo de felinos silvestres en las sociedades modernas, protegiendo la conciencia de las personas dominantes en las sociedades de consumo.

La transformación de la subjetividad del sujeto-jaguar a objeto-cosa-jaguar es un movimiento ontológico dialéctico especista de desplazamiento hacia el no-ser, valoriza y diviniza el producto como cosa-objeto inerte para la sociedad de consumo, esta separación total dialéctica del sujeto zoético a cosa-objeto es la base de la asolación del jaguar, su encubrimiento como ser en sí con un mundo donde interactúa conforme a su composición básica emotiva-sintiente, *zoo cogitans* y volición, permite realizar cualquier acto de dominación y explotación, mitificándose la dominación para dictar la mediación instrumental especista al servicio del humano; para eso son, para eso existen. Esta dominación se materializa en un orden institucional en normatividades morales y jurídicas que lo consideran como un recurso al servicio del humano o un objeto que es susceptible de tener un dueño o poseedor capaz de dominar su vida —y muerte—. En la modernidad, el poder y el dominio del humano-dominador sobre el jaguar-dominado se sustentan en satisfacer la voracidad de las sociedades de consumo, esta dominación ha prevalecido como política del estado moderno el cual ha generado una dinámica para la acumulación del capital conforme a la esclavitud-asolación-aniquilación del jaguar, por lo que su vida y muerte se transforman en mercancía en una relación con el humano puramente cuantitativa en relación a la ganancia.

---

36 Vid. O'CONNOR, J. ¿Es posible el capitalismo sostenible?, en ALIMONDA, H. (Comp.). Ecología política. Naturaleza, sociedad y utopía (Buenos Aires 2002) 27-52.

2. LO INTERNO Y EXTERNO

El especismo es un trato desigual basado en la especie[37], en su devenir se ha constituido como la peor injusticia del mundo; sus víctimas silenciadas son resultado de una violencia sistemática —prevenible y evitable—. Su ontología existencial implica el tratamiento desigual causado por la especie, sea real o percibida, en connotaciones éticas el especismo es inmoral por trasgredir el principio de igualdad de trato al no existir diferencia relevante que justifique la desigualdad con otras especies animales[38]. Desde una dimensión sistemática funcional en los ordenes sociales humanos en relación con los jaguares, el especismo es una fuerza que somete y reduce al jaguar en relación a la mediación instrumental para los fines humanos de dominación —incluyendo al capital—, al reducirlo automáticamente se transforma, causando afectaciones en su constitución real, dignidad y autonomía-libertad, lo que configura la miseria del felino en un mundo-totalización de dominación. Esta fuerza especista estructura un campo de dominación estático perpetuo y racionaliza al sistema-mundo-totalización como lo que es; el mundo es como es, la práctica de esta fuerza normaliza la dominación del felino al construir la forma de pensar de las sociedades humanas y su ser en el mundo. Los jaguares se enfrentan a este mundo racionalizado por el especismo, cuyo sistema de dominación es complejo y se constituye en múltiples y dinámicas relaciones de poder que los dominan y oprimen, quienes ejercen esta fuerza son los sujetos-dominadores; los soberanos con la voluntad de direccionar la dominación contra los dominados-oprimidos, al integrar estos elementos se conforma el conjunto dinámico del campo de dominación, un sistema de sistemas —universal— que condiciona a todos los demás sistemas.

La mecánica de la dominación es compleja y conjuga diversos elementos que armonizan las dinámicas relaciones de poder, en su estructura como fenómeno social, el dominio animal se conforma de elementos sociales antrópicos internos; ocultos —a través de la impo-

---

37 JAQUET, F. How to Define Speciesism, in Journal of Ethics 29 (2025) 477-496.

38 JAQUET, F. Le pire des maux. Éthique et ontologie du spécisme (Paris 2024) 194.

sición de su modo de interpretar el mundo—, que constituyen al especismo como el primer motor o primera causa —aquello que mueve sin ser movido— y el despliegue de una axiología y una ontología de dominación, y externos; lo que se manifiesta. Los elementos internos del especismo tienen una fuerte carga histórica, se sustentan principalmente en el fundamento ontológico-axiológico de la dominación ego-especista humana y se bifurca en la ignorancia-encubrimiento, fetichismo y alienación, imposibilitando la compresión de la alteridad zooética del jaguar, *ipso facto* son encubiertos como cosas arrojadas a la periferia de la totalización especista; el ser es, el no ser no es, dando origen a una dialéctica ontológica de dominación donde el jaguar es posicionado en la periferia instrumental de mediación que conforma una dicotomía humano-jaguar que es reforzada principalmente por las fuerzas sociales, culturales y económicas que despojan al felino de su individualidad y hacen que sus vidas sean mundanas, invisibles y carentes de interés[39], constituyendo una ideología de masas que sustenta su racionalidad instrumental y el logos en relación a la dialéctica especista de dominación.

Dentro de los elementos internos del conflicto humano-jaguar, un segundo momento determinante implica conocer la intencionalidad del actor, conformando básicamente dos clases de victimarios-opresores, uno activo que aplica la acción u omisión dolosa y directa, y uno pasivo que indirectamente se relaciona en la opresión en diversas escalas. En este momento el movimiento tiene dos tipos de conductas que conjugan la intencionalidad, el beneficio-placer y el vínculo con los daños materiales de la víctima-jaguar como elemento de exteriorización y son: directas, cuando la intencionalidad del acto es obtener un beneficio-placer y realizar un daño —que generalmente se encubre— con un comportamiento doloso, e indirectas, cuando la manifestación del accionante no tiene la intencionalidad de generar un daño y en algunos casos pueden constituirse por casos fortuitos. Las conductas que no tienen la intencionalidad de generar un daño directo a los jaguares pueden constituirse básicamente como indirectas vinculadas, no vinculadas y derivadas. Las conductas

---

[39] Vid. COOKE, S. Animal Rights, Moral Motivation, and the Experience of Wonder, in Journal of Applied Philosophy (2025) 1-13.

indirectas vinculadas mantienen una relación secundaria —complementaria— con las conductas directas, y las no vinculadas o fortuitas no tienen una relación directa con alguna práctica —accidental y culposa—. En las formas de afectación que no tienen como objetivo general obtener un beneficio-placer directo de los jaguares se incluyen las conductas derivadas las cuales emergen de conductas directas e indirectas, el objetivo de la conducta es divergente de los elementos directos e indirectos y se pueden asociar a una multiplicidad de factores y prácticas, potenciando el daño a los jaguares que, en algunos casos, es tan grave la afectación que podría competir con los elementos directos e indirectos.

Los elementos externos del especismo direccionados al jaguar; aquello que se manifiesta, parten de la materialización de la conducta y se expresan en prácticas por parte del sujeto-dominador-opresor que generan afectaciones —efectos— directas e indirectas en los jaguares —sujetos pasivos—; quienes son los que resienten la acción opresiva en exteriorización. La materialización de las conductas en prácticas que afectan al jaguar son diferenciadas en cada núcleo social que entabla una relación con el felino debido a la composición pluricultural y pluriétnica de México, si bien existe un dinamismo sociocultural, la materialización de las conductas predominantes y generales tienen un resultado material de afectación al jaguar y se asocian principalmente con alguna forma de esclavitud-asolación-aniquilación e incluso en conjunción en una singularización del especismo. La materialización se manifiesta en prácticas —dinamismo de lo conductual interno y el fenómeno a la práctica externa— y son principalmente:

1. Directas asociadas a la aniquilación-asolación. Cacería; magia-chamanismo-brujería y su vínculo con la vestimenta, los accesorios y los amuletos mágicos basados en confeccionar la piel, garras, huesos, sangre, piezas dentales, grasa, testículos, carne, semen y demás elementos corporales del jaguar; ornamentación; trofeos; falacias terapéuticas-medicinales que tienen un origen local e internacional —principalmente el mercado asiático—; consumo del felino como alimento para humanos.

2. Directas asociadas a la esclavitud-asolación. Mascotismo, exhibicionismo y espectáculo con eje en el entretenimiento y diversión a través del encierro del jaguar para su explotación, lo que incluye complementariamente las mutilaciones corporales, corte de garras, limadura de dientes y la amputación de la cola.
3. Indirectas asociadas a la aniquilación-asolación. Crecimiento de estructura civil, ganadería y agricultura de dominación; invasión al hábitat del jaguar —legal e ilegal—; atropellamientos; envenenamiento no intencional; transmisión y aumento enfermedades; contaminación.
4. Indirectas asociadas a la esclavitud-asolación. Turismo de dominación de la naturaleza.
5. Indirectas derivadas. Peculado, corrupción, impunidad, enriquecimiento ilícito.

Las prácticas indirectas derivadas se asocian también a las actividades que podrían implementar los supuestos defensores de los jaguares o conservacionistas y que se encuentren en posibilidad de hacerlo por representar un cargo público gubernamental y que no lo hacen por tomar sus propios intereses, o que utilizan la causa animalista o ambientalista para obtener sus propios fines y que no realizan nada por los jaguares, también se incluyen los desvíos de recursos destinados para los jaguares y que, por corrupción, nunca se destinan para la conservación sino para el enriquecimiento privado sin importarles los jaguares, en este rubro de prácticas derivadas se encuentra la deficiencia de las instituciones gubernamentales encargadas de dar una protección a los animales y a la naturaleza, y al no cumplir con sus funciones por la corrupción y la impunidad generan un daño a los jaguares.

Todas las afectaciones procedentes del especismo que perjudican al jaguar tienen, generalmente, un beneficio-placer —fantasmagórico— al humano, esto hace que el especismo —desde la universalidad— se configure como una violencia inevitable que hace bien, incluido al estado, porque reestablece la paz y la concordia constituyendo una violencia que construye y por lo tanto no censurable[40]; en esta dinámica emergen dogmas que dictan: si no hay aprovechamiento, no hay conservación; hay que eliminar o remover al jaguar perjudicial, y el bien se configura en la miseria —regulable— del jaguar. La aniquilación-esclavitud-asolación del jaguar en la actualidad infiere de manera desproporcional al beneficio-utilidad-placer del humano-dominador, generando un nexo antrópico causal en la miseria del felino asimétrico.

En este sistema —bajo un pensamiento crítico en alteridad zooética— el jaguar es el sujeto pasivo de la fuerza de dominación; la víctima. Los jaguares son quienes resienten las afectaciones en un ámbito individual e incluso colectivo y ambiental. Estas afectaciones son clasificadas en directas e indirectas. La afectación es directa o primaria en referencia al individuo o colectividad contra quien está dirigida de forma inmediata la conducta del agente activo-dominador y puede ser: a) privación de la vida, b) privación de la libertad, c) privación de la integridad físico-psíquico-social y d) privaciones socio ambientales. Las afectaciones indirectas o secundarias se asocian a los individuos que no sufren la manifestación conductual del individuo activo de la misma forma que el individuo directo, pero también encuentra afectado sus propios intereses y derechos a partir del impacto que recibe el agente pasivo de afectación directa, el daño que padece el individuo de afectación indirecta se produce como efecto secundario en relación a quien está siendo afectado de manera directa. En esta zona del sistema-totalización se incluyen a los perjudicados secundarios que tienen una afectación por mantener un vínculo con la víctima directa e indirecta, en este punto del campo de dominación emergen aquellas comunidades y pueblos indígenas que tienen en su núcleo y en su cotidianidad al jaguar, así como aquellas sociedades e individuos que tienen un nexo social en alteridad con el jaguar en una relación proximal por considerarlo su prójimo e incluso un miembro dentro de su núcleo familiar[41].

---

40 Vid. VILLORO, L. El poder y el valor. Fundamentos de una ética política (México 1997) 99-100.

41 Vid. MORALES, D., MORALES J. Patrimonio Cultural y Biodiversidad; El Caso del Jaguar Mexicano… *Op. Cit.* 979.

La manifestación del especismo tiene múltiples fenómenos que relacionan las afectaciones de las víctimas y perjudicados en un sistema complejo que conjuga las prácticas de dominación especista, manteniendo desde una singularidad hasta una pluralidad de afectaciones de los individuos, organismos y colectivos que recienten el daño. El dominio del jaguar y el conflicto humano-jaguar es la manifestación dialéctica del especismo-capitalista, dentro de su función instrumental encubre, transforma y racionaliza al jaguar en atención a la mediación dictada desde el centro. El encubrimiento no solamente se da en lo individual-corporal del felino, este incluye los fenómenos, relaciones y el sistema de dominación donde los alienados replican una construcción errónea del dominio y el conflicto humano-jaguar[42] confundiendo términos, causas, problemas y efectos. Las prácticas que afectan al jaguar se han adecuado a los requerimientos sociales de la época, en la actualidad tienen como elementos la sustentabilidad y el panorama verde en relación a la naturaleza, en este sentido, el racionalismo especista-capitalista se arropa de estos elementos para continuar con la dominación del jaguar desde una política de dominación y encubrimiento adecuado al paradigma de la sustentabilidad. Abordar la problemática que enfrenta el jaguar desde el centro de dominación del mundo-sis-

---

42 Diversas instituciones ambientales gubernamentales, académicos, expertos y actores de la conservación del jaguar en México realizaron un diagnóstico del tráfico ilegal del jaguar y con su información se hizo un árbol de causa-efecto de la cacería y el uso de la vida silvestre enfocado en el jaguar. Dentro del análisis establecieron que el problema es la cacería del felino, las causas; el conflicto ganado-jaguar, inexistencia de educación ambiental para la conservación del jaguar, pérdida de hábitat y fragmentación, falta de aplicación de la ley ambiental y el interés por el uso del jaguar. En el apartado de consecuencias colocaron el aumento de cazadores ilegales, extinción del jaguar, tráfico y comercio ilegal y el aumento de los delitos ambientales. Este diagnóstico intenta dar una respuesta ante la perdida del jaguar desde una racionalidad ambiental capitalista que media al jaguar como instrumento, asimismo, visibiliza la alienación de los intelectuales al servicio del especismo y el capital en su acercamiento a un conflicto que no pueden comprender y por lo tanto no pueden resolver. Cfr. AMMAC-WWF. Resumen Ejecutivo. Informe Técnico Integrado Final del Proyecto "Diagnóstico del tráfico ilegal del jaguar y capacidades institucionales para la aplicación de la ley en el corredor selva maya" (México 2022) 27-31.

tema-totalización y el paradigma perverso de la sustentabilidad en la esclavitud-asolación-aniquilación del jaguar-cosa responde a la lógica expansiva del especismo-capitalismo, en esta ideología que implementa estrategias para la conservación del jaguar el campo de dominación queda estático y no permite la apertura al jaguar en su otredad, si bien se llegan a modificar algunos elementos de la dominación a través de la regulación, se formulan sobre el mismo campo de dominación, podrán cambiar elementos, pero nunca el campo de dominación hegemónico especista manteniendo un dinamismo en la dominación-conservación del jaguar que llega al mismo lugar; un eterno retorno. El proyecto busca perpetuar la dominación generando un sistema que produce y reproduce relaciones serviles y esclavistas, devorando al jaguar, asimilando cuanto le sirve y eliminando el resto. Son perversos por que en realidad no buscan acciones para salvar a los individuos y a la especie, sino continuar replicando un despojo que propicia la miseria de los jaguares en un encubrimiento con un discurso vacío, lleno de palabras destinadas a engañar mediante una descripción equívoca, a menos que cambien los propios hechos, los cambios en las palabras utilizadas para describirlos no bastarán para modificarlos[43].

A manera de conclusión los factores internos-externos del dominio del jaguar son complejos y dinámicos, dentro de los factores internos se encuentra el primer motor o primera causa: el especismo, en su devenir junto a la ignorancia, la apatía, el fetichismo y la alienación, conforman una conducta manifestada en el fenómeno y justo en lo interno-externo se presenta la práctica que tiene como resultado material una afectación en la víctima —efecto— y en los perjudicados, lo que conforma la miseria del jaguar en el antropoceno. La materialización del especismo puede tener diversas afectaciones que se compaginan en un sistema de dominación que conjuga en su mecánica conductas directas, indirectas y derivadas que impactan desde una singularidad hasta una pluralidad de prácticas y afectaciones conforme los individuos u organismos que recienten el daño en un gran abanico de posibilidades en el devenir de la dominación. El análisis de las relaciones internas-externas de la dominación en su

43 Vid. HOBSBAWN, E. Guerra y Paz en el Siglo XXI (México 2019) 65-94.

práctica permite comprender el entretejido de la opresión, asimismo, visibiliza al especismo como lo interno; aquello que se mantiene oculto en un *statu quo* de dominación y su vínculo con lo externo visible en una relación causa-efecto, conformándose el fruto que parte de la raíz oculta del especismo. La comprensión de lo visible-invisible del especismo en la relación teleológica causa-efecto en la práctica de dominación de lo interno a lo externo y el vínculo con el daño a las víctimas y perjudicados permite identificar el entretejido social del especismo y develar los elementos que son replicantes, dinámicos y adaptativos —externos— de aquellos que se mantienen estáticos-constantes —internos—; los primeros son regenerativos y cada que se remueve o elimina un elemento —extremidad— emerge otro (s) de manera inmediata, estos elementos son visibles y por sus cualidades cualquier acción únicamente en su contra es insignificante, a diferencia de los elementos internos que se mantienen invisibles-ocultos y que conforman el centro de la totalización; la monstruosidad del dominio del jaguar tiene extremidades regenerativas-adaptativas y un centro-interno de su totalización como primer motor inmóvil que mueve a todo —primera causa—.

El abordaje social del dominio humano sobre el jaguar propicia teóricamente una desmitificación histórica de la dominación desde su raíz interpretativa, mostrando el origen y el desarrollo histórico de esta dominación para delimitar el devenir opresor y transformarlo, poniendo de manifiesto la contradictoriedad de la razón dominante en la aniquilación-esclavitud-asolación. Esta aproximación teórica devela la ilusión que encubre la dominación del jaguar bajo cimientos sociales especistas que, desde distintos momentos históricos, han tratado de racionalizar su miseria. La historia de esta dominación y aniquilación se interrelaciona con el presente y condiciona el futuro, develarla propicia la base para realizar una transformación y dar paso de la dominación a la liberación-deconstrucción, en esta aproximación teórica se da a conocer una red compleja de interacciones opresoras —internas y externas— a fin de desenmascarar el dominio como primer momento para una transformación analéctica zooética —ir más allá de la dialéctica— que desde una connotación amplia se permita ir más allá de la totalidad para encontrarse con el jaguar como el otro más otro y, en un giro animalista, se liberen a estos seres a través de la alteridad como negación de la totalidad[44].

3. POLITIZACIÓN DE LA DOMINACIÓN

El campo político especista de dominación de los jaguares es un espacio dinámico donde confluyen las relaciones socioeconómicas que transforman a los seres jaguares en cosas, cosas-sentido, productos, mercancías y capital natural a través de la fetichización. La fuerza que ejercen los sujetos con voluntad direcciona la dominación, interrelacionándose en estructuras de poder institucionalizadas permanentes: poder someter, torturar, oprimir y normalizar, ocultando en una ideología especista su ser, lo que posiciona a los jaguares en cosas y las cosas como jaguares determinándose en un ámbito temporal conforme a su mediación instrumental de dominación para los fines del sujeto-dominador y el capital, el jaguar-cosa en la totalización-sistema-mundo de dominación está fuera como ser en sí y ser con dignidad, autonomía-libertad y derechos bajo un principio de exclusión especista que los posiciona en la lejanía de la proximidad zooética y los totaliza desde una cercanía instrumental de mediación, *ipso facto* también están fuera del campo moral, político y de los subcampos como el derecho desde una connotación del sentido de dignidad y justicia animal como ser con otredad, por lo que su cercanía al mundo es desde la mediación para los fines humanos —del capital—; uso, manejo, gestión, aprovechamiento…, y no como un ser en sí mismo con dignidad. La estructuración de esta ideología dominante cimienta el derecho humano para dominar a los jaguares a través del derecho de los bienes en un primer momento, posicionando a estos seres con individualidad-dignidad como cosas en una estandarización y homogeneidad desde la cosificación para ser bienes muebles, materiales y corporales para los fines humanos, constituyendo un derecho real como un poder político-jurídico que una persona —humana o el constructo social ficticio de las personas morales— tiene de obtener-despojar directa o indirectamente

---

[44] Para adentrarse en los conceptos de analéctica para la liberación Vid. DUSSEL, E. Introducción a la Filosofía de la Liberación (Colombia 1991).

una parte o la totalidad del jaguar por ser una cosa susceptible de estos actos «Imagen 1.3»; la relación entre las personas y la cosa es inmediata; pero es necesario precisar que se hace bajo el control y la garantía del Estado, estos derechos reales versan sobre la materialidad misma de la cosa; los accesorios sobre el valor pecuniario de la cosa, el derecho real se ejerce directamente sobre la cosa[45], sobre la que se conforma una reglamentación de un derecho de propiedad como realidad jurídica que constituye deberes que resultan de normas jurídico-políticas en colectividad referente a la propiedad —pública y privada— y el respeto de ésta como principio fundamental de la vida social, estructurándose una función social del derecho; un derecho especista, donde el propietario-dominador, quien ejerce justamente la dominación de la cosa tiene el derecho y la facultad de utilizar la cosa para la satisfacción de sus necesidades; son los medios para los fines humanos —del capital—. En el devenir de la dominación especista de los jaguares, el subcampo jurídico-normativo ha conformado una legislación que afirma la dominación a través de su andamiaje legal positivista cuya finalidad no se direcciona al derecho como la ley del más débil y la justicia, sino a la regulación de la esclavitud-asolación-aniquilación de los jaguares como medios para los fines humanos, positivizando la transformación reduccionista en cosa-sentido, producto, recurso, mercancía y capital natural conforme a un determinado espacio tiempo.

---

45 Vid. SÁNCHEZ-CORDERO, J. Introducción al Derecho Mexicano. Derecho Civil (México 1981).

«Imagen 1.3» El jaguar descarnado. Despojado de las estrellas, del conocimiento, ser y la esperanza, el jaguar guarda las galaxias en su rostro, huye escapando de la extinción, donde su último relicto es la ilusión de un mundo mejor. Elaboración propia.

En el momento histórico ambientalista-capitalista se posiciona a los jaguares como cosas-elementos del capital natural, así, la importancia zooética, ecológica y cultural-simbólica del jaguar es redimensionada en capital natural-cultural para ser asimilados al proceso de reproducción y expansión de la ideología dominante, estructurando y dimensionando las condiciones de reproducción mediante una gestión económica y socialmente racional del capital con un enfoque ambiental. En este momento, la esclavitud-asolación-aniquilación del jaguar será sustentable e incluso conservacionista, manteniendo el campo de dominación que niega al jaguar como "otro" para seguir obteniendo beneficios de su miseria en una amplia diversidad de manifestaciones de regulación especistas. Debido a la mutabilidad de la dominación incluso se ha conformado un ambientalismo burgués especista, direccionado por quienes nunca se centran en los jaguares como seres con fines en sí mismos, sino que sus actuaciones siempre se direccionan al enriquecimiento capitalista, su insaciable avaricia a costa de la miseria de los jaguares. El subcampo jurídico-político de dominación especista desde una perspectiva histórica ha presentado modificaciones, pero en esencia, la fuerza de dominación se mantiene, afirmando los mecanismos regulativos para su cosificación en un racionalismo instrumental especista que niega la dignidad, autonomía y libertad de los jaguares.

Como elemento temporal para comprender la superestructura de dominación del jaguar en la actualidad es importante posicionarse temporalmente en el siglo XX —con sus cimientos en la era del capital y la era del imperio—; este siglo es el período más sangriento en la historia conocida de la humanidad, en un paralelismo simétrico esta violencia tuvo un eje importante en la destrucción-aniquilación-asolación del jaguar de manera exponencial por la tecnificación del especismo en múltiples prácticas, principalmente por la expansión esclavista ganadera, la industria de la moda y la cacería. En este siglo fue cazado el último jaguar en Uruguay y El Salvador[46], a nivel local en México fueron eliminados los jaguares del Estado de Tabasco ya que solamente se tienen registros aislados e indirectos y ni siquiera cuenta con hábitat potencial para la especie más que en el área na-

---

46 de la TORRE, A., CEBALLOS, G., CHÁVEZ, C., ZARZA, H. y MEDELLÍN, R. XIX. Prioridades y recomendaciones, en MEDELLÍN, R., de la TORRE, A., ZARZA, H., CHÁVEZ, C., CEBALLOS, G. (Coords.). El jaguar en el siglo XXI. La Perspectiva continental (México 2016) 496.

tural protegida “Reserva de la Biosfera de Pantanos de Centla”[47]. El impacto continental fue tan grande que todas las subpoblaciones de jaguar fuera del Amazonas están reducidas a un nivel muy crítico[48].

El incremento sin precedentes de la capacidad humana de destruir la faz de la tierra se consolida en el siglo XX con un engranaje social de dominación animal donde se absorbe al jaguar, este engranaje tuvo un fuerte impulso en los sistemas políticos y su instrumentación en sistemas jurídico-normativos se desarrolló en una escena mundial de dominación especista fortalecida por diversos acontecimientos vinculados entre sí, principalmente por la tecnología, la actividad económica y la globalización como factores clave para consolidar la exponencial y constante aceleración de la capacidad de esclavizar-asolar-aniquilar a los jaguares, conformando sociedades insaciables de consumo cuyo sistema maximiza el crecimiento económico a costa de lo que sea, incluyendo la miseria de estos seres. La actividad económica rural se enfocó en el fomento a la ganadería en todo el espacio del campo mexicano, creando incluso secretarias de estado orientadas en consolidar esta actividad y de manera proporcional el aumento de la caza del felino por considerarse perjudicial a los intereses sociales. Desde la colonia, la ganadería constituyó el eje central del repoblamiento, despojo de las tierras y la conformación de las sociedades oprimidas bajo un sistema de dominación hasta su consolidación en el estado de derecho en el siglo XX[49]. En este siglo con el aumento de circulación de armas de fuego en las sociedades rurales y con mayor acceso de perros para cacería se implementó el aprovechamiento de jaguar por sus partes enfocado en la piel para la industria peletera como una importante actividad económica en las

---

47 Vid. de la TORRE, A., RUÍZ, F., AQUINO, A., HIDALGO, M., WOOLRICH, D., CRUZ, E., PALACIOS, G., MEDELLÍN, R. 2) Región Pacífico Sur-Golfo: Guerrero, Oaxaca, Chiapas y Tabasco, en MEDELLÍN, R., de la TORRE, A., ZARZA, H., CHÁVEZ, C., CEBALLOS, G. (Coords.). El jaguar en el siglo XXI. La Perspectiva continental (México 2016) 62-67.

48 Vid. de la TORRE, A., GONZÁLEZ-MAYA, J., ZARZA, H., CEBALLOS, G., MEDELLÍN, R. The jaguar´s spots are darker than they appear: assesing the globla conservation status of the jaguar *Panthera onca*, in Oryx (2017) 1-16.

49 Vid. BARRERA-BASOLS, N. Los orígenes de la ganadería en México, en Ciencias 44 (1996) 14-27.

sociedades rurales de México. La globalización del especismo como factor clave ha conformado una unidad indivisa de la totalización especista en escalas nunca antes vistas, esta unidad como forma dominante se vincula con el mercado global libre y carente de controles, un *laissez faire, laissez passer* que ha aumentado exponencialmente la brecha de desigualdad entre jaguares y humanos, este sistema incluso ha modificado participación de las sociedades humanas, ahora, la participación en el mercado sustituye a la participación en la política. El consumidor ocupa el lugar del ciudadano[50], marcando aún más profundo el abismo entre estas dos especies de animales: humanos y jaguares.

La positivización de la ideología especista en escalas mundiales es un mecanismo para justificar a sí mismo su imperio y replicarse a través de la globalización, con estos instrumentos la esclavitud-asolación-esclavitud conforme la reducción del jaguar a cosa-sentido, producto, mercancía y capital natural, se regula como elemento adjetivo que encubre su miseria, esto permite explotar-aprovechar al jaguar como recurso natural y ambiental —en mediación— pero de manera "sostenible" o "sustentable", "amigable con el ambiente", "jaguar friendly" o bajo cualquier adjetivo que encubre, pretendiendo estar haciendo un favor —incluso hasta salvar a la especie— a los jaguares-víctimas al dominarlos; a menos que cambien los propios hechos, los cambios en las palabras utilizadas para describirlos no bastarán para modificarlos[51].

La ideología especista-capitalista que somete al jaguar conjuga el proceso argumentativo en términos del lenguaje y determina la dirección del proceso de pensamiento, terminando donde empieza todo; en las condiciones y relaciones de dominación dadas desde un principio especista, lo que conforma un eterno retorno. El especismo capitalista se impregna en la cotidianidad, el modo de vivir, pensar y sentir, confirmándose a sí mismo en las superestructuras sociales en un adoctrinamiento y alienación social a lo que "es" y busca mantener la ganancia infinita a través de la miseria del jaguar por siempre, este sueño de la razón instrumental especista-capitalista

---

[50] HOBSBAWM, E. Guerra y paz en el siglo XXI..., *Op. Cit.* 135

[51] *Ibidem* 65.

es la pesadilla del jaguar y crea monstruosidades: una sustentabilidad que permite el eterno retorno del jaguar como recurso natural, seguir aprovechando todo de él para los fines del soberano —o quien detenta la autoridad y ejerce el poder— sin ninguna afectación que en sí, es encubierta e invisibilizada. En la sustentabilidad racional especista-capitalista la miseria del jaguar no existe, esta sustentabilidad confirma al especismo y une a los contrarios, rechazando la contradicción, la antítesis es determinada en el sentido de la tesis en la unificación de los opuestos. La tesis sostiene; realizar acciones por la liberación-supervivencia-conservación-salvación-cuidado del jaguar, la antítesis sostiene; prepararse para la esclavitud-asolación-aniquilación, en la unificación de los opuestos; realizar esclavitud-asolación-aniquilación del jaguar es trabajar por su liberación-supervivencia-conservación-salvación-protección. Ahora se salva, conserva, protege y cuida al jaguar a través de su miseria, quitándoles todo para reducirlos a una mercancía del capital natural... La unificación de la liberación-supervivencia-conservación-protección-cuidado del jaguar con la esclavitud-asolación-aniquilación define el campo de dominación desde dimensiones sustentables-bienestaristas y conforma todo su contenido, perdiendo la fuerza de liberación y alienándose al sistema-totalización-mundo de lo que es, repeliendo cualquier alternativa que no esté dentro del campo de dominación, la neutralización de la supervivencia-conservación-protección-cuidado del jaguar en el especismo-capitalista limita estructuralmente la tolerancia —expresada en tal imparcialidad sirve para minimizar o incluso absolver la intolerancia y la represión prevalecientes— en la mentalidad precondicionada en los esquemas sociales de desarrollo; será un desarrollo especista sustentable de dominación en un eterno retorno, y condiciona que el beneficio antrópico sustentable-bienestarista sea lo positivo y cualquier afectación a el *statu quo* lo negativo[52].

El desarrollo y la sustentabilidad en el campo de dominación especista-capitalista son instrumentos de mediación del jaguar en una racionalidad ambiental de dominación para los fines del soberano, encubriendo su miseria en el mundo e idolatrando el progreso social

---

52 Vid. MARCUSE, H. La tolerancia represiva y otros ensayos (España 2010) 47-76.

sustentable y la conservación del felino en una idea unívoca y cerrada del bien común, sin embargo, cada progreso es al mismo tiempo un regreso relativo y el bienestar y el desarrollo de unos se verifican a expensas del dolor y de la represión de otros[53], estos "otros" en la historia del colonialismo, el encubrimiento y el desarrollo sustentable de dominación incluyen a los jaguares que, a través del despojo se oculta la opresión en un *statu quo*, en este encubrimiento las personas involucradas en las cadenas de producción asociadas al jaguar cosa-sentido, producto, recurso, mercancía y capital natural tienen la percepción de poseer una justificación moral y legal para practicar su barbarie. El ascenso de un colosal terror a lo largo del último siglo no es reflejo de la "banalidad del mal", sino de la sustitución de los conceptos morales por imperativos superiores[54]: la insaciable sed de la ganancia que deja su huella en los campos políticos y los subcampos jurídicos en los sistemas modernos de derecho.

El Estado representa los intereses de la clase más poderosa y económicamente dominante, es el fenómeno histórico de la sociedad de clases que se materializa funcionalmente en el gobierno de la clase opresora, que mediante el control adquirió nuevos medios y formas de retener a los oprimidos. El objetivo central de estos gobiernos de dominación es mantener un *statu quo* de la opresión en el orden social y maximizar el crecimiento económico que en conjunto con el aumento de la globalización han producido un profundo efecto político y cultural con un subcampo jurídico adecuado a las exigencias e intereses de los dominantes, esto ha traído consigo un crecimiento exponencial de la desigualdad y miseria de los dominados en un dinamismo adaptable que se reajusta a la sociedad para mantenerse en un mínimo razonable y permisible de opresión y exclusión de los otros para evitar la violencia vertical ascendente contra los opresores. El imperio hegemónico se autojustifica y se sustenta a sí mismo en sus actos de dominación, creando fantasmagóricamente efectos benéficos de sus actuaciones —soltando pizcas y migajas para los dominados ya que el *imperium* en algunos casos ha dado resultados

---

53 Vid. ENGELS, F. El origen de la familia, la propiedad privada y el Estado (España 2017) 84.

54 Vid. HOBSBAWM, E. Guerra y paz..., *Op. cit.* 165.

positivos democráticos en los derechos humanos e incluso en los derechos de los animales— lo que pertenece a la retórica imperial, la cual ha decidido replicar su visión del mundo como lo que "es" y así, la libertad y la justicia se amoldan conceptualmente a su horizonte de dominio que incluye a los oprimidos en vista de mejoras de derechos —mínimo permisible—, pero sin eliminar o poner en duda el campo de dominación en sí. En este campo emergen los derechos humanos económicos, sociales, culturales y ambientales en las sociedades modernas de dominación —posteriormente de manera minúscula surge el derecho animal—, los derechos y sus garantías fluctúan entre una tasa mínima de subsistencia y un ciclo de prosperidad y crisis permisibles bajo la idea del progreso direccionada por la masiva concentración de la publicidad comercial y los medios de comunicación sobre los deseos reales e inducidos en las sociedades de consumo y así, mantener el orden social trazado por la clase dominante; merodeadores que saquean y despojan al amparo de la ley de la competencia capital-especista o la ley del más fuerte que impone la disciplina, el orden, la política, el derecho y sus deseos de voluntad.

El derecho y las instituciones jurídicas reflejan los intereses de las clases dominantes y se afirman bajo el régimen de la ideología jurídica predominante, que es una ideología jurídica del especismo-capitalismo que se acentúa en la necesidad de asegurar los intereses y derechos de los dominadores, tanto en un sector de supremacía material, como en la conquista del poder estatal; las relaciones jurídicas como las formas de Estado no podrían comprenderse por sí mismas, sino que radican en las condiciones materiales de vida[55], en estos términos marxistas, el derecho no puede ser concebido con independencia de otras esferas del mundo social que en sí lo determinan.

El derecho como sistema regula sus asuntos por medio del poder social, es el mecanismo en que adquieren forma las relaciones de los individuos en una sociedad basada en la integración y el orden dentro del capitalismo y el especismo. Las normas formales se apoyan en las premisas de legalidad e ilegalidad de conductas del gobernado ante la directriz del estado como institución provista de la fuerza pública destinada especialmente a ejecutar las leyes y órdenes. Así, el

---

55 HOBSBAWM, E. Cómo cambiar al mundo (Barcelona 2011) 324.

derecho responde a la mitificación ideológica de la supremacía del especismo y el capital que permite, promueve y fortalece la extorsión, transformación, cosificación y el despojo del animal en un proceso de positivización y legalización de la ideología dominante como estrategia de dominación. La naturaleza de este derecho consiste en fijar y reproducir las condiciones generales y básicas que se requieren para construir un sistema cerrado de dominación que señale la vigencia de la libertad e igualdad de sus integrantes para legitimar el orden y las relaciones sociales entre sujetos. En la positivización del sistema de dominación se han creado normas que son una forma de fetichización y cosificación del mundo donde las relaciones entre personas aparecen mediadas como relaciones jurídicas, este sistema de cosificación naturaliza e internaliza la violencia que le es propia y consubstancial. En una relación social es reproductivo, es una fuerza productiva y una técnica de control social, es una máquina de producción y apropiación del sujeto y su subjetividad y de exclusión del otro y su mundo.

El derecho de dominación es un subcampo del sistema político especista-capitalista que refleja el discurso de dominación, es el resultado de la fuerza dialéctica que dicta "el ser es" "el no ser no es" donde los animales no humanos son reducidos en una dialéctica especista como cosas, cosas-sentido, productos, mercancías o parte del capital natural a través del racionalismo instrumental de mediación, La politización del especismo que direcciona al subcampo jurídico que configura las reglas del derecho constituye uno de los mecanismos que regula y organiza formalmente al poder, y por el otro extremo, el otro límite, los efectos de verdad que ese poder produce, lleva y que, a su vez, lo prorrogan[56]. Triángulo, por lo tanto: poder, derecho, verdad: reglas de derecho, mecanismos de poder, efectos de verdad[57]. En esta dialéctica se encubre lo que es el animal y su individualidad y lo conceptualiza conforme a su valor de mediación,

---

56 MORALES, D., MORALES, J., CÓRDOVA, M. Animal Law in Mexico: A Genealogical Approach to Speciesist Positivism, in DALPANE, F. & BAIDELDINOVA, M. (Eds.). Animal Law Worldwide (The Hague 2024) 253-270.

57 Vid. FOUCAULT M. Defender la sociedad. Curso en el Collège de France (1975-1976) (México 2001).

para el jaguar, esta mediación surge desde el valor impuesto desde enfoques principalmente económicos y ambientales que revisten al sistema capitalista-especista. La apropiación del jaguar a través del despojo de la propiedad privada es el origen institucional de la desigualdad en el especismo en la relación humano-jaguar; los sistemas sociales están determinados por la forma de organización de la propiedad, la evolución histórica por el desarrollo del sistema productivo y el poder de la clase dominante por su posesión de los jaguares-cosas como recurso natural renovable que conforma el capital.

A través de un análisis del sistema normativo se develan los fundamentos de la dominación humano-jaguar y se aportan elementos críticos para comprender la miseria del jaguar y la sistematización del especismo en el sistema jurídico como un derecho de dominación, este análisis visibiliza la construcción histórico-jurídica sobre la que se ha cosificado y reducido al jaguar en atención a los intereses de los dominadores.

3.1. Sistematización internacional

3.1.1. Sentido amplio

La globalización de la ideología de dominación especista que oprime a los animales silvestres a través del uso-aprovechamiento sustentable a sistematizado una racionalidad ambiental-capitalista la cual maximiza el crecimiento económico —ahora verde y sustentable— a costa de todo, incluso de la miseria animal, constituye la unidad-totalización que ha positivizado la ideología especista a nivel global como un mecanismo jurídico ambiental[58] para reafirmar, legalizar y replicar la dominación como "lo que es" dentro del sistema-totalización-mundo: una acción política por el aprovechamiento, desarrollo sustentable y la afirmación de los derechos humanos —derecho de dominación— sobre la propiedad-posesión de los animales-cosas, encubriendo la esclavitud-asolación-aniquilación, si bien

---

58 Vid. MULÀ, A. Derecho ambiental versus derecho animal, en FAVRE, D., GIMÉNEZ-CANDELA, T. (Eds.). Animales y derecho. Animals and the Law (España 2015) 329-338.

en la estructura y devenir de estos instrumentos políticos-jurídicos se mantiene como constante la función dominante, es importante referir que existen elementos bioéticos y zooéticos que representan una contraposición y resistencia ínfima a favor de los animales.

En esta sistematización del especismo, el engranaje jurídico internacional de derechos humanos ambientales asociados a los DESCA y el desarrollo sustentable —ambos de dominación— se conjugan en una dimensión global principalmente con los acuerdos internacionales ambientales establecidos mayormente en el último cuarto del siglo XX direccionados por la Organización de las Naciones Unidas (ONU) —creada en 1945 al terminar la segunda guerra mundial— y la Unión Internacional para la Conservación de la Naturaleza (UICN) —creada 3 años posteriores al nacimiento de ONU—, en este periodo, se han creado una cantidad importante de instrumentos jurídico-políticos internacionales vinculantes —*hard law*— y no vinculantes —*soft law*— en relación al sistema jurídico mexicano, el cual tiene como antecedentes jurídicos internacionales principalmente los siguientes: el Convenio entre los Estados Unidos Mexicanos y los Estados Unidos de América para la Protección de Aves Migratorias y de Mamíferos Cinegéticos, acordado el 7 de febrero de 1936, y publicado en el Diario Oficial de la Federación (en adelante DOF) el 15 de mayo de 1937; la Convención para la Protección de la Flora, de la Fauna y de las Bellezas Escénicas Naturales de los Países de América realizada en Washington, D.C., 12 de octubre de 1940, firmada por México el 20 de noviembre de 1940 con la promulgación en el DOF el 29 de mayo de 1942; y la Convención Internacional para la Reglamentación de la Caza de la Ballena, 2 de diciembre de 1946, con una promulgación en el DOF el 6 de diciembre de 1949.

Posterior a la creación de las organizaciones internacionales la temática ambiental tendrá un auge sin precedentes, desde la creación de herramientas técnicas para conocer el estado poblacional de los elementos naturales, hasta la creación de convenios y acuerdos internacionales en materia ambiental y sustentabilidad en una multiplicidad de plataformas. Dentro de los instrumentos técnicos y herramientas como listas y mecanismos para conocer el estado de las poblaciones de animales a nivel mundial donde se evalúa el riesgo de las especies a nivel mundial sobresale la *Red List* —Lista Roja—

creada en 1964 por la IUCN, esta lista establece parámetros de las especies y su estado de conservación, donde el jaguar es considerado *Near Threatened*[59] —Casi Amenazado—, asimismo, se encuentra la Lista Roja de Ecosistemas y la Lista Verde de Áreas Protegidas y Conservadas de la UICN como herramientas para direccionar políticas públicas que se encaminen a la sustentabilidad. En diversos estados de América la Lista Roja de la IUCN tiene un vínculo con los listados internos de protección de la fauna, ya sea en estudios científicos técnicos como los Libros Rojos de Especies Amenazadas en Colombia, e incluso se señala su relación en el sustento material de la normatividad de protección a la vida silvestre como en la Resolución 584 de 2002 Ministerio del Medio Ambiente[60], en el caso de México la Lista Roja forma parte del material bibliográfico que soporta la Norma Oficial Mexicana NOM-059-SEMARNAT-2010, Protección ambiental-Especies nativas de México de flora y fauna silvestres-Categorías de riesgo y especificaciones para su inclusión, exclusión o cambio-Lista de especies en riesgo[61], esto hace que el material técnico que proporciona la Lista Roja de la UICN sea una herramienta para la formulación de políticas dentro de los estados, incluso para dar sustento a la normatividad ambiental interna en temas de vida silvestre.

En un ámbito político-jurídico, es importante remontarse a la primer gran conferencia de las Naciones Unidas sobre un tema de medio ambiente: la Conferencia de las Naciones Unidas sobre el Me-

---

59 QUIGLEY, H., FOSTER, R., PETRACCA, L., PAYAN, E., SALOM, R., HARMSEN, B. 2017. *Panthera onca*. The IUCN Red List of Threatened Species. Disponible en: https://www.iucnredlist.org/es/species/15953/123791436 (última consulta, 1.10.2025).

60 Diario Oficial 44.859 del 8 de Julio de 2002. Disponible en: https://www.minambiente.gov.co/wp-content/uploads/2021/10/Resolucion-584-de-2002.pdf (última consulta, 1.10.2025).

61 Incluso en el Proyecto de Norma Oficial Mexicana PROY-NOM-059-SEMARNAT-2025, Protección ambiental-Especies nativas de México de flora y fauna silvestres-Categorías de riesgo y especificaciones para su inclusión, exclusión o cambio se sigue manteniendo el soporte bibliográfico mencionado. Vid. DOF: 14-04-2025. Disponible en: https://www.dof.gob.mx/nota_detalle.php?codigo=5754858&fecha=14/04/2025 (última consulta, 1.10.2025).

dio Humano[62], celebrada en Estocolmo, Suecia, en 1972, donde se crearon una Declaración, el Plan de Acción de Estocolmo y recomendaciones para la acción pro ambiental internacional, también se creó el Programa de las Naciones Unidas para el Medio Ambiente (PNUMA): el primer programa de las Naciones Unidas centrado únicamente en cuestiones ambientales[63]. Conforme a la resolución aprobada en una reunión de miembros de la UICN celebrada en 1963, en 1973 se realizó la Convención sobre el Comercio Internacional de Especies Amenazadas de Fauna y Flora Silvestres (CITES), entrando en vigor el 1 de julio de 1975, publicada en el DOF el 6 de marzo de 1992. En 1975 entró en vigor la Convención Relativa a los Humedales de Importancia Internacional Especialmente como Hábitat de Aves Acuáticas (Convención Ramsar), realizada como un acuerdo intergubernamental en Ramsar, Irán en 1971, con publicación en el DOF el 29 de agosto de 1986. Otro instrumento internacional importante es La Carta Mundial de la Naturaleza, proclamada por la Asamblea General de las Naciones Unidas, Resolución 37/7 el 28 octubre de 1982, si bien no es vinculatoria, esta carta fue suscrita por 118 estados, entre ellos México, y es un llamado a construir una armonía con la naturaleza, en su preámbulo se señala: "Toda forma de vida es única y merece ser respetada, cualquiera que sea su utilidad para el hombre, y con el fin de reconocer a los demás seres vivos su valor intrínseco, el hombre ha de guiarse por un código de acción moral", si bien esta carta es una invitación abierta a la cooperación internacional desde una racionalidad ambiental y que tiene por objeto proteger y respetar a la naturaleza desde una perspectiva de conservación de la población de las especies y la salvaguarda de los hábitats necesarios para este fin, se puede constatar que en su preámbulo se establece desde la bioética el respeto a todas las formas de vida y por lo tanto una acción moral para su cuidado, lo que incluye a todos los animales, otorgando un valor intrínseco y no meramente instrumental. En la Conferencia conocida como Cumbre para la Tierra, celebrada en Río de Janeiro, Brasil, en 1992, se aprobó el Programa 21 que fue un

---

62 Vid. BRAÑES, R. Manual de derecho ambiental mexicano (México 2018) 56-60.

63 Vid. VALENCIA, J. El Acceso a la Justicia Ambiental en Latinoamérica (México 2014) 70-87.

consenso mundial oficial sobre el desarrollo y cooperación ambiental para el desarrollo sustentable, asimismo, la cumbre dio origen a la Declaración de Río donde se establecieron 27 principios en materia ambiental, en esta reunión se adoptaron tres acuerdos importantes para orientar los enfoques futuros del desarrollo: el Programa 21, la Declaración de Río y también la Declaración de los Principios Forestales, un conjunto de principios que sustentan la gestión sostenible de los bosques en todo el mundo. Además, en la Cumbre se abrieron a la firma dos instrumentos jurídicamente vinculantes: la Convención Marco de las Naciones Unidas sobre el Cambio Climático y el Convenio sobre la Diversidad Biológica (CDB)[64].

Dentro de los organismos internacionales con una relación general con los animales sobresale la Organización Mundial de Sanidad Animal (OMSA), anteriormente Oficina Internacional de Epizootias (OIE), es una organización intergubernamental fundada en 1924 y México es un miembro fundador, en sus directrices a asumido el liderazgo global en la elaboración de normatividad internacional que son referencia a sus miembros, en uno de sus objetivos se encuentra proteger el comercio mundial de animales y promover el bienestar animal enfocado en las directrices asociadas a las cinco libertades mundialmente reconocidas —vivir libre de hambre, de sed y de desnutrición, libre de temor y de angustia, libre de molestias físicas y térmicas, libre de dolor, de lesión y de enfermedad, y libre de manifestar un comportamiento natural—, así como crear normatividad en el transporte y sacrificio de los animales[65]. En 2015, la Cumbre de las Naciones Unidas sobre el Desarrollo Sostenible dio origen a la Agenda 2030 y sus 17 objetivos de desarrollo sostenible donde tiene un vínculo directo con el jaguar el objetivo 15 que, en uno de sus ejes se establece detener la perdida de biodiversidad. Dentro de las acciones de cooperación regional en América del Norte sobresale el Tra-

---

64 DOF: 07/05/1993. Decreto de promulgación del Convenio sobre la Diversidad Bilógica. Disponible en: https://www.dof.gob.mx/nota_to_imagen_fs.php?codnota=4735670&fecha=07/05/1993&cod_diario=204059 (última consulta, 1.10.2025).

65 Vid. Terrestrial Animal Health Code (2024) https://www.woah.org/en/what-we-do/standards/codes-and-manuals/terrestrial-code-online-access/ (última consulta, 1.10.2025).

tado de Libre Comercio de América del Norte (TLCAN) que entró en vigor en 1994 y fue reemplazado por el Tratado México-Estados Unidos-Canadá (T-MEC) en 2020[66], este instrumento impulsa la colaboración en temas ambientales entre las partes bajo el Acuerdo de Cooperación Ambiental de América del Norte (ACAAN), firmado en la Ciudad de México, Washington D.C. y Ottawa, los días 8, 9, 12 y 14 de septiembre de 1993. Asimismo, uno de los principales acuerdos en materia ambiental a nivel regional de conformación reciente es el Acuerdo Regional sobre el Acceso a la Información, la Participación Pública y el Acceso a la Justicia en Asuntos Ambientales en América Latina y el Caribe[67], también conocido como el Acuerdo de Escazú, adoptado en 2018. Actualmente, la comunidad internacional ha adoptado más de 300 tratados multilaterales que establecen las reglas de protección-regulación del ambiente global[68] y marcan la pauta del desarrollo sostenible en la agenda pública ambiental internacional. La necesidad de coordinación global ha propiciado una gran cantidad de instrumentos internacionales ante la crisis ambiental, y cada vez se considera más urgente la necesidad de emprender accio-

---

66 DOF: 29-06-2020 Decreto Promulgatorio del Protocolo por el que se Sustituye el Tratado de Libre Comercio de América del Norte por el Tratado entre los Estados Unidos Mexicanos, los Estados Unidos de América y Canadá, hecho en Buenos Aires, el treinta de noviembre de dos mil dieciocho; del Protocolo Modificatorio al Tratado entre los Estados Unidos Mexicanos, los Estados Unidos de América y Canadá, hecho en la Ciudad de México el diez de diciembre de dos mil diecinueve; de seis acuerdos paralelos entre el Gobierno de los Estados Unidos Mexicanos y el Gobierno de los Estados Unidos de América, celebrados por intercambio de cartas fechadas en Buenos Aires, el treinta de noviembre de dos mil dieciocho, y de dos acuerdos paralelos entre el Gobierno de los Estados Unidos Mexicanos y el Gobierno de los Estados Unidos de América, celebrados en la Ciudad de México, el diez de diciembre de dos mil diecinueve. Disponible en: https://dof.gob.mx/2020/SRE/T_MEC_290620.pdf (última consulta, 1.10.2025).

67 DOF: 22-04-2021. Decreto Promulgatorio del Acuerdo Regional sobre el Acceso a la Información, la Participación Pública y el Acceso a la Justicia en Asuntos Ambientales en América Latina y el Caribe, hecho en Escazú, Costa Rica, el cuatro de marzo de dos mil dieciocho. Disponible en: https://dof.gob.mx/nota_detalle_popup.php?codigo=5616505 (última consulta, 1.10.2025).

68 Vid. GONZÁLEZ, J. Tratado de derecho ambiental mexicano. Las instituciones fundamentales del derecho ambiental (México 2017) 69-84.

nes globales para afrontar problemas como los de conservación y el medio ambiente. Pero, lamentablemente, los únicos procedimientos formales para lograrlo son los tratados internacionales firmados y ratificados separadamente por los estados-nación soberanos, los cuales resultan lentos, toscos e inadecuados ya que en la práctica han puesto de manifiesto la debilidad de los instrumentos internacionales existentes para enfrentar la crisis socioambiental[69].

3.1.2. Sentido estricto

La conformación de superestructuras jurídicas ambientales de dominación especista marca las directrices de regulación del aprovechamiento sustentable de la fauna como cosas-sentido, productos, recursos, mercancías y capital natural, de manera directa en sentido específico asociado al jaguar mexicano, estos sistemas internacionales son principalmente CITES y el CBD; en su devenir han conformado alianzas y colaboraciones entre ellos, así como con otros instrumentos y organismos internacionales manteniendo el mismo sentido en sus actuaciones, por ejemplo, con la Convención sobre Humedales, la Organización de las Naciones Unidas para la Agricultura y la Alimentación, la UICN, la Organización Internacional de Maderas Tropicales y el Fondo Mundial para la Naturaleza.

CITES es un acuerdo internacional concertado entre gobiernos de distintos países denominados "Partes", este instrumento se redactó como resultado de una resolución aprobada en una reunión de los miembros de la UICN, celebrada en 1963. El texto de la Convención fue finalmente acordado en una reunión de representantes de 80 países celebrada en Washington D.C., Estados Unidos de América el 3 de marzo de 1973, y entró en vigor el 1 de julio de 1975[70]. Dentro

69 Vid. HOBSBAWM, E. Historia del siglo XX... *Op. Cit.* 429, 430.

70 En México entró en vigor como normatividad con supremacía constitucional. Vid. DOF: 06-03-1992. Decreto promulgatorio de la convención sobre el comercio internacional de especies amenazadas de fauna y flora silvestres. Disponible en: https://www.dof.gob.mx/nota_to_imagen_fs.php?codnota=4654171&fecha=06/03/1992&cod_diario=200377 (última consulta, 1.10.2025).

de los lineamientos de CITES se considera al comercio sustentable como un principio interrelacionado con la conservación de la biodiversidad, su finalidad es velar por que el comercio internacional de especímenes de animales y plantas silvestres no constituya una amenaza para la supervivencia de las especies, esto configura a CITES por regla general como un conjunto de normas regulativas no prohibitivas; dentro de su cuerpo normativo conjuga las reglas prescriptivas que regulan el comercio de vida silvestre con diversos mandatos, obligaciones y permisos en condiciones de aplicación cerradas con todas las circunstancias y condiciones que deben de ser generadas para que se produzca la consecuencia jurídica[71].

La función prescriptiva regulativa de CITES para el aprovechamiento racional sustentable de la vida silvestre fomenta el comercio y mercantilización de la fauna silvestre, en su devenir en medio siglo han mantenido esta función en múltiples recomendaciones que se consignan en las resoluciones y en las decisiones de la Conferencia de las Partes (COP) de CITES. La visión mercantil regulativa de la vida silvestre en estas reuniones reconoce que la utilización sostenible de la fauna silvestre —al igual que la flora— representa una forma de aprovechamiento de la tierra económicamente competitiva, asimismo, reafirman el binomio conservación-aprovechamiento donde se constituyen los paradigmas instrumentales de la conservación de la vida silvestre que dictan: solo es posible una conservación basada en el aprovechamiento sustentable de la vida silvestre; el comercio lícito de una especie fomenta la sustentabilidad, la conservación, el desarrollo de las sociedades y reduce el tráfico ilícito de vida silvestre; el comercio favorece la conservación de especies, ecosistemas y el desarrollo de la población local si es sustentable[72]. La CITES conforma un marco regulativo que permite y fomenta el comercio sustentable y legal, por lo tanto permisivo-regulativo no prohibitivo, dentro de un parámetro de explotación racional no perjudicial, a fin de no afectar

---

71 Vid. Von WRIGHT, G. H. Norma y acción. Una investigación lógica (Madrid 1979) 27 y ss.

72 Vid. Conf. 8.3 (Rev. CoP13) Reconocimiento de las ventajas del comercio de fauna y flora silvestres. CITES. Disponible en: https://cites.org/sites/default/files/documents/COP/19/resolution/S-Res-08-03-R13.pdf (última consulta, 1.10.2025).

a las especies, teniendo como objetivo garantizar la protección de las especies silvestres incluidas en sus Apéndices contra la sobreexplotación[73]; un aprovechamiento que no ponga en riesgo a las poblaciones de vida silvestre y que mantenga la explotación indefinida de la naturaleza como recursos renovables.

En este acuerdo internacional bajo los parámetros del aprovechamiento y explotación racional de la vida silvestre consagrados en el texto de la convención, los jaguares fueron enlistados desde su creación en el Apéndice I, por lo que son considerados como especímenes regulados a todos aquellos organismos pertenecientes a la especie *Panthera onca*, ya sean vivos o muertos, incluyendo cualquier parte o derivados fácilmente identificables[74]. Conforme al instrumento y sus principios fundamentales el jaguar es una especie en peligro de extinción que es afectada por el comercio —especie con interés comercial—, por lo que esta actividad se permite y regula en una reglamentación estricta cuya finalidad es que su comercio no ponga en peligro aún mayor su supervivencia y se autoriza solamente bajo circunstancias excepcionales[75] que conforman la reglamentación para el comercio. En el dinamismo de la explotación los especímenes de jaguar como especie incluida en el Apéndice I cuando estos sean criados en cautividad para fines comerciales, serán considerados especímenes del Apéndice II[76]. Considerar que el comercio internacional de jaguar está prohibido excepto cuando el propósito de la transacción no sea comercial es un error interpretativo[77] del

---

73 Vid. Resolución Conf. 13.11 (Rev. CoP18). Carne de animales silvestres. CITES. Disponible en: https://cites.org/sites/default/files/documents/COP/19/resolution/S-Res-13-11-R18.pdf (última consulta, 1.10.2025).

74 Vid. Artículo I apartado b) CITES. Disponible en: https://cites.org/esp/disc/text.php (última consulta, 1.10.2025).

75 Artículo 1. CITES. El Apéndice I incluirá todas las especies en peligro de extinción que son o pueden ser afectadas por el comercio. El comercio en especímenes de estas especies deberá estar sujeto a una reglamentación particularmente estricta a fin de no poner en peligro aún mayor su supervivencia y se autorizará solamente bajo circunstancias excepcionales.

76 Vid. Artículo VII. Exenciones y otras disposiciones especiales relacionadas con el comercio. CITES.

77 "... Al estar enlistado en el apéndice I, el comercio internacional de especímenes de jaguar, incluyendo a cualquier animal, vivo o muerto, o cualquier

texto y resoluciones de CITES ya que se reitera, este instrumento es eminentemente regulativo-permisivo, el comercio internacional de especímenes de jaguar se realiza conforme a la reglamentación de CITES[78], en un sentido gramatical, el título del artículo III de la convención incluso así lo refiere, se denomina: "reglamentación del comercio en especímenes de especies incluidas en el Apéndice I", en ningún momento señala la prohibición del comercio, sino de una reglamentación.

El texto normativo de CITES refiere que la exportación de cualquier espécimen de jaguar con cualidades para enlistarlo en el apéndice I es a través de una reglamentación particularmente estricta consistente en una previa concesión y presentación de un permiso de exportación[79], el cual podrá expedirse una vez que la autoridad científica del Estado de exportación haya manifestado que esa exportación no perjudicará la supervivencia de dicha especie, y por su parte, que la autoridad administrativa del Estado de exportación haya verificado lo siguiente: que el espécimen no fue obtenido en contravención de la legislación vigente en materia de protección de fauna y flora; que todo espécimen vivo sea acondicionado y transportado de manera que se reduzca al mínimo el riesgo de heridas, deterioro en su salud o maltrato; así como la verificación de la concesión del permiso de importación del ejemplar objeto de comercio internacional.

---

parte o derivado del mismo, está prohibido excepto cuando el propósito de la transacción no es comercial (por ejemplo, para la investigación científica) y está autorizado mediante permisos de importación, exportación y reexportación emitidos por las Autoridades Científicas y Administrativas de los correspondientes países importadores, exportadores y reexportadores..." Cfr. ARIAS, M. El comercio ilegal de jaguar (Panthera onca) (CITES 2021) 30.

78 En México existen tres autoridades CITES: la Autoridad Administrativa está representada por la Dirección General de Vida Silvestre (SEMARNAT), la Autoridad Científica por la Comisión Nacional para el Conocimiento y Uso de la Biodiversidad (CONABIO) y la Autoridad de Aplicación de Ley por la Procuraduría Federal de Protección al Ambiente (PROFEPA). Vid. Comisión Nacional para el Conocimiento y Uso de la Biodiversidad (CONABIO). Manual general de procedimientos para la formulación de Dictámenes de Extracción No Perjudicial (NDF). (México 2021) 6.

79 Artículo III apartado 1 y 2 de CITES.

La importación de cualquier espécimen de jaguar requiere la previa concesión y presentación de un permiso de importación, el cual se concede una vez que la Autoridad Científica del Estado de importación haya manifestado que los fines de la importación no serán en perjuicio de la supervivencia de la especie y que esta autoridad haya verificado que quien se propone recibir un espécimen vivo lo podrá albergar y cuidar adecuadamente. Por parte de la Autoridad Administrativa del Estado de importación tiene que verificar que el espécimen no será utilizado para fines primordialmente comerciales[80]. La reexportación de cualquier espécimen de jaguar como especie incluida en el Apéndice I requiere la previa concesión y presentación de un certificado de reexportación[81], el cual se otorga una vez que

80 En este sentido bajo los principios de CITES, cualquier actividad en general puede calificarse de “comercial” si su objetivo es obtener un beneficio económico y si está orientada hacia la reventa, el intercambio, la prestación de un determinado servicio o cualquier otra forma de utilización o beneficio económico. La expresión “con fines primordialmente comerciales”, se refiere a que todas las utilizaciones cuyos aspectos no comerciales no sean claramente predominantes, se considerarán de naturaleza principalmente comercial, lo que dará como resultado que la importación de especímenes de especies incluidas en el Apéndice I no deberá autorizarse. La persona o entidad que traten de importar especímenes de especies incluidas en el Apéndice I deben presentar pruebas de que la utilización prevista de los especímenes es claramente no comercial primordialmente. Los párrafos 3 c) y 5 c) del Artículo III de la Convención guardan relación con la utilización prevista en el país de importación del espécimen de una especie incluida en el Apéndice I y no con la naturaleza de la transacción entre el propietario del espécimen en el país de exportación y el destinatario en el país de importación. Se puede suponer que muchas transferencias de especímenes de especies incluidas en el Apéndice I del país de exportación al país de importación descansan en transacciones comerciales. Sin embargo, ello no significa forzosamente que el espécimen será utilizado con fines primordialmente comerciales. Algunos ejemplos de fines no comerciales primordiales son los siguientes: utilización estrictamente privada; fines científicos; fines pedagógicos o de capacitación; industria biomédica; programas de cría en cautividad; importaciones por conducto de comerciantes profesionales con fines no comerciales. Vid. Artículo III apartado 3 y 5 de CITES; Resolución Conf. 5.10 (Rev. CoP19). CITES. Disponible en: https://cites.org/sites/default/files/documents/COP/19/resolution/S-Res-05-10-R19.pdf (última consulta, 1.10.2025).

81 Artículo III apartado 4 de CITES.

la Autoridad Científica del Estado de reexportación haya verificado que el espécimen fue importado en dicho estado conforme la norma CITES; que el espécimen vivo objeto de comercio será acondicionado transportado de manera que se reduzca al mínimo el riesgo de heridas, deterioro, asimismo, que esta autoridad haya verificado que un permiso de importación para cualquier espécimen vivo ha sido concedido.

Dentro de las exenciones y disposiciones especiales relacionadas con el comercio, la CITES establece que las disposiciones de la convención no se aplican a las transacciones o acontecimientos pasados a su vigencia como normativa, este es el principio de irretroactividad de la ley, por lo que los efectos de esta normatividad no se extienden a hechos pasados, *ipso facto* no se permite juzgar hechos anteriores a la entrada en vigor del instrumento internacional, la norma sólo se aplica a los hechos ocurridos después de la entrada en vigor, conformando un elemento de validez para determinar la aplicabilidad de la norma internacional[82]. Asimismo, se exceptúa de la reglamentación CITES en relación a los especímenes de jaguar cuando sean considerados artículos personales o bienes del hogar, esta excepción no se aplicará si el jaguar enlistado en el Apéndice I fue adquirido por el dueño fuera del Estado de su residencia normal y se importen en ese Estado. Si el ejemplar de jaguar es considerado espécimen del Apéndice II la exención no se aplicará: I) cuando los especímenes se importen en el Estado de residencia normal del dueño y II) el Estado en que se produjo la separación del medio silvestre requiere la previa concesión de permisos de exportación antes de cualquier exportación de esos especímenes. Las exenciones asociadas a los artículos personales o bienes del hogar son ambiguas y no se definen en el texto de la convención, por lo que en Conferencia de las Partes[83] de la Convención se decidió que

---

82 CITES. CoP18 Doc. 49.1 Cuestiones de interpretación y aplicación Reglamentación del comercio
Implicaciones de la transferencia de una especie al Apéndice I. Disponible en: https://cites.org/sites/default/files/esp/cop/18/doc/S-CoP18-049-01.pdf (última consulta, 1.10.2025).

83 Conf. 13.7. (Rev. CoP17)* Control del comercio de artículos personales y bienes del hogar. CITES. Disponible en: https://cites.org/sites/default/

la expresión "artículos personales o bienes del hogar" se interprete en sentido que abarque a los especímenes: 1) de propiedad o posesión personal con fines no comerciales; 2) legalmente adquiridos y 3) en el momento de la importación, exportación o reexportación bien sean a) artículos personales, cuando los especímenes sean llevados puestos, transportados o incluidos en el equipaje personal o b) bienes del hogar: especímenes que sean parte de una mudanza de bienes del hogar. El término "espécimen de recuerdo para turistas" se aplica únicamente a los artículos personales y bienes del hogar adquiridos fuera del Estado de residencia habitual del propietario y no se aplica a especímenes vivos. Conforme al texto del convenio, así como en múltiples resoluciones y acuerdos de CITES se ha establecido que existen diversas categorías de especímenes que, en determinadas condiciones, pueden estar exentos como artículos personales y bienes del hogar, tales como artículos de propiedad personal, recuerdos para turistas y trofeos de caza[84]. En los documentos de CITES se reitera que las Partes no exigirán permisos de exportación o certificados de reexportación para los artículos personales o bienes del hogar que sean especímenes muertos de especies incluidas en el Apéndice II, o III, así como sus partes y derivados, solo si tanto el país importador como el país exportador aplican la exención para artículos personales y bienes del hogar para la especie y si los especímenes, en el momento de la importación, exportación o reexportación, eran llevados puestos, transportados o incluidos en el equipaje personal. Dentro de los tipos de especímenes que se pueden considerar "artículos personales y bienes del hogar" se consideran los artículos de joyería o de cuero, justo en esta confección es como mayor se presenta el comercio de partes de jaguar en México: principalmente la confección de su piel en artesanías como carteras-billeteras y la confección de dientes, colmillos y garras como adornos y amuletos. Podemos concluir que cuando el convenio y los instrumentos derivados de CITES ha-

files/documents/COP/19/resolution/S-Res-13-07-R17.pdf (última consulta, 1.10.2025).

84 Vid. Conf. 12.3 (Rev. CoP19)* Permisos y certificados. CITES. Disponible en: https://cites.org/sites/default/files/documents/S-Res-12-03-R19.pdf (última consulta, 1.10.2025).

cen referencia a las exenciones y disposiciones relacionadas a los permisos CITES en el caso de artículos personales o bienes del hogar se refiere a especímenes de propiedad privada o poseídos con fines no comerciales, legalmente adquiridos, que en el momento de la importación o reexportación se lleven puestos, transportados o incluidos en el equipaje personal o parte de una mudanza de bienes del hogar. En este sentido, los permisos y certificados requeridos para especímenes de los Apéndices del convenio no serán necesarios a este respecto, excepto en especímenes adquiridos por el dueño fuera de su país de residencia y que se importen al mismo (Apéndice I y II); y los especímenes adquiridos en el país en que se produjo la separación del medio silvestre o si éste último requiere permisos de exportación para el espécimen (Apéndice II).

Los jaguares en CITES son clasificados en atención a su origen, si son de vida silvestre se engloban en el Apéndice I, y cuando los especímenes de jaguar fueron criados en cautividad para fines comerciales, serán considerados especímenes de las especies incluidas en el Apéndice II[85] y por lo tanto con una reglamentación menos estricta y exenta de los requisitos de especímenes del Apéndice I. Dentro de las exenciones relacionadas al comercio, cuando la Autoridad Administrativa del Estado de exportación haya verificado que cualquier espécimen de jaguar que ha sido criado en cautividad, o que sea parte de ese animal o que se ha derivado de uno u otra, un certificado de esa Autoridad Administrativa a ese efecto será aceptado en sustitución de los permisos exigidos por las disposiciones CITES, estas excepciones dan pauta a una línea divisoria que posiciona a los jaguares silvestres con un estatus mayor de reglamentación de comercio al situarlos en el apéndice I de aquellos que son criados en

---

85 Artículo II apartado 2 de CITES... El Apéndice II incluirá: a) todas las especies que, si bien en la actualidad no se encuentran necesariamente en peligro de extinción, podrían llegar a esa situación a menos que el comercio en especímenes de dichas especies esté sujeto a una reglamentación estricta a fin de evitar utilización incompatible con su supervivencia; y b) aquellas otras especies no afectadas por el comercio, que también deberán sujetarse a reglamentación con el fin de permitir un eficaz control del comercio en las especies a que se refiere el subpárrafo a) del presente párrafo.

cautiverio al ser incluidos en el apéndice II y que pueden estar exentos de permisos por ser criados en cautiverio.

Dentro de las excepciones, el requerimiento de permisos y/o certificados asociados a especímenes de jaguares no se aplicará al préstamo, donación o intercambio no comercial entre científicos e instituciones científicas registradas con la Autoridad Administrativa de su Estado. Una Autoridad Administrativa de cualquier Estado podrá dispensar con los requisitos establecidos en CITES y permitir el movimiento, sin permisos o certificados, de especímenes que formen parte de un parque zoológico, circo, colección zoológica u otras exhibiciones ambulantes, siempre que el exportador o importador registre todos los detalles sobre esos especímenes con la Autoridad Administrativa o que los especímenes están comprendidos fuera de la temporalidad de CITES, que sean especímenes procedentes de cautiverio y la Autoridad Administrativa haya verificado que cualquier espécimen vivo será transportado y cuidado de manera que se reduzca al mínimo el riesgo de heridas, deterioro en su salud o maltrato.

La CITES es un instrumento internacional de comercio sustentable de especies y es considerado el primer convenio internacional que incorpora de forma expresa en su texto fundamental la materia de bienestar animal[86]. Este instrumento tiene un ámbito específico que se circunscribe a la conservación y utilización sostenible de la diversidad biológica, velando para que ninguna especie de fauna silvestre se someta a una explotación insostenible debido al comercio internacional, para lograr este fin, CITES contiene muchas disposiciones sobre bienestar animal cuando los animales están bajo control humano en las operaciones de comercio internacional, e incluso después de finalizado dicho comercio[87]. Dentro del paradigma económico del aprovechamiento sustentable del jaguar este instrumento concede a los Estados-Parte su derecho para que en la legislación nacional se desarrollen medidas internas más estrictas —excepción de la norma general— respecto al comercio, captura, posesión o trans-

---

86 Vid. MULÁ, A. La protección de los animales en la Convención sobre el Comercio Internacional de Especies Amenazadas de Fauna y Flora Silvestres (CITES), en Revista Aranzadi de derecho ambiental 34 (2019) 135-168.

87 *Ibídem.*

porte de especímenes de los apéndices de CITES, incluso señala la prohibición comercial entera como una excepción a la regla general del comercio sustentable de la fauna silvestre[88], en este sentido prohibitivo delegativo se faculta a los Estados-Partes el establecimiento de acciones prohibitivas en el derecho interno —principio de soberanía—, en este sentido, en el cuerpo normativo de México en la Ley General de Vida Silvestre se prohíbe —parcialmente— el aprovechamiento extractivo con excepción de la captura que tenga por objeto la investigación científica con fines de protección y conservación de la especie y su población, bajo esta directriz se consideran a las siguientes especies silvestres: los mamíferos marinos[89], primates[90], tortugas marinas[91], las especies de tiburón blanco, tiburón ballena, tiburón peregrino, pez sierra peine y pez sierra estero[92], los pericos

---

88 Vid. Artículo XIV. CITES. Efecto sobre la legislación nacional y convenciones internacionales.

89 Vid. Decreto de reforma a la Ley General de Vida Silvestre. Artículo 60 Bis. DOF: 10-01-2002. Disponible en: https://www.dof.gob.mx/nota_detalle.php?codigo=737259&fecha=10/01/2002#gsc.tab=0 (última consulta, 1.10.2025). La última reforma del artículo 60 Bis de la LGVS fue publicada en el DOF: 16-07-2025. Disponible en: https://www.dof.gob.mx/nota_detalle.php?codigo=5763163&fecha=16/07/2025#gsc.tab=0 (última consulta, 1.10.2025).

90 Vid. Decreto de reforma a la Ley General de Vida Silvestre. Artículo 60 Bis. Último párrafo. DOF: 26-01-2006. Disponible en: https://www.dof.gob.mx/nota_detalle.php?codigo=2107453&fecha=26/01/2006#gsc.tab=0 (última consulta, 1.10.2025).

91 Vid. Decreto que adiciona diversas disposiciones a la LGVS. Artículo 60 Bis 1. DOF: 26-06-2006. Disponible en: https://www.dof.gob.mx/nota_detalle.php?codigo=4912648&fecha=26/06/2006#gsc.tab=0 (última consulta, 1.10.2025).

92 Vid. Decreto que adiciona un segundo párrafo al artículo 60 Bis 1 de la LGVS. DOF: 13-05-2016. Disponible en: https://www.dof.gob.mx/nota_detalle.php?codigo=5437111&fecha=13/05/2016#gsc.tab=0 (última consulta, 1.10.2025).

mexicanos[93], y en los actos administrativos de vedas definitivas como en el caso del jaguar[94].

Dentro del texto de la convención CITES así como en las reuniones de las partes se afirma que esta norma jurídica tiene un carácter prescriptivo y directivo que expresan factores deónticos para regular y permitir en su contenido el comercio de jaguares y demás especies silvestres enlistados en sus Apéndices bajo un sistema regulativo de condición de aplicación cerrado que en esencia del ordenamiento conforma en sus principios el aprovechamiento y explotación sustentable de la vida silvestre, esto hace que el carácter de la norma persiga el objetivo de CITES; un aprovechamiento y explotación sustentable de la vida silvestre en riesgo por el comercio y evitar su perjuicio y sobreexplotación bajo una modalidad deóntica que incorpora mandatos, obligaciones de hacer, permisos y en general una reglamentación compleja cuyo contenido de la norma sea una acción de comercio sustentable entre los sujetos en relación al objeto-cosa en su multiplicidad de transformaciones en atención al capital bajo condiciones de aplicación que establecen las circunstancias necesarias para que pueda realizarse el contenido de la norma, esto es, generalmente, las acciones o situaciones fácticas que se enuncian en la norma como condicionantes para que resulte operativo su contenido prescriptivo.

Otro sistema jurídico internacional fundamental que establece los mecanismos asociados a la conservación especista del jaguar bajo un racionalismo de dominación capital-ambiental tiene su origen en 1992 cuando se celebró la Conferencia de las Naciones Unidas sobre el Medio Ambiente y Desarrollo, conocida como "Cumbre de

---

93 Vid. Decreto por el que se adiciona un artículo 60 Bis 2 a la LGVS. DOF: 14-10-2008. Disponible en: https://www.dof.gob.mx/nota_detalle.php?codigo=5063852&fecha=14/10/2008#gsc.tab=0 (última consulta, 1.10.2025).

94 Vid. Acuerdo por el que se declara veda indefinida del aprovechamiento de la especie jaguar (panthera onca) en todo el territorio nacional, quedando en consecuencia estrictamente prohibida la caza, captura, transporte, posesión y comercio de dicha especie. DOF: 23-04-1987. Disponible en https://www.dof.gob.mx/nota_to_imagen_fs.php?codnota=4651536&fecha=23/04/1987&cod_diario=200242 (última consulta, 1.10.2025).

la Tierra", en Rio de Janeiro, Brasil. En esta reunión se adoptaron una serie de compromisos en torno al medio ambiente, uno de los principales acuerdos firmados y vinculante para el gobierno mexicano[95] fue el Convenio sobre Diversidad Biológica (CBD), el texto de esta convención señala el valor intrínseco de la diversidad biológica y de los valores ecológicos, genéticos, sociales, económicos, científicos, educativos, culturales, recreativos y estéticos de la diversidad biológica y sus componentes, señala a los estados-nación con el derecho sobre sus propios recursos biológicos, en este sentido se posiciona al jaguar como un recurso natural, por lo que el estado es el responsable de su conservación y utilización sostenible como componente de la biodiversidad, en la conformación del paradigma de la conservación bajo el dominio del capital se unen elementos asociados a la utilización-uso-explotación sostenible de la diversidad biológica en las sociedades de consumo, autoconsiderándose en la formulación de este paradigma un mecanismo económico-social que contribuye a la paz de la humanidad y la conservación de la biodiversidad, por lo que aquello que no se usa-utiliza-explota racionalmente como un elemento natural está direccionado a la extinción-desaparición. Los objetivos del CDB son 3: la conservación de la diversidad biológica, su uso sostenible y el reparto justo y equitativo de sus beneficios que se deriven de su utilización. Dentro de la conservación de la diversidad biológica, las acciones para cumplir con su objetivo se dividen conforme a su ámbito territorial en conservación *in situ* y *ex situ*: "conservación ex situ" se entiende la conservación de componentes de la diversidad biológica fuera de sus hábitats naturales. Por "conservación in situ" se entiende la conservación de los ecosistemas y los hábitats naturales y el mantenimiento y recuperación de poblaciones viables de especies en sus entornos naturales y, en el caso de las especies domesticadas y cultivadas, en los entornos en que hayan desarrollado sus propiedades específicas, en este apartado una de las principales herramientas para la conservación son la conformación de áreas protegidas; son áreas definidas geográficamente que hayan

---

95 DOF: 07-05-1993. Decreto de promulgación del Convenio sobre la Diversidad Biológica. Disponible en: https://www.dof.gob.mx/nota_detalle.php?codigo=4735670&fecha=07/05/1993#gsc.tab=0 (última consulta, 1.10.2025).

sido designadas o reguladas y administradas a fin de alcanzar objetivos específicos de conservación[96]. Dentro de los mecanismos asociados a la protección, conservación y uso sostenible de la naturaleza, el CDB establece las directrices para que exista una evaluación del impacto ambiental (EIA) y reducción al mínimo del impacto adverso a la biodiversidad ante proyectos y desarrollos que tengan afectaciones al ambiente o puedan generarlas en un futuro, en este sentido los proyectos que puedan tener una afectación a la biodiversidad serán evaluados a fin de evitar o reducir al mínimo esos efectos, teniendo un eje importante la participación social[97]. La EIA se ha convertido en una herramienta indispensable de política pública ambiental[98] y en un principio del derecho ambiental donde es entendido como el conjunto de estudios para estimar o formar un juicio previo para la toma de decisiones en materia ambiental[99].

El CDB conjuga diversos elementos dogmáticos, adjetivos-procedimentales y principios ambientales que sustentan una conservación de la biodiversidad y su uso racional instrumental en el desarrollo social con un centro en el capital, en específico para el jaguar este instrumento internacional es importante por que obliga a los estados-parte a generar las directrices de políticas públicas y legislación ambiental con estrategias, planes y programas nacionales para la conservación tanto *ex situ* como *in situ*, brinda como herramientas político-jurídicas el sistema de las áreas naturales protegidas, los incentivos para la conservación, educación ambiental, la evaluación de impacto ambiental, mecanismos financieros y la creación de espacios para la recuperación y rehabilitación de especies amenazadas y su reintroducción en hábitats en condiciones apropiadas. El funcionamiento y organismo rector del CDB es la Conferencia de las Partes (COP) que en reuniones ordinarias y extraordinarias direccionan y

---

96 Vid. Artículo 2 Términos Utilizados. CDB. Disponible en: https://www.cbd.int/doc/legal/cbd-es.pdf (última consulta, 1.10.2025).

97 Vid. Artículo 14. Evaluación del impacto y reducción al mínimo del impacto adverso CDB.

98 PEREVOCHTCHIKOVA, M. La evaluación del impacto ambiental y la importancia de los indicadores ambientales, en Gestión y política pública 22 (2013) 285.

99 Vid. GARCÍA, T. Derecho ambiental mexicano (Barcelona, 2013) 212 y ss.

adoptan los objetivos del convenio[100]. En las reuniones la racionalidad ambiental en conjunción con el capitalismo se mantienen como ejes del sistema y *statu quo* de la dominación, plantean que la utilización sostenible de la biodiversidad consiste en equilibrar dos ejes: la necesidad de elevar al máximo los medios de vida humanos frente la necesidad de conservar la base de recursos naturales subyacente[101], en la COP 10 en la decisión 2, se crea el Plan Estratégico para la Biodiversidad 2011-2020 con las Metas de Aichi para vivir en armonía con la naturaleza, teniendo como objetivos la integración de la biodiversidad en ámbitos gubernamentales, reducir las presiones sobre la biodiversidad y promover su usos sustentable y mejorar el estado de la biodiversidad con una planificación participativa de los sectores sociales[102]. Para el CDB y en las reuniones de las partes es un dogma que la utilización sostenible de la biodiversidad es una condición previa para la conservación, incluso se opta por el aprovechamiento sustentable de animales a través de la caza legal sostenible como un mecanismo para su conservación[103]. En una de las modalidades de la cacería sustentable asociado al consumo de animales silvestres por su carne, el CDB a través del Órgano Subsidiario de Asesoramiento Científico, Técnico y Tecnológico considera en su orientación para lograr la sustentabilidad en el sector de la carne de animales silvestres tres puntos estratégicos: 1) mejorar la sostenibilidad del suministro, 2) reducir la demanda de carne de animales silvestres gestionada de forma insostenible en toda la cadena de valor y 3) crear condiciones favorables para una gestión controlada y sostenible de la carne. En el apartado 1, se considera oportuno crear poligonales con zonas de caza y otras de conservación para la recuperación de las especies, la cría de animales de caza, el pago por los servicios de los ecosistemas y la creación de sistemas de certificación de carne sostenible respe-

---

100 Vid. Art. 23 CDB.

101 COP 6 Decisión VI/13. CDB. Disponible en: https://www.cbd.int/decision/cop/default.shtml?id=7187 (última consulta, 1.10.2025).

102 Vid. COP 10 Decisión X/2. CDB. Disponible en: https://www.cbd.int/decision/cop/default.shtml?id=12268 (última consulta, 1.10.2025).

103 Vid. COP 11 Decisión XI/25. Utilización sostenible de la diversidad biológica: carne de animales silvestres y manejo sostenible de la vida silvestre. Disponible en: https://www.cbd.int/decision/cop/default.shtml?id=13186 (última consulta, 1.10.2025).

tuosos de la fauna. En el apartado 2 se considera reducir la demanda con el aumento de sustitutos en animales domesticados como pollos y vacas, alentar cambios de comportamiento del consumo de carne silvestre no sustentable y disminuir la disponibilidad y demanda de la carne silvestre no sostenible. Y en el punto 3 se considera la creación de condiciones favorables para fomentar la carne de animales silvestres legal, regulada y sostenible a través del aumento de la colaboración internacional con los organismos pertinentes, así como adoptar los mecanismos normativos y jurídicos para tener un aprovechamiento sustentable de la carne silvestre, en la recomendación propuesta por el organismo del CDB se establece la mejora de la sostenibilidad del aprovechamiento de la carne de animales silvestres y a la par el fortalecimiento general de la salud, el aumento de la seguridad alimentaria, el fomento del aprovechamiento de fauna silvestre viable y el aumento de la participación de la comunidad[104] —devorar animales silvestres sosteniblemente para conservar—. En este dogmatismo ambiental-capitalista la utilización sostenible de la diversidad biológica, incluida la gestión de las especies silvestres, contribuye a la conservación de la naturaleza y los Objetivos de Desarrollo Sostenible, estas orientaciones quedaron establecidas en las decisiones adoptadas por la COP del CDB[105]. En este racionalismo de dominación, las prácticas que afectan a la biodiversidad en su dinamismo las transforman dialécticamente en prácticas sostenibles que propician la conservación, acciones viables, benevolentes e incluso respetuosas de la naturaleza en un ganar-ganar[106] que encubre las pérdidas y el daño. A lo largo de décadas de funcionamiento del CDB esta visión

---

104 Vid. CBD/SBSTTA/21/3. ÓRGANO SUBSIDIARIO DE ASESORAMIENTO CIENTÍFICO, TÉCNICO Y TECNOLÓGICO. Gestión sostenible de la fauna y flora silvestres: orientaciones para que el sector de la carne de animales silvestres sea sostenible. Disponible en: https://www.cbd.int/doc/c/13bf/975b/7106b16d7ab43e4771148476/sbstta-21-03-es.pdf (última consulta, 1.10.2025).

105 Vid. COP 14 Decisión 14/7. Gestión sostenible de la fauna y flora silvestres. Disponible en: https://www.cbd.int/doc/decisions/cop-14/cop-14-dec-07-es.pdf (última consulta, 1.10.2025).

106 Cfr. COP 15 Decisión 15/23. Gestión sostenible de la fauna y flora silvestres. Disponible en: https://www.cbd.int/doc/decisions/cop-15/cop-15-dec-23-en.pdf (última consulta, 1.10.2025).

de la utilización sostenible y legal de la diversidad biológica incluida la gestión de fauna silvestre se mantiene como una constante incluso se encuentra dentro del Marco Mundial de Biodiversidad de Kunming-Montreal[107]. En la conformación de las políticas públicas para la conservación de la biodiversidad, la regulación y el fortalecimiento de instrumentos de políticas relativas al uso sostenible de las especies silvestres son el eje del CDB; se basan en sustentabilizar las prácticas de dominación de la fauna, mantener el campo de dominación y aprovechar al máximo con la tecnificación son los paradigmas del ganar-ganar en el aprovechamiento de la naturaleza[108].

El CDB si bien emerge de un racionalismo capitalista-ambientalista, este no es absoluto y presenta incluso en su texto, así como en reuniones y documentos de las conferencias de las partes una visión encaminada a un ecocentrismo; se establece en su preámbulo del texto de la convención: "Conscientes del valor intrínseco de la diversidad biológica y de los valores ecológicos, genéticos, sociales, económicos, científicos, educativos, culturales, recreativos y estéticos de la diversidad biológica y sus componentes", incluso dentro de los principios y directrices de Addis Abeba para la utilización sostenible de la diversidad biológica que fueron adoptados en la 7ª reunión de la Conferencia de las Partes (COP) del Convenio sobre la Diversidad Biológica, señala dentro del principio práctico 11 en las directrices operacionales que los usuarios de los componentes de la diversidad biológica deben promover un uso más eficiente, ético y humano de los componentes de la diversidad biológica, en los contextos local y nacional y reducir los daños colaterales a la diversidad biológica[109], si

---

107 Vid. COP 15 Decisión 15/4. Kunming-Montreal Global Biodiversity Framework. Disponible en: https://www.cbd.int/doc/decisions/cop-15/cop-15-dec-04-en.pdf (última consulta, 1.10.2025).

108 Cfr. COP 16 Decisión 16/15. Gestión sostenible de la fauna y flora silvestres. Disponible en: https://www.cbd.int/doc/decisions/cop-16/cop-16-dec-15-es.pdf (última consulta, 1.10.2025).

109 Vid. COP 7 Decisión VI/12. Uso sustentable. (Artículo 10) Principios y directrices de Addis Abeba para la utilización sostenible de la diversidad biológica (Directrices del CDB) Anexo II. Disponible en: https://www.cbd.int/doc/decisions/cop-07/cop-07-dec-12-en.pdf (última consulta, 1.10.2025).

bien se establecen las pautas sustentables de la dominación, existen referentes laxos de una bioética en relación con la naturaleza —ecoética— que cada día avanza y su presencia toma mayor importancia.

El jaguar como recurso biológico en el racionalismo ambiental capitalista es una de las manifestaciones del especismo, adquiere un valor, utilidad real o potencial para la humanidad conforme su utilización-mediación que debe ser sostenible, de tal modo y ritmo que su utilización-explotación no ocasione la disminución a largo plazo de la especie —sobreexplotación—, con lo cual se mantienen las posibilidades de satisfacer necesidades y aspiraciones de dominación de generaciones actuales y futuras. El jaguar transformado en capital natural es un suministro renovable en la racionalidad ambiental-capitalista por lo que se establecen medidas y reglamentación para que en la mediación instrumental se eviten al mínimo los efectos adversos en la especie con un creciente interés en el bienestarismo animal en su uso y manejo para los intereses del dominador en un sistema que alienta la utilización del capital natural para la conservación.

3.2. Especismo y derechos culturales de dominación

El devenir jurídico de la construcción social de la cultura conforme la continuidad cíclica de procesos y prácticas que refuerzan la idea cultural en su esencia fija edificativa se positivizan en elementos políticos-jurídicos tutelados por el estado conformando en los diversos puntos del fenómeno sociocultural a los derechos culturales, en este sentido, un conjunto determinado de elementos tangibles e intangibles que forman parte de prácticas sociales a las que se les atribuyen valores colectivos para su transmisión y resignificación en el tiempo —herencia cultural— se transforman en bien cultural o patrimonio, en un enfoque jurídico, el patrimonio tiene una dimensión simbólica y material, sobre la cual se tienen o se reclaman derechos de control o de dominio[110]. La memoria colectiva es una construcción social de prácticas y actividades que incluyen las relaciones intrínsecas con objetos culturales valorativos en su conformación

110 MORALES, C., WACHER, M. (Coords.). Patrimonio inmaterial. Ámbitos y contradicciones (México 2012) 15.

material e inmaterial; la globalidad del territorio; y las interacciones culturales entre los habitantes, creándose un vínculo directo con el patrimonio cultural que parte de la creación y recreación de eventos que rompen la temporalidad al ubicarse en el pasado y reproducirse en el presente en una permanencia en el tiempo como una propagación de significados alojados en la memoria colectiva. La conjunción armónica de estos factores refuerza la identidad, continuidad y la cohesión social, en su devenir se transforman en elementos substanciales del patrimonio como elemento histórico, lo que permite el reconocimiento de la identidad colectiva en el dinamismo social conformando en conjunto la idea del patrimonio cultural que, en su acontecer, presenta tensiones entre el cambio y la continuidad, inherentes a todo proceso cultural, en este dinamismo temporal se adecúa y adapta a los factores dando continuidad y vinculación a las actividades culturales.

El especismo como ideología dominante se replica a través de la globalización, desde la multiplicidad de subcampos que subsumen en el ámbito socio-cultural ha estructurado instrumentos y mecanismos que encubren y afirman esta dominación, teniendo como base prácticas culturales especistas que han validado su afirmación en un ámbito temporal en determinadas sociedades y que los sistemas jurídico-normativos validan, justifican y legalizan a través de la conformación de derechos culturales —antropocéntricos de dominación[111]—, estos derechos son predominantemente colectivos y difusos, al igual que los derechos ambientales forman parte de los derechos humanos de tercera generación y son inherentes a la dignidad humana y dentro de su conformación y vinculación social diversas prácticas llegan a constituirse como patrimonio cultural y biocultural, lo que implica la creación de un valor simbólico que se agrega a ciertos bienes

[111] En este apartado nos enfocamos en los derechos humanos asociados a la miseria del jaguar y su dominación, sin embargo, es importante referir que pueden conformarse derechos humanos —*desde un ámbito cultural, ambiental... etc.*— que se direccionen en la liberación del jaguar. Vid. MORALES, D. & MORALES, J. Patrimonio cultural y biodiversidad: el caso del jaguar mexicano... *Op. Cit.* 993-994.

culturales[112] conformando una construcción histórico-social de los sujetos sociales. Dentro del pluralismo cultural los derechos culturales asociados al especismo y la dominación consolidan el encubrimiento de la miseria de los animales a través de su objeto común: la construcción cultural, la libre expresión de las identidades culturales y el acceso a los recursos culturales que las hagan viables, estos elementos fortalecen la tradición y el valor de las prácticas culturales para mantener su esencia en un *statu quo* inalterable a fin de estar ausente de críticas y elementos que puedan perjudicar o cuestionar los elementos de existencia y validez de las prácticas[113], creando una visión de ser correcto, justo, verdadero y bueno que estructura paradigmas de dominación y encubrimiento; todo lo bueno es verdadero, todo lo verdadero es bueno; todo lo correcto es justo, todo lo justo es correcto.

Los derechos culturales tienen una relación con los elementos del patrimonio cultural material e inmaterial que figuran como aconteceres del pasado con un punto identitario distintivo que se fusionan en la memoria colectiva, simbólica, legal e histórica. Debido a que el patrimonio cultural es el resultado de la construcción de los procesos sociales, sin estos no se pueden garantizar adecuadamente los derechos culturales. Los derechos culturales en este sentido tienen un vínculo intrínseco con la identidad colectiva, con la relación individual asociada al proceso de identificación, libertades culturales, recursos culturales, universalidad y relatividad cultural[114], estos derechos legalizan y conforman en el mundo de lo que es justo, correcto, verdadero, viable, bueno y con un valor individual y supraindividual colectivo, transformándose en instrumentos de dominación especista cuando se relacionan con la miseria de los animales que es negada y encubierta por el valor sociocultural con tintes estéticos, artísticos, artesanales, culturales y sociales —la cacería tradicional se convierte en una práctica cultural importante de la relación humano-naturale-

---

112 Vid. PÉREZ, M. El patrimonio cultural inmaterial. Acuerdos básicos para su protección, en MORALES, C., WACHER, M. (Coords.). Patrimonio inmaterial. Ámbitos y contradicciones (México 2012) 32 y ss.

113 Vid. GIMÉNEZ-CANDELA, M. Cultura y maltrato animal, en dA. Derecho Animal (Forum of Animal Law Studies) 10/3 (2019).

114 Vid. SÁNCHEZ, J. El derecho y la cultura (México 2016) 169.

za que requiere salvaguarda y protección cultural por ser parte de las culturas populares[115]—.

Los derechos culturales de dominación especista invisibilizan la miseria animal —negación—, esto hace que las prácticas de opresión que median a los animales se afirmen a través de elementos sociales, culturales, bioculturales y tradicionales. En este sentido especista biocultural, las prácticas de captura, encierro y venta de aves silvestres se conforman como tradición en México y parte del patrimonio biocultural vivo del país, estas prácticas bioculturales de dominación son consideradas con un valor histórico, tradicional, cultural y espiritual[116] de vital importancia en diversos ciclos culturales, bajo el paradigma especista biocultural, el jaguar también es víctima de un asedio sistematizado con tintes bioculturales de la opresión en los múltiples momentos de la dominación; desde su cacería, aprovechamiento y transformación a través de elementos míticos-religiosos-mágicos de sus partes y derivados —principalmente como vestimenta, accesorios y amuletos mágicos basados en confeccionar la piel, garras, huesos, sangre, piezas dentales, carne, grasa, testículos, semen y demás elementos corporales del jaguar e incluso su consumo como alimento para humanos— hasta una gama amplia de prácticas bioculturales especistas que mantienen al felino en su centro[117].

---

[115] En México, el gobierno federal desde 2019 consideró explícitamente a la caza tradicional como práctica cultural suceptible de apoyo económico para su difusión y fortalecimiento conforme el Programa de Apoyo a las Culturas Municipales y Comunitarias (PACMYC). El pacmyc atiende a indígenas, afrodecendientes, grupos vulnerables o comunidades pertenecientes a ámbitos rurales y urbanos que tienen interés en instrumentar una intervención o proyecto cultural relacionado entre otros puntos con las tecnologías tradicionales donde se posiciona la cacería. Vid. GOBIERNO DE MÉXICO, SECRETARÍA DE CULTURA. Pacmyc (2019). Disponible en: https://www.cultura.gob.mx/gobmx/convocatorias/PACMyC/2019.pdf (última consulta, 1.10.2025).

[116] Vid. ROLDÁN-CLARÀ, B., ESPEJEL, I. El oficio de pajareros, una práctica biocultural viva de México, en Letras Verdes, Revista Latinoamericana de Estudios Socioambientales 32 (2022).

[117] Vid. MORALES, D., MORALES, J. Genealogía diacrónica del conflicto humano-jaguar, dA. Derecho Animal (Forum of Animal Law Studies) 12 (2021) 30-32.

Una de las prácticas culturales de asolación del jaguar con mayor normalización, fomento y extensión principalmente en la zona centro, sur y sureste de México —con presencia en todo el país— es el uso de partes de jaguar, principalmente piel, garras, dientes y la cabeza del felino en las danzas culturales asociadas al folclorismo prehispánico y colonial temprano, en la pluralidad de prácticas dancísticas existentes en México con elementos asociados al jaguar, la práctica de mayor fomento a nivel nacional es la danza del Pochó en el Estado de Tabasco, incluso el gobierno estatal ha reconocido la trayectoria de los promotores culturales de esta danza como "Tesoros Humanos Vivos" y en un orden estatal existe un decreto por el que se reconoce la expresión cultural desde dimensiones jurídicas-culturales[118], esta danza es un ritual mágico y mítico que se baila por las calles de Tenosique, Tabasco, México, desde el primer domingo después del 19 de enero, y los domingos siguientes hasta el martes de Carnaval, incluyendo el día de la Candelaria en la que participan actualmente alrededor de dos mil danzantes[119]. Esta danza de origen prehispánico fue reelaborada y readaptada en la colonia temprana y tiene como antecedente las prácticas culturales que se ejecutaban por los pobladores antes y al regreso de la caza del tigre —jaguar o *balam* en el idioma maya— y la captura de sus crías. En la danza del pochó sobresalen tres personajes: pochoveras, cojóes y tigres[120]. Los cojóes o danzantes en su vestimenta incluyen caparazones de tortugas, así como restos de jaguares, iguanas, cocodrilos, boas y armadillos, entre

118 Decreto por el que se Reconoce la Danza del Pochó como Patrimonio Cultural del Municipio de Tenosique y del Estado de Tabasco. Periodico Oficial. Órgano de Difusión Oficial del Gobierno Constitucional del Estado Libre y Soberano de Tabasco. Decreto 227. 20 de diciembre de 2006. Disponible en: http://periodicos.tabasco.gob.mx/media/2006/369.pdf (última consulta, 1.10.2025).

119 Vid. Sistema de Información Cultural. SIC México. Inventario de patrimonio cultural inmaterial. Danza del Pochó 2012. disponible en: https://sic.cultura.gob.mx/ficha.php?table=frpintangible&table_id=82 (última consulta, 1.10.2025).

120 Vid. MARTELETT, M. El pocho, cojoes, tigres y pochoveras, costumbres tradicionales de Tenosique, Tabasco, en Anales del Museo Nacional de México 4 (1926) 326-330.

otra fauna nativa[121], durante el recorrido de los cojóes hacen maldades o travesuras al público espectador, tirándoles agua o harina, los asustan con animales pequeños, vivos o muertos tales como: sapos, iguanas, ratones, culebras, entre otros[122], en la vestimenta de los tigres o jaguares (representados por hombres adultos) y los tigrillos (representados por niños que sólo portan bragas), el elemento más llamativo es la piel del jaguar (*balam*), estas pieles verdaderas incluyen piezas familiares que han sido legadas de abuelos a padres e hijos y pieles recientemente obtenidas[123] a través de la cacería. Esta expresión biocultural del patrimonio del Estado de Tabasco ha presionado fuertemente a las poblaciones de jaguar en la zona maya, que en conjunto con la modificación y destrucción de hábitats, la contaminación —principalmente por elementos asociados al petróleo— y el daño a la fauna[124] hacen que este estado megadiverso tropical esté en una megacrisis ambiental y que el jaguar ya no exista potencialmente en su territorio, solamente existen pieles desolladas de jaguares que fueron transformados en objetos culturales dentro de la danza. La cacería es el principal problema del jaguar en el estado de Tabasco[125] donde está prácticamente extirpado y este tipo de danzas asociadas a los derechos humanos culturales de dominación han fomentado su aniquilación.

Las prácticas culturales que asolan al jaguar no se materializan únicamente en los espacios rurales, en la Ciudad de México, capital del país, a menos de 50 metros del Palacio Nacional donde radica la figura presidencial como máximo organismo gubernamental, cada fin de semana los danzantes ambulantes salen a realizar su

---

121 BEAUREGARD, G., URIBE, R., LÓPEZ, J. Danza del Pochó. Comunión y memoria festiva (México 2023) 66 y ss.

122 Decreto por el que se Reconoce la Danza del Pochó como Patrimonio Cultural del Municipio de Tenosique y del Estado de Tabasco... *Op. Cit.* 3.

123 BEAUREGARD, G., URIBE, R., LÓPEZ, J. Danza del Pochó... *Op. Cit.* 66.

124 Vid. CRUZ, A., CRUZ, J., VALERO, J., RODRÍGUEZ, F., MELGAREJO, E., MATA, E., PALMA, D. (Coords.). La biodiversidad en Tabasco. Estudio de Estado Vol. III (México 2019) 17-165.

125 Vid. CASTILLO, O., ZAVALA, LÓPEZ, D., ALMEIDA, C. El bosque mesófilo de montaña, en CRUZ, A., CRUZ, J., VALERO, J., RODRÍGUEZ, F., MELGAREJO, E., MATA, E., PALMA, D. (Coords.). La biodiversidad en Tabasco. Estudio de Estado Vol. II (México 2019) 25.

espectáculo con pieles de jaguar y otros animales silvestres dentro de su indumentaria y entre las múltiples artesanías que venden se encuentran partes de jaguar en diversas modalidades, principalmente transformados en dijes-amuletos, carteras, gorras y muñequeras, normalizando el asedio y mercantilización de este felino bajo un neo-indigenismo mercantilista. Están tan normalizadas las prácticas dancísticas con pieles de jaguar que incluso se han realizado en espacios gubernamentales en celebración del natalicio de Benito Juárez y el equinoccio de la primavera, a manera de ejemplo, el 21 de marzo del 2012 en un evento público para celebrar estas fechas el gobernador del estado de Hidalgo, México, su gabinete y miembros del ejército realizaron un evento gubernamental que incluían supuestas danzas prehispánicas con practicantes que utilizaban pieles originales de jaguar, sus huesos y otras partes de especies en riesgo[126], asimismo, estas prácticas dancísticas se realizan en diversos espacios religiosos como iglesias y parroquias principalmente en festividades religiosas. La normalización y difusión del estado en las prácticas dancísticas que afectan al jaguar no se limitan a sus eventos formales, incluso los difunden y promueven en festividades folclóricas: del 2015 al 2025 se recorrieron por parte del equipo de Biofutura las ferias y festivales de los pueblos y comunidades indígenas que se realizaron en el Zócalo de la Ciudad de México y zonas del centro con apoyo del gobierno capitalino y federal, en cada año se han encontrado a la venta partes de jaguar por parte de los artesanos, normalizando y mercantilizando las partes del jaguar en la cotidianidad. Este tipo de prácticas y

---

[126] Ante este probable ilícito ambiental en flagrancia, miembros del jurídico de Biofutura con policías del Estado detuvieron legalmente a los danzantes conforme a las formalidades del procedimiento penal, sin embargo, al momento de acudir con la Agente del Ministerio Público representada por la Lic. N. L. L. esta se negó a dar el trámite correspondiente, liberando impunemente a los señalados de los supuestos ilícitos y trasgrediendo el marco normativo penal. Ante esta situación, los abogados de Biofutura realizaron una formal queja por hechos constitutivos de responsabilidad administrativa contra la Lic. N. L. L. ante el Órgano Interno de Control de la Procuraduría General de Justicia del Estado de Hidalgo, logrando una resolución sancionadora contra la servidora pública responsable. Vid. QUEJA NÚMERO 40/2012-IV. Órgano Interno de Control de la Procuraduría General de Justicia del Estado de Hidalgo.

comercio asociado a partes del jaguar también es recurrente en zonas arqueológicas y naturales de México que están declaradas áreas naturales protegidas; del 2015 al 2020 se acudió a las principales zonas arqueológicas de México en atención a la visita de turistas, y en todas ellas se encontraron en diversos puntos, desde áreas periféricas al área natural protegida como dentro de ellas, a vendedores ambulantes que ofrecían a la venta partes de jaguar y danzantes con trajes confeccionados con pieles y huesos de jaguar, estas zonas arqueológicas fueron Chichén Itzá, Tulúm y zonas de la ruta Puuc en la Península de Yucatán, Palenque y Bonampak en Chiapas, Teotihuacán en el Estado de México, el Tajín en Veracruz y Monte Albán en Oaxaca, todas estas zonas se encuentran en áreas naturales protegidas. En menor grado también se han documentado eventos dancísticos con pieles de jaguar y un comercio ilegal de venta de partes de jaguar en la zona arqueológica de Tula, Hidalgo, Cholula y zona centro de Puebla, La Venta en Tabasco, zonas arqueológicas de la Riviera Maya, Calakmul en Campeche y en explanadas afuera de museos temáticos al México prehispánico como el Museo de Templo Mayor y el Museo Nacional de Antropología en la Ciudad de México. Si bien estos espacios tienen una alta tasa de visitantes, las prácticas comerciales y dancísticas con partes de jaguar aumentan en las fechas de día de muertos —finales de octubre, inicio de noviembre—, semana santa, vacaciones, fechas de carnavales y en equinoccios y solsticios.

El uso de partes de jaguar en la actualidad tiene una relación directa con el sincretismo cultural que conjuga principalmente elementos místicos y mágicos prehispánicos con la religión cristiana y la santería enfocándose en una relación con el poder en una dimensión política y en la virilidad sexual. Algunos grupos sociales prehispánicos utilizaban partes de este felino, principalmente aquellos asociados a la soberanía, órdenes superiores de gobernantes, realeza, órdenes superiores de guerreros y en prácticas mágico-religiosas van a utilizar sus partes y derivados principalmente piel, garras, huesos, piezas dentales, sangre, grasa, carne y corazón en espacios de cotidianidad y en lo sagrado[127]. Esta visión generó que algunos grupos

---

127 Vid. MORALES, D., MORALES, J. Genealogía diacrónica del conflicto humano-jaguar... *Op. Cit.* 31.

sociales lo cazaran a fin de utilizar sus partes y derivados principalmente su piel y la dentición en rituales; llegó a tener tal importancia que de acuerdo al Códice Mendoza[128], las partes de este felino en especial su piel confeccionada en trajes eran elementos tributarios en las relaciones sociopolíticas de diversos grupos sociales sometidos bajo la triple alianza conformada por México-Tenochtitlan, Tetzcoco y Tlacopan[129]. Fue tal la fascinación por este animal que existen relatos de que el tlatoani, supremo gobernante en épocas prehispánicas de la triple alianza, consumía caldo de carne de jaguar con el fin de volverse valiente y obtener honores[130]. La cacería de jaguar en este momento histórico se da por la relación de este felino con el poder, lo mágico-ritual y la religión desde una connotación basada principalmente en: 1) carga simbólica del jaguar en las construcciones socioculturales e interculturales asociado al dominio, el poder y el temor y 2) relación de dominación del humano sobre la naturaleza. Pese a que esta dimensión es antiquísima, en la actualidad aún persiste la idea arcaica en algunas poblaciones —principalmente del centro-sureste de México— y artesanos que venden productos elaborados con partes de este felino, en la que según el uso de partes de jaguar brinda elementos mágicos, religiosos y de poder. En la actualidad algunos miembros del pueblo indígena triqui asentado en el estado de Oaxaca consumen carne de jaguar (especie que ellos denominan león o lion; desde la conquista los españoles designaron así al jaguar y al puma por desconocimiento taxonómico ya que en el continente americano no existen leones de manera natural). Para algunas personas esta carne es apreciada ya que de acuerdo a su cosmovisión todo aquel que la come, le proporciona la fuerza del animal, asimismo es considerada curativa y preventiva de cualquier enfermedad incluso tienen la falsa creencia que la grasa de este animal ayuda a quitar do-

---

128 GALINDO, J. Códice Mendoza (México 1980) XI.

129 BATTCOCK, C. La conformación de la última “Triple Alianza” en la Cuenca de México: problemas, interrogantes y propuestas, en Dimensión Antropológica 52 (2011) 7.

130 Vid. OLIVIER, G. Tepeyóllotl, «Corazón de la montaña y Señor del eco»: el dios jaguar de los antiguos mexicanos, en Estudios de Cultura Náhuatl 28 (1998) 126.

lores[131]. Esta práctica asimétrica devastadora refleja la relación milenaria aniquiladora del humano sobre el jaguar desde una dimensión social asociada al poder y dominio del hombre sobre la naturaleza; la visión mítica y simbólica que encarna esta especie la orilló a ser perseguida en sitios donde interactúa con los pueblos indígenas, desde tiempos prehispánicos y que subsiste hasta en la actualidad en una pluralidad de manifestaciones culturales.

Pese a que esta dimensión es antiquísima, en la actualidad aún persiste la idea en algunas poblaciones rurales principalmente en el centro-sureste de México y artesanos que venden productos elaborados con partes de este felino que el uso de partes de jaguar brinda elementos mágicos y poder. A través de un muestreo estadístico aleatorio se entrevistaron a 116 artesanos, vendedores ambulantes y danzantes que tenían en su posesión productos o derivados del jaguar en un periodo comprendido del año 2015 al 2020 asociado a espacios arqueológicos, naturales y culturales de México, obteniendo los siguientes resultados: 114 personas (98.27%) atribuyen elementos mágicos al uso de partes de jaguar; de este porcentaje 82 personas (70.68%) consideran que su uso se asocia a obtener fuerza y poder, 23 personas (19.82%) atribuye poderes de virilidad y sexualidad y 11 personas (9.48%) consideran que el uso se asocia a la buena suerte. Referente al origen de las partes de jaguar; 111 personas (95.68%) mencionaron que las partes de jaguar que tenían en su posesión provenían de la cacería de esta especie y 5 (4.31%) mencionaron que las partes provenían de especímenes de zoológicos y mascotas de criaderos.

Bajo los esquemas jurídicos de los derechos culturales especistas se tutelan las prácticas que esclavizan-asolan-aniquilan al jaguar en diversos momentos de la materialización ideológica de dominación que transforma, cosifica y reduce al jaguar a través del encubrimiento de su otredad, esto implica desde su captura-esclavización al devenir especista en cosa-sentido, producto, recurso o mercancía cultural conforme las prácticas culturales principalmente de los pueblos y comunidades indígenas, afrodescendientes, grupos vulnerables o

---

[131] MENDOZA, Z. De lo biomédico a lo popular. El proceso salud-enfermedad. Atención en San Juan Copala, Oaxaca (México 2011) 59.

comunidades de ámbitos rurales y urbanos, y en general todos los individuos que conforman la cultura popular. La positivización de este engranaje político de los derechos culturales al igual que los derechos ambientales tuvieron un importante crecimiento desde mediados del siglo XX, y se consagran principalmente en el artículo 27 de la Declaración Universal de los Derechos Humanos[132]; los artículos 1o. y 27 del Pacto Internacional de Derechos Civiles y Políticos[133]; los artículos 13 y 15 del Pacto Internacional de Derechos Económicos, Sociales y Culturales[134]; los artículos 3o., 8o., 11 apartado 1, artículo 13 y 31 de la Declaración de las Naciones Unidas sobre los Derechos de los Pueblos Indígenas[135]; el Convenio 169 de la OIT sobre Pueblos Indígenas y Tribales en Países Independientes[136] y en lo señalado por la Convención para la Salvaguardia del Patrimonio Cultural Inmaterial[137], en el marco de la Organización de las Naciones Unidas para

---

132 ASAMBLEA GENERAL DE LAS NACIONES UNIDAS. Resolución 217 A (III). Declaración Universal de los Derechos Humanos (París 1948).

133 Vid. Decreto de Promulgación del Pacto Internacional de Decretos Civiles y Políticos, abierto a firma en la ciudad de Nueva York, E.U.A. el 19 de diciembre de 1966. DOF. 20/05/1981. Disponible en: https://www.dof.gob.mx/nota_to_imagen_fs.php?codnota=4649138&fecha=20/05/1981&cod_diario=200129 (última consulta, 1.10.2025).

134 Vid. Decreto de Promulgación del Pacto Internacional de Derechos Económicos, Sociales y Culturales, abierto a firma en la ciudad de Nueva York, E.U.A., el 19 de diciembre de 1966. DOF: 12-05-1981. Disponible en: https://dof.gob.mx/nota_detalle.php?codigo=4646611&fecha=12/05/1981#gsc.tab=0 (última consulta, 1.10.2025).

135 Vid. ASAMBLEA GENERAL DE LA ORGANIZACIÓN DE LAS NACIONES UNIDAS. Declaración de las Naciones Unidas sobre los Derechos de los Pueblos Indígenas. 13-09-2007. Disponible en: https://www.un.org/esa/socdev/unpfii/documents/DRIPS_es.pdf (última consulta, 1.10.2025).

136 Vid. Decreto promulgatorio del Convenio 169 sobre Pueblos Indígenas y Tribales en Países Independientes. DOF: 24/01/1991. Disponible en: https://www.dof.gob.mx/nota_detalle.php?codigo=4700926&fecha=24/01/1991#gsc.tab=0 (última consulta, 1.10.2025).

137 Vid. Decreto Promulgatorio de la Convención para la Salvaguardia del Patrimonio Cultural Inmaterial, en el marco de la Organización de las Naciones Unidas para la Educación, la Ciencia y la Cultura (UNESCO), adoptada en París, Francia, el diecisiete de octubre de dos mil tres. DOF: 28-03-2006. Disponible en: https://www.dof.gob.mx/nota_detalle.php?codigo=2117518&fecha=28/03/2006#gsc.tab=0 (última consulta, 1.10.2025).

la Educación, la Ciencia y la Cultura (UNESCO). En un ámbito regional continental, la Carta de la Organización de los Estados Americanos[138] establece un vínculo con los derechos culturales, principalmente en sus artículos 2o., 17, 19, 30, 47, 48, 50 y 52; la Convención Americana sobre Derechos Humanos[139] dispone en los artículos 16 y 26, derechos culturales, y, posteriormente, el Protocolo Adicional a la Convención Americana sobre Derechos Humanos en materia de Derechos Económicos, Sociales y Culturales[140] "Protocolo de San Salvador", constituye en su artículo 14 el derecho a los beneficios de la cultura, y de manera reciente los derechos culturales en un ámbito continental se encuentran positivizados principalmente en los artículos III, IV, X, XIII-XXII y XXV de la Declaración Americana sobre los Derechos de los Pueblos Indígenas[141].

El cuerpo político-jurídico de los derechos culturales en un orden internacional es amplio y complejo, conjuga derechos humanos en un sentido extenso y direcciona mecanismos para la tutela específica de pueblos originarios, asimismo, reconocen la composición pluriétnica de las sociedades modernas para ejercer acciones colectivas que permitan una cultura pluricultural de paz para el desarrollo social,

---

138 Vid. Organización de los Estados Americanos. Carta de la Organización de los Estados Americanos. 1948. Disponible en: https://www.cidh.oas.org/basicos/carta.htm (última consulta, 1.10.2025).

139 Vid. Decreto de Promulgación de la Convención Americana sobre Derechos Humanos, adoptada en la ciudad de San José de Costa Rica, el 22 de noviembre de 1969. DOF: 07-05-1981. Disponible en: https://www.dof.gob.mx/nota_detalle.php?codigo=4645612&fecha=07/05/1981#gsc.tab=0 (última consulta, 1.10.2025).

140 Vid. Decreto Promulgatorio del Protocolo Adicional a la Convención Americana sobre Derechos Humanos en Materia de Derechos Económicos, Sociales y Culturales "Protocolo de San Salvador", adoptado en la ciudad de San Salvador, el diecisiete de noviembre de mil novecientos ochenta y ocho. DOF: 01-09-1998. Disponible en: https://dof.gob.mx/nota_detalle.php?codigo=4891682&fecha=01/09/1998#gsc.tab=0 (última consulta, 1.10.2025).

141 Vid. Asamblea General. Organización de los Estados Americanos. Declaración Americana sobre los Derechos de los Pueblos Indígenas. AG/RES. 2888 (XLVI-O/16) 15 de junio de 2016. Disponible en: https://www.oas.org/es/sadye/documentos/res-2888-16-es.pdf (última consulta, 1.10.2025).

bajo esta perspectiva, diversas prácticas que dan sentido a los derechos culturales se han direccionado hacia la dominación y encubrimiento de los otros animales, en específico para el jaguar en México tanto en espacios rurales como en sitios capitalinos donde la dominación y encubrimiento del jaguar forman parte de la cotidianidad cultural en un neoindigenismo folclórico que mercantiliza al jaguar y lo transforma en un producto comercial que es difundido y apoyado por el gobierno de México, protegiendo jurídicamente prácticas que afectan al jaguar y que son ilícitas por violentar el marco jurídico de protección ambiental y por fomentar el uso de las partes de los jaguares en un comercio ilícito pero permitido por el gobierno neoindigenista que en sí oprime y mantiene en la periferia a los grupos sociales vulnerables, utilizando simplemente su folclor en la dominación social.

3.3. Devenir político internacional

Pese a que la generalidad de acciones globales de conservación sustentable del jaguar tienen en su centro al racionalismo ambiental-capital, existe un sector que realiza conservación desde un centro basado en la alteridad zooética del jaguar, quienes impulsan una agenda internacional con modelos no especistas para la conservación-liberación del felino más grande de América; este enfoque interdisciplinario de conservación del jaguar parte desde el movimiento zooético que ha emprendido Biofutura en conjunto con grupos científicos y conservacionistas de México, desde el 2010, la Alianza Nacional para la Conservación del Jaguar (ANCJ[142]) conformó el grupo de derecho y políticas públicas encabezado por Biofutura como herramienta clave en la conservación del jaguar, si bien estas dos organizaciones tienen un centro diferente en la conservación del jaguar; una vinculada al ambientalismo científico y la otra en una zooética en alteridad, han logrado encaminar acciones por la conservación del jaguar de manera conjunta: en 2015 como producto de la reunión del X

142 La ANCJ es una organización sin fines de lucro que reúne a científicos, conservacionistas y activistas de México para fortalecer la conservación del jaguar.

Simposio "El jaguar mexicano en el siglo XXI: Una década de retos y oportunidades", realizado en Cuernavaca, Morelos, se generó en el área de derecho y políticas públicas la "Estrategia continental para la conservación del jaguar (*Panthera onca*) desde una visión integral" la cual fue consolidándose hasta su presentación como moción ante la IUCN en 2019 a cargo de Biofutura por ser miembro de la UICN y diversos aliados estratégicos, registrándose con el número 40141, donde se sumó posteriormente una propuesta de otros investigadores de Suramérica denominada "Declaración de prioridad de conservación del Jaguar (*Panthera onca*)" con registro 40867, que al fusionarse secundariamente con la propuesta principal de Biofutura-ANCJ conforme la decisión del Grupo de Trabajo sobre Mociones (GTM), se dio origen a la moción 106 Prioridad continental de conservación del Jaguar (*Panthera onca*), esta moción fue presentada y aceptada en el Congreso Mundial de las Naturaleza de la IUCN, en Marsella, Francia, 2020[143], sentando las bases bioculturales para futuras acciones de conservación del jaguar en América.

Dentro del funcionamiento de los acuerdos, tratados y convenciones regionales como internacionales —incluyendo organismos públicos y privados— en materia de biodiversidad asociado al jaguar, existe actualmente una creciente acción derivada de la preocupación ambiental para propiciar dualmente su aprovechamiento y con-

143 Pese a que la adhesión secundaria a la propuesta principal de Biofutura y aliados estratégicos tiene un centro en un racionalismo capitalista-ambiental basado en la reducción conforme al valor ambiental del jaguar y su uso sustentable, diversos elementos de la propuesta original se mantuvieron. La moción está conformada de directrices y estrategias para la conservación del jaguar como especie focal emblemática de América, instando a sus miembros a implementar medidas contra el tráfico, su caza, explotación como mascota y su uso en circos o espectáculos. Incluye el fortalecimiento de las áreas naturales protegidas, enriquecimiento y valorización de las prácticas culturales asociadas al jaguar compatibles con la conservación de la especie para que sean consideradas patrimonio cultural inmaterial de los Estados Miembros y posteriormente de la humanidad, asimismo se solicitó cooperación internacional en atención a las amenazas de la especie y sumar estrategias para la conservación del jaguar. Vid. IUCN. 106 – Prioridad continental de conservación del jaguar (*Panthera onca*). Disponible en: https://www.iucncongress2020.org/es/motion/106 (última consulta, 1.10.2025).

servación sustentable. En estas acciones basadas en la racionalidad hegemónica de dominación del jaguar, como parte de las acciones internacionales actuales para la protección y aprovechamiento sustentable del jaguar por parte de CITES se destacan las siguientes: en su 18a reunión (CoP18, Ginebra, 2019), la Conferencia de las Partes adoptó las decisiones enfocadas en cuestiones específicas para las especies 18.251 a 18.253 sobre jaguar (*Panthera onca*) las cuales tienen como antecedentes que diversas Partes del convenio CITES han solicitado que este organismo contribuya en la conservación del jaguar y sus implicaciones por el uso comercial de este espécimen[144]. En el documento CoP18 Doc. 77.1[145] presentado por México y Costa Rica se recomienda monitorear el tráfico de jaguar y analizar las implicaciones de este comercio ilegal en la conservación de las poblaciones de jaguar en la naturaleza, asimismo consideran viable que la Conferencia de las Partes considere y adopte proyectos para evaluar la escala de riesgo y determinar los puntos clave de la oferta y demanda en la cadena comercial del comercio ilegal del jaguar a fin de desarrollar recomendaciones para tomar medidas inmediatas para combatir el comercio ilegal de jaguar en toda su área de distribución. El documento CoP18 Doc. 77.2 presentado por Perú insta a las partes a: 1) reconocer al jaguar como especie insignia de los países donde se distribuya esta especie teniendo una responsabilidad conjunta, 2) fortalecer control fronterizo y generar trabajo de inteligencia para identificar cazadores furtivos, comerciantes ilegales y sus redes, 3) aumentar la inspección y control de bienes y equipaje en países que constituyen el mercado ilegal final, asimismo adoptar políticas y acciones para crear conciencia sobre este tema, 4) aumentar los esfuerzos de sensibilización y divulgación de la importancia del jaguar y sus hábitats, así como las regulaciones y sanciones existentes, 5) generar e intercambiar información y 6) administrar y fortalecer mecanismos de cooperación, asimismo, se propone a la Secretaría realizar un es-

---

144 Vid. CITES. Decisiones de la Conferencia de las Partes en la CITES en vigor después de su 18a reunión. Disponible en: https://cites.org/sites/default/files/esp/dec/valid18/S18-Dec.pdf (última consulta, 1.10.2025).

145 CITES CoP18 Doc. 77.1 Jaguar (Panthera onca) JAGUAR TRADE. Disponible en: https://cites.org/sites/default/files/esp/cop/18/doc/S-CoP18-077-01-R1.pdf (última consulta, 1.10.2025).

tudio sobre comercio ilegal de jaguares (*Panthera onca*) y a las Partes se les propone colaborar[146]. Dentro de las acciones de CITES para el aprovechamiento y conservación sustentable del jaguar en la decisión 18.245 se incluyó a este felino en el Grupo Especial CITES sobre Grandes Felinos, además, de manera permanente se acordó que las Partes examinarán los datos sobre el comercio nacional e internacional ilegal del jaguar y se incluirán en sus informes anuales sobre comercio ilegal de conformidad con la Resolución Conf. 11.17 (Rev. CoP18) sobre informes nacionales y la Decisión 18.76 sobre informes anuales sobre el comercio ilegal, bajo estas directrices la CITES insta a las Partes a presentar informes anuales sobre el comercio ilegal antes del 31 de octubre de cada año, como una forma de centralizar y gestionar los datos sobre el comercio ilegal de jaguar y otras especies silvestres, a fin de mejorar el monitoreo y la toma de decisiones para su conservación.

Dentro de las acciones de CITES a fin de conocer el fenómeno comercial legal e ilegal del jaguar en escala internacional ha conformado el Grupo Especial CITES sobre Grandes Felinos el cual ha señalado que existe un importante comercio continuado de jaguar: los jaguares se utilizan en América Latina por sus pieles como decoración para mostrar estatus y riqueza, sus dientes y garras se emplean en la artesanía, la joyería y como amuletos. Entre los ciudadanos chinos de América Latina, los jaguares, o "tigres sudamericanos", se utilizan en lugar de los productos del tigre, incluidos los huesos para pegamento, pasta o vino en la medicina tradicional, y los dientes y las garras se utilizan como artesanía o amuletos. Ocasionalmente se envían especímenes de jaguar a los familiares en China, donde se utilizan para la artesanía o como amuletos[147].

---

146 Documento retirado. Vid. CITES CoP18 Doc. 77.2 Disponible en: https://cites.org/sites/default/files/esp/cop/18/doc/S-CoP18-077-02%20RETIRADO.pdf (última consulta, 1.10.2025).

147 Vid. CITES. SC75 Doc. 13 (Rev. 1). Cuestiones específicas sobre las especies (2022). Disponible en: https://cites.org/sites/default/files/documents/S-SC75-13-R1_1.pdf (última consulta, 1.10.2025); CITES Desición 18.251-18.253 CoP18 (2019) Disponible en: https://cites.org/sites/default/files/esp/dec/valid18/S18-Dec.pdf (última consulta, 1.10.2025).

La preocupación por el impacto del comercio en la conservación del jaguar ha hecho que la Secretaría de CITES solicite un estudio sobre sobre el comercio ilegal del jaguar, el estudio se llevó a cabo de conformidad con la Decisión 18.251 de la CoP18[148], bajo este mandato, el 05 de julio de 2021 se publicó "El comercio ilegal de jaguar (*Panthera onca*)" por parte de la Secretaría CITES donde se realizó un análisis del comercio del jaguar en una escala internacional, concluyendo entre otras cosas que se tiene una importancia del comercio ilegal de jaguares a escala nacional donde el comercio es en gran medida oportunista. Este documento fue presentado en el informe de la Secretaría CITES SC74 Doc. 75[149] donde también se designó como proyectos de decisión de la conferencia de las partes que la Secretaría cooperará con la Secretaría de la Convención sobre la Conservación de las Especies Migratorias de Animales Silvestres (CMS) y el Comité de Coordinación de la Hoja de Ruta 2030 para la Conservación del Jaguar en las Américas, dirigido por el Programa de las Naciones Unidas para el Desarrollo. Respecto a la Hoja de Ruta 2030 del jaguar es importante mencionar que, dentro del marco de acción internacional por la conservación sustentable del jaguar, en 2018, 14 representantes de estados del área de distribución del jaguar y organizaciones no gubernamentales celebraron el Foro de Alto Nivel del Jaguar 2030 en la sede de las Naciones Unidas en Nueva York. El Foro dio lugar al Pronunciamiento de Nueva York Jaguar 2030 para trabajar juntos por la conservación del jaguar y al establecimiento del día internacional del jaguar anual. Bajo este paradigma conservacionista, CITES ha consolidado una visión estratégica para contribuir a la implementación del Marco Mundial de Biodiversidad y la Convención sobre Especies Migratorias (CMS) ha adoptado en su Conferencia de las Partes la Iniciativa de la CMS para el Jaguar (*Panthera onca*)[150] y así, colaborar con CITES y el Comité de

---

148 Vid. ARIAS, M. El comercio ilegal del jaguar (CITES 2021).

149 CITES. SC74 Doc. 75. Cuestiones específicas sobre las especies JAGUAR (PANTHERA ONCA). Disponible en: https://cites.org/sites/default/files/esp/com/sc/74/S-SC74-75.pdf (última consulta, 1.10.2025).

150 CSM. UNEP/CMS/Resolución 14.14. Disponible en: https://www.cms.int/sites/default/files/document/cms_cop14_res.14.14_cms-jaguar-initiative_s.pdf (última consulta, 1.10.2025).

Coordinación de la Hoja de Ruta del Jaguar 2030 junto con los planes de acción nacional para el jaguar[151] hasta consolidar la Iniciativa Jaguar de la CMS 2025/011: proyecto del programa de trabajo sobre el jaguar[152].

La conjunción de CITES, CMS, organismos internacionales y estados-nación ha permitido formalizar diversas reuniones de los estados del área de distribución del jaguar donde se han construido mecanismos para la conservación del felino, principalmente el Plan de Acción Regional para la Conservación del Jaguar, así como borradores de resoluciones[153] y decisiones[154] de CITES y CMS[155], si bien estos mecanismos dan una respuesta a la problemática que afecta al jaguar enfocado en la pérdida de hábitat, recuperación del felino y sus presas, coexistencia, matanza y comercio ilegal de jaguar, el desarrollo de capacidades, así como la concientización y conocimientos basados en generar información sobre aspectos clave en la toma de decisiones para la conservación del jaguar[156], los mecanismos se man-

---

151 Vid. CSM. Decisión 14.178. Disponible en: https://www.cms.int/sites/default/files/document/cms_cop14_decisions_s.pdf (última consulta, 1.10.2025).

152 Vid. INICIATIVA JAGUAR DE LA CMS 2025/011: Proyecto del Programa de trabajo sobre el jaguar. Disponible en: https://www.cms.int/sites/default/files/011_jaguar-work-programme_s%20%283%29.pdf (última consulta, 1.10.2025).

153 Vid. Segunda Reunión de los Estados del Área de distribución del jaguar. Conservación y comercio del jaguar (Panthera onca) Conf. 20. XX. Borrador disponible en: https://www.biodiversidad.gob.mx/planeta/jaguares/doctos/finalDraft/Doc.2_%20Resolucion_BorradorFinal_ES.pdf (última consulta, 1.10.2025).

154 Vid. Segunda Reunión de los Estados del Área de distribución del jaguar. Proyectos de decisiones sobre jaguares (Panthera onca). Borrador disponible en: https://www.biodiversidad.gob.mx/planeta/jaguares/doctos/finalDraft/Doc.%202%20Decisiones_on_jaguar_BorradorFinal_ES.pdf (última consulta, 1.10.2025).

155 Vid. UNEP/CMS/Resolución 14.14 Jaguar (Panthera onca). Borrador disponible en: https://www.biodiversidad.gob.mx/planeta/jaguares/doctos/cms_cop14_res.14.14_cms-jaguar-initiative_s_EDIT%204.pdf (última consulta, 1.10.2025).

156 Vid. Segunda Reunión de los Estados del Área de distribución del jaguar. Plan de Acción Regional para la Conservación del Jaguar. Versión

tienen en el racionalismo ambiental-capitalista desde su mismo punto de origen, llegando a donde comenzaron, pero con la diferencia de querer regular lo regulado pero más estrictamente con un enfoque tecnicista —no prohibicionista—, denotando que la regulación especista inicial del jaguar bajo el paradigma ambiental-capitalista no ha funcionado para la conservación del felino.

Dentro del marco de acción del Convenio sobre Diversidad Biológica se han implementado mecanismos para propiciar un desarrollo sustentable a través de planes estratégicos, los cuales tienen el objetivo de ofrecer orientación para la implementación de los objetivos del Convenio a nivel nacional, regional y global a fin de detener la pérdida de biodiversidad, una vez analizada la perdida de biodiversidad y su incremento, después de una década de abrir a firma el CDB las partes hicieron el Plan Estratégico 2002-2010 para hacer frente a las amenazas que la biodiversidad enfrentaba y reconociendo que ésta es el fundamento vivo para el desarrollo sustentable, en este sentido se adoptaron en 2010 el Plan Estratégico 2011-2020 y sus 20 Metas de Aichi, las cuales después de una evaluación se reveló la baja eficacia de las partes en el cumplimiento con una tendencia hacia un cierto avance y en el caso de la meta 12 enfocada en evitar la extinción de especies en peligro —como el jaguar— la meta no se logró, ya que las especies se siguen acercando en promedio a la extinción[157]. En la COP-14 celebrada en Sharm el Sheikh, Egipto en 2018, después de realizar la evaluación del progreso en la implementación del Plan estratégico 2011-2020, las Partes aprobaron la preparación del Marco Global de Biodiversidad post 2020 mediante la decisión 14/34. Asimismo, en un evento paralelo a la COP, esto es, sin el reconocimiento oficial del CDB en las decisiones de sus partes, se instauró el día internacional del jaguar y se presentó el "Plan Jaguar 2030: Plan Regional para la Conservación del Felino más grande del Continente y

11.09.2025. Disponible en: https://www.biodiversidad.gob.mx/planeta/jaguares/doctos/finalDraft/Borrador%20Plan%20de%20Accion%20Regional%20Final%20ES.pdf (última consulta, 1.10.2025).

157 Vid. Secretaría del Convenio Sobre la Diversidad Biológica. Perspectiva Mundial sobre la Diversidad Biológica 5 (Montreal 2020) 86-87. Disponible en: https://www.cbd.int/gbo/gbo5/publication/gbo-5-es.pdf (última consulta, 1.10.2025).

sus Ecosistemas[158]". El objetivo del plan es fortalecer el Corredor del Jaguar en todos los países del área de distribución, asegurar 30 paisajes prioritarios para el jaguar para 2030, estimular el desarrollo sostenible, reducir el conflicto jaguar-humano en paisajes dominados por humanos, y aumentar la seguridad y conectividad de los paisajes protegidos más importantes, alcanzando un objetivo de importancia global en la conservación de la biodiversidad. El 19 de diciembre de 2022, durante la Decimoquinta Conferencia de las Partes (COP 15), celebrada en Montreal Canadá, las Partes adoptaron de manera unánime el Marco Mundial de Biodiversidad de Kunming-Montreal[159] que establece una visión para guiar y apoyar a los países en materia de biodiversidad mediante 4 objetivos y 23 metas. Estos objetivos y metas representan un compromiso global integral para conservar, restaurar y usar sustentablemente la biodiversidad. Los objetivos proporcionan una visión general y los principios rectores, mientras que las metas ofrecen una hoja de ruta detallada y orientada a la acción para lograr esa visión.

Los organismos y organizaciones internacionales han creado mecanismos globales y continentales para la conservación del jaguar desde diversos horizontes, teniendo puntos en común y creando una agenda colaborativa para la conservación del jaguar, sin embargo, en su mayoría son respuestas creadas desde una racionalidad ambiental-capitalista que mantiene al jaguar como una cosa, producto, mercancía y capital natural, creando una conservación perniciosa, lo que visibiliza el conocimiento superficial y alienación ante un fenómeno que no comprenden y que no pueden resolver; tratan de responder ante la crisis con ciencia y tecnología desde un mismo centro que prolonga el pasado y el presente en un eterno retorno, viven y piensan dentro del círculo de los fenómenos derivados sin acercarse a la cuestión primordial, se han acostumbrado tanto a una falsa idea del jaguar que acogen con buen agrado todo error que deriva de ella, cimentando en estas sociedades prejuicios que son una base de los

---

158 WWF, Panthera, WCS & UNDP. Plan Jaguar 2030. Disponible en: https://d2ouvy59p0dg6k.cloudfront.net/downloads/cbd_cop14_jaguar_brief_espanol.pdf (última consulta, 30.01.2024).

159 Vid. COP 15 CBD/COP/DEC/15/4. Disponible en: https://www.cbd.int/doc/decisions/cop-15/cop-15-dec-04-en.pdf (última consulta, 1.10.2025).

individuos en su carácter y se relaciona íntimamente a su condición, hasta el punto de que estos errores y horrores del especismo sean prácticamente invencibles ante cualquier evidencia, intelecto, emoción, o razón fuera de sus límites comprensibles. Si se intenta construir con estas bases la conservación en el tercer milenio se fracasará y será la oscuridad del jaguar, a través del análisis social podemos vislumbrar el punto de la crisis y el por qué, la alternativa del especismo y la racionalidad capital-ambientalista es una sociedad transformada. Los organismos y organizaciones internacionales existentes carecen de funciones claramente delimitadas en la resolución de conflictos ambientales, su estrategia y proceder están siempre a merced de unos poderes políticos cambiantes que tienen en su centro al sistema que dicta como se debe realizar la conservación para proteger sus propios intereses y transformarla en medios para sus fines[160].

4. SISTEMA INTERNO: MÉXICO

La visión histórica de la aniquilación del jaguar bajo el dominio del humano, devela la represión sistematizada y los puntos de crisis que oprimen al felino. Las relaciones de dominación que el humano ejerce sobre el jaguar en el transcurso del tiempo, tienen una estructura social que dirigen en cada momento las características de los dominadores, esta opresión tiene diversos momentos históricos que han marcado hitos que exponen la sistematización y hegemonía. La relación del humano con el jaguar en México es milenaria y multifacética con especial importancia en los pueblos y comunidades originarias, esta relación ha conjugado diversos momentos históricos que condicionan el presente. En la gama amplia de interacciones, tanto positivas y negativas que se han instaurado entre el primate y el felino, la relación interespecífica dominante es la competencia asimétrica preponderante hacia el humano con interacción negativa al jaguar. Para delimitar los acontecimientos históricos y entender el conflicto primate-felino, es importante situarse puntual y significativamente en un espacio temporal relevante y trascendental que conforma los

---

160 Vid. HOBSBAWM, E. Guerra y paz… *Op. cit.* 37.

hitos del conflicto, los cuales abarcan desde periodos prehistóricos hasta el introito de la dominación del jaguar en el tercer milenio[161]; esta relación tiene como antecedente una carga prehispánica conforme a su uso como mercancía y elemento sociocultural, atravesando por el colonialismo donde se inicia con el asedio del felino como resultado de la transformación radical de los valores simbólicos de una cultura a otra al momento de fracturar el nexo biocultural de las sociedades prehispánicas con el jaguar, por lo que se va a declarar una persecución hegemónica contra ellos por ser animales dañinos para las personas y su ganado esclavizado, esta persecución será la pauta marcada desde los primeros años de la conquista española que direcciona la directriz especista-capitalista de la asolación del jaguar, incluso se dio un pago económico por su aniquilación, creando nuevos oficios basados en la aniquilación del felino: los tigreros, estas actividades se potenciaron con el uso de mecanismos armamentísticos bélicos y los perros de cacería como parte de la herencia colonial violenta que se asentó en Mesoamérica, dando paso a una cacería exponencial[162].

Este pensamiento colonial de dominación especista se fortalece en la historia moderna que incluye la era del capital, la era del imperio y el siglo XX donde el felino tendrá un declive exponencial, siendo junto al puma (*Puma concolor*) los únicos sobrevivientes a la cacería nacional contra los grandes carnívoros en México, donde se extinguieron el lobo gris mexicano (*Canis lupus baileyi*) y el oso gris mexicano (*Ursus arctos nelsoni*), en este lapso de tiempo del colonialismo conformado por 5 centenarios, el jaguar, denominado *Ocelotl* y

---

161 Vid. MORALES, D., MORALES, J. Genealogía diacrónica del conflicto humano-jaguar… *Op. Cit.* 25

162 La cacería de jaguares en Oaxaca era una actividad de entretenimiento, existen relatos de su barbaridad que visibiliza la herencia colonial violenta que se adentró en las comunidades rurales, de acuerdo al testimonio de unos cazadores, al no encontrar en sus excursiones al jaguar sino a un tapir, estos lo amarraron y organizaron un "jaripeo" con él y dejaron que los perros de caza le destrozaran las patas. El animal murió y fue un "festín babilónico" para los perros. Vid. EL UNIVERSAL ILUSTRADO. "Jaripeo de tapires" durante caza en Tuxtepec, Oaxaca. (17 de mayo de 1934). Disponible en: https://www.eluniversal.com.mx/opinion/mochilazo-en-el-tiempo/los-cazadores-de-ayer-y-hoy/ (última consulta, 1.10.2025).

considerado *Tepeyóllotl*; el señor del monte, una deidad y un elemento biocultural en prácticamente todo su ámbito de distribución y que incluso forma parte del *ethos* social de Mesoamérica como parte de su núcleo duro, en un giro dialéctico ontológico de dominación se encubrió su ser y esencia, pasando de ser el nahual de Tezcatlipoca, *Tepeyóllotl, Ocelotl, Balam, Tecuani, Péchetáo* o *Pitao Peeche*... para transformarse al no-ser, posicionándose periféricamente en un ámbito negativo con dos ejes fundamentales; el jaguar como simbólica del mal, algo malvado que causa daños[163] y al animal cosa-sentido, materia prima, producto, mercancía o capital natural del que se pueden obtener beneficios a través de su aprovechamiento-explotación.

Esta dialéctica ontológico-especista se replica a través de la alienación de las multitudes direccionadas por la opresión especista que dicta como es el mundo y su racionalización, creándose un amplio campo semiótico con tintes colonialistas, ahora desde la semántica y pragmática el jaguar-ocelotl es el tigre malvado, la pantera asesina-carnicera..., y desde su cosificación para el aprovechamiento-explotación es conceptualizado como el trofeo, el amuleto, el capital natural, la mascota, el abrigo, el objeto de caza... como parte de la positivización del especismo de dominación. En el periodo del asedio del jaguar que inicia con el colonialismo, la conformación jurídico-política de esta región se constituirá conforme a las reglas del derecho romano y napoleónico, adecuando los elementos de esta tradición europea a la realidad de la Nueva España y de México, en el devenir político del asedio del jaguar el subcampo jurídico tendrá un desarrollo en diversos ámbitos de competencia por materia, principalmente en el derecho civil-mercantil, administrativo, penal

[163] En la actualidad en algunas comunidades rurales indígenas del centro de México las representaciones materiales prehispánicas del jaguar en vestigios, piezas arqueológicas y monumentos asociados a este felino son vistas como algo asociado al mal y de mal agüero, para algunos pobladores el simple acto de ver o tocar estas representaciones del felino les causa afectaciones y males incluso corporales como comezón, ronchas e hinchazón, una de las piezas materiales asociadas al jaguar y que causan supuestas afectaciones se puede observar en MORALES, D., MORALES, J. Nahnahuatilli en la huasteca hidalguense, en Antrópica. Revista de Ciencias Sociales y Humanidades 3 (2017) 179.

y constitucional, conjugando y armonizando la norma jurídica. En 1824, dentro de los primeros años de la nación mexicana independiente con la sistematización de su primera constitución política, el gobierno emitió un edicto donde se prohibía a los extranjeros la cacería y captura de animales de piel, si bien se podría pensar que este acto de la autoridad se enfocaba en la conservación, en realidad se buscaba proteger las industrias nacientes de la nación frente a la competencia extranjera, quienes tenían mayores recursos y financiamiento, por lo que el gobierno se basó en la prohibición de ciertos productos a extranjeros y en aranceles protectores para los ciudadanos nacionales, dos años más tarde el gobierno prohibió a los extranjeros ejercer ciertos oficios o profesiones sin permiso en México. En 1843, el gobierno cerró brevemente el comercio minorista a los extranjeros. Otra ley prohibía a las embarcaciones extranjeras la navegación costera y requería que al menos dos tercios de los miembros de la tripulación de las embarcaciones mexicanas dedicadas al comercio costero fueran ciudadanos mexicanos. De manera similar, cuando el gobierno otorgó el monopolio a una empresa privada para cazar animales para peletería en la frontera norte[164], exigió que dos tercios de los cazadores de la empresa fueran mexicanos [165]. En la lógica utilitarista reductiva de mediación el especismo ha sistematizando desde el primer marco normativo civil[166] en México a los animales en general como bienes muebles susceptibles de apropiación, teniendo una regulación prescindible e irrelevante. Con el gobierno republicano, se adoptó nuevamente una estructura federal y con la consolidación del movimiento codificador se crearon los códigos civiles de 1870 y 1884, en la codificación civil de 1870; aprobado por el

---

164 En 1824, el gobierno mexicano prohibió a nacionales y extranjeros la cacería y la captura de animales de piel... Vid. GÓMEZ, E. Tecuán (México 2023) 31.

165 Diversos investigadores consideran que la prohibición de 1824 únicamente fue a extranjeros, este es el criterio que se comparte en esta obra, Vid. SIMONIAN, L. La defensa de la tierra del jaguar. Una historia de la conservación en México (México 1999) 70; WEBER, D. The mexican frontier 1821-1846 (Albuquerque 1982) 147-148.

166 Código Civil para Gobierno del Estado Libre de Oajaca. Imprenta del Gobierno, Oajaca. 1828. Vid. SÁNCHEZ, C. & RUIZ, J. Código Civil para Gobierno del Estado Libre de Oajaca —1828— (México 2010).

Congreso de la Unión el día 8 de diciembre del mismo año, con un inicio de vigencia a partir del día 1o. de marzo de 1871 en el distrito Federal y territorio de Baja California[167], en el apartado asociado a la propiedad, el jaguar, al igual que todos los animales silvestres eran considerados bienes susceptibles de apropiación a través del ejercicio del derecho de caza que era una actividad libre en terreno público y en los espacios privados se necesitaba el permiso del dueño, dentro de la reglamentación del ejercicio de la caza se delimitó en atención a lo establecido en el reglamento de policía la siguiente premisa: el cazador se hace dueño del animal que caza por el acto de apoderarse de él, asimismo, se consideraba una licitud a los labradores destruir en cualquier tiempo a los animales bravíos por lo que era lícito a cualquiera apropiarse de ellos[168] —*v.g.* el jaguar—, estas disposiciones se mantuvieron en el Código Civil de 1884[169], y posteriormente en el Código Civil de 1928[170], si bien estas disposiciones se adecuaron a una reglamentación —administrativa—, en esencia se conservó en su codificación el apartado de apropiación de los animales y el

---

167 Los estados que adoptaron el Código Civil del Distrito Federal de 1870 fueron: Aguascalientes, Campeche, coahuila, Colima, chiapas, Chihuahua, Durango, Guanajuato, Guerrero, Hidalgo, Jalisco, Michoacán, Morelos, Nuevo León, Puebla, Querétaro, San Luis Potosí, sinaloa, Tabasco, Tamaulipas, Yucatán y Zacatecas. Vid. CRUZ, O. La codificación (México 2006) 190-222.

168 Código Civil del Distrito Federal y Territorio de la Baja California. 8 de diciembre 1870, artículos 833-853. Vid. Diario Oficial del Gobierno Supremo de la República: 28-02-1871. Disponible en: https://legislacion.scjn.gob.mx/Buscador/Paginas/wfOrdenamientoDetalle.aspx?q=CDMddE+Bke8KMN205Fd+Ct8WLCj63x9M+26W5dN4EFKTMD/c/g2mUYqo+OCeSbll (última consulta, 1.10.2025).

169 Código Civil del Distrito Federal y Territorios de Tepic y Baja California, promulgado el 31 de Marzo de 1884, artículos 736-758. Vid. LOZANO, A. Código Civil del Distrito Federal y Territorios de Tepic y Baja California (México 1902) 175-178.

170 Durante el periodo siguiente de la revolución mexicana el derecho civil tuvo como marco normativo el Código Civil promulgado el 30 de agosto de 1928 con el título de Código Civil para el Distrito y Territorios Federales en Materia Común, y para toda la República en Materia Federal, estableciéndose por decreto en el DOF: 01-09-1932 que entraría en vigor el 1o. de octubre de ese año. Disponible en: https://www.dof.gob.mx/nota_to_imagen_fs.php?codnota=4431043&fecha=01/09/1932&cod_diario=186550 (última consulta, 1.10.2025).

derecho de caza[171], así como la licitud de los labradores de destruir en cualquier tiempo a los animales bravíos y cerriles perjudiciales —como el jaguar— o su apropiación conforme a la reglamentación respectiva, manteniéndose hasta la actualidad esta normatividad por ser la legislación vigente [172], con una continuidad ininterrumpida de un siglo y medio. La codificación en materia civil a nivel federal vigente en México es el texto publicado en 1928 pero con diversas reformas se ha modificado su denominación hasta la actual: Código Civil Federal[173].

Dentro de los primeros ordenamientos administrativos que regularon a la fauna silvestre en México se tiene como precursor a la normatividad en materia forestal, si bien dentro de los aspectos históricos de la regulación forestal en México se tiene como antecedente la Ley de Indias en la Pragmática de los Reyes Católicos de 1496 donde se estableció la regulación para la explotación de los bosques[174], es hasta 1894 cuando se aprueba la primer medida de carácter vinculante a favor de la conservación de los bosques, quedando plasmada en los artículos 21 y 70 de la Ley sobre Ocupación y Enajenación de Terrenos Baldíos de los Estados Unidos Mexicanos y con su reglamentación con el Reglamento para la Explotación de los Bosques y Terrenos Baldíos y Nacionales aprobado el 1 de octubre de 1894 para que entrara en vigor el 1 de noviembre de ese mismo año, este reglamento incorporó una perspectiva de la conservación desde su primer artículo en relación con la explotación forestal[175], asimismo, se regularon los permisos y la actividad de la cacería incluido las épocas de veda que se fijaren para las diversas especies de animales, los

---

171 Artículos 854-874 del Código Civil para el Distrito y Territorios Federales en Materia Común, y para toda la República en Materia Federal.

172 En la actualidad el Código Civil Federal vigente en México mantiene la misma articulación como en el texto original en materia de apropiación de los animales conforme lo establecido en los artículos 854-874. Disponible en: https://www.diputados.gob.mx/LeyesBiblio/pdf/CCF.pdf (última consulta, 1.10.2025).

173 Vid. DOF: 29/05/2000.

174 Vid. VÁSQUEZ, J. Derecho Forestal (México 1997) 9.

175 Vid. URQUIZA, J. Una historia ambiental global: de las reservas forestales de la nación a las reservas de la biosfera en México, en Iztapalapa. Revista de Ciencias Sociales y Humanidades 40 (2019) 110.

permisos de caza en los montes y terrenos nacionales daban el derecho para hacer la caza a toda clase de animales, la forma de cazar a los animales era a través de armas de fuego y cuchillos de monte, quedando prohibido el empleo de trampas, solamente se permitía este tipo de cacería para los animales dañinos o feroces —todos los grandes y medianos carnívoros incluyendo al jaguar—, estos animales podían ser destruidos en cualquier época del año[176].

Dentro de las acciones que tuvieron un impacto significativo para la conformación de la política ambiental mexicana a inicios del siglo XX fue la Conferencia Internacional Norteamericana sobre Conservación de Recursos Naturales, celebrada en Washington, del 18 al 24 de febrero de 1909, en este mismo año se creó la Ley 21 de diciembre de 1909 que cimentó la base jurídica para la proclamación de vedas en territorio mexicano, estos antecedentes dieron pauta a la creación de las primera institución gubernamental conformada en el periodo posrevolucionario del gobierno constitucionalista que asentó como antecedente la gestión pública de la fauna silvestre: la Mesa de Caza y Pesca dentro de la Secretaría de Agricultura y Fomento (SAF) que en 1918 se modificó a Departamento de Caza, dentro de la Dirección forestal y de Caza y Pesca de la SAF, dando inicio a la institucionalización del aprovechamiento cinegético y el uso de la fauna silvestre en México[177].

Durante el primer cuarto del siglo XX se conformaron las primeras vedas de animales silvestres en México, ya sea temporales o definitivas-absolutas, en un primer momento se enfocaron en especies marinas —pesca—, posteriormente se reglamentó la pesca del lobo marino en la costa occidental de Baja California el 17 de agosto 1918[178] —donde se establecieron diversas vedas temporales para pe-

---

176 Vid. Reglamento para la Explotación de los Bosques y Terrenos Baldíos y Nacionales. Secretaría de Estado y del Despacho de Fomento, Colonización e Industria de la República Mexicana. 26 de Marzo de 1894, art. 48, 50 y 51.Disponible en: http://cdigital.dgb.uanl.mx/la/1080074869/1080074869_03.pdf (última consulta, 1.10.2025).

177 Vid. URQUIZA, J. Una historia ambiental global... *Op. Cit.* 112.

178 El acuerdo consideró que el lobo marino se había propagado considerablemente en las aguas territoriales de la costa occidental de la Baja California, constituyendo una de las plagas más perniciosas por la gran cantidad de

ces—, solamente dos meses posteriores, el 25 de octubre se publicó en el DOF el acuerdo de prohibición de la caza de lobos y aves marinas en los islotes "Coronados"[179], a estas vedas se suma la prevención reglamentaria que establece veda absoluta para la pesca de manatí; donde se prohibió perseguir, capturar o matar al manatí en aguas de jurisdicción nacional, y por ende, se prohibió poner en circulación o venta todo género de productos procedentes del manatí[180]. El 17 de octubre de 1922 se publicó en el acuerdo que vedaba la caza de borrego salvaje (*Ovis Montana* y *Ovis Cervina*)[181], delimitando una temporalidad de 10 años donde se prohibió capturar, matar o perjudicar al borrego salvaje, en esta misma fecha, se publicó el acuerdo de veda de la caza del berrendo (*Antilocapra americana*)[182] en el mismo sentido temporal del borrego cimarrón. El 19 de septiembre de 1923 se publicaron las disposiciones de veda de la caza del venado conocido con el nombre de Cola Blanca (*Odocoileus Virginianus*) en el Estado de Coahuila[183], esta veda temporal comprendía el lapso de tiempo entre el 10 de marzo y 14 de octubre de manera focalizada, en el mismo día se establecieron los acuerdos jurídicos que fijaban las bases para que los indios kikapoos pudieran ejercitar el derecho

---

pescado y langosta que devora. Vid. ACUERDO que levanta la prohibición para la caza y pesca del lobo marino en aguas de la Costa Occidental de la Baja California. DOF: 17-08-1918. Disponible en: https://sidof.segob.gob.mx/notas/4480846 (última consulta, 1.10.2025).

179 Vid. ACUERDO prohibiendo la caza de lobos y aves marinas, en los islotes "Coronados". DOF: 25-10-1918. Disponible en: https://sidof.segob.gob.mx/notas/4488081 (última consulta, 1.10.2025).

180 Prevención reglamentaria que establece veda absoluta para la pesca del "manati". DOF: 18-01-1922. Disponible en: https://sidof.segob.gob.mx/notas/4444921 (última consulta, 1.10.2025).

181 Acuerdo vedando la caza del borrego salvaje (Ovis Montana y Ovis Cervina). DOF: 17-10-1922. Disponible en: https://sidof.segob.gob.mx/notas/4484976 (última consulta, 1.10.2025).

182 Acuerdo vedando la caza del berrendo (Antilocapra Americana). DOF: 17-10-1922. Disponible en: https://sidof.segob.gob.mx/notas/4484984 (última consulta, 1.10.2025).

183 Disposiciones vedando la caza del venado conocido con el nombre de Cola Blanca (Odocoileus Virginianus) en el Estado de Coahuila. DOF: 19-09-1923. Disponible en: https://sidof.segob.gob.mx/notas/4542412 (última consulta, 1.10.2025).

de caza de animales útiles[184], en la región al norte de México, este pueblo indígena mantenía una relación con el oso desde una dimensión ceremonial y religiosa hasta de depredación por el consumo de su carne y grasa, el impacto humano fue tan grande que el oso fue extinto de la región y con él las ceremonias del úrsido que realizaban los pueblos indígenas[185]. Otro mamífero que tuvo una regulación en instrumentos de veda fue el castor, primero tuvo una regulación reglamentaria para su caza o trampeo[186], posteriormente se publicó la veda temporal por tres años para la caza del castor —incluyendo acuerdos de veda de la nutria de río y de todas las especies de venado— en los Estados de Chihuahua y Coahuila[187] y el 4 de marzo de 1932 se publicó el acuerdo que declaró indefinida la veda de captura de castor[188].

Dentro de las primeras especies reguladas en México, sobresalen los acuerdos que establecían disposiciones reglamentarias para la explotación de tortugas que en 17 artículos reglamentaron su uso, aprovechamiento y establecimiento de vedas temporales[189]. Asimismo, dentro de las especies que tuvieron un primer manejo como

---

184 Vid. Acuerdo fijando las bases para que los indios kikapoos puedan ejercitar el derecho de caza de animales útiles. DOF: 19-09-1923. Disponible en: https://sidof.segob.gob.mx/notas/4542400 (última consulta, 1.10.2025).

185 MAGER, E. Kikapú (México 2006) 46-63.

186 Vid. Prevenciones reglamentarias para la caza o trampeo del castor. DOF: 26-04-1923. Disponible en: https://www.dof.gob.mx/nota_to_imagen_fs.php?codnota=4516665&fecha=26/04/1923&cod_diario=192370 (última consulta, 1.10.2025).

187 Vid. Acuerdo por el cual se establece veda por tres años para la caza del castor en los Estados de Chihuahua y Coahuila. Acuerdo por el cual se establece veda por tres años para la caza de todas las especies de venado, en los Estados de Chihuahua y Coahuila. DOF: 16-10-1928. Disponible en: https://www.dof.gob.mx/nota_to_imagen_fs.php?codnota=4611076&fecha=16/10/1928&cod_diario=198086 (última consulta, 1.10.2025).

188 Vid. Acuerdo que declara indefinida la veda establecida para la captura de castor. DOF: 04-03-1932. Disponible en: https://sidof.segob.gob.mx/notas/4421004 (última consulta, 1.10.2025).

189 Acuerdo fijando las disposiciones reglamentarias a que se sujetará la explotación de tortugas en aguas federales. DOF: 20-04-1922. Disponible en: https://dof.gob.mx/nota_to_imagen_fs.php?codno-

recurso natural y una veda temporal fueron el guajolote silvestre en los Estados de Coahuila, nuevo León y Tamaulipas[190], así como las aves consideradas canoras y de ornato, ya que el 7 de junio de 1929 se publicó el acuerdo donde se establecían nuevas épocas de veda para su captura y comercio[191]. Dentro de estas primeras vedas se puede analizar que ninguna se asoció a una especie de carnívoro terrestre mediano o grande, ya que eran considerados especies dañinas. Como punto trascendental de las acciones político-jurídicas de aniquilación para la conservación de las especies sobresale el decreto de la Secretaría de Agricultura y Fomento donde se establecen las distintas disposiciones reglamentarias para las vedas de caza, publicadas el 15 de julio de 1924, con solamente 15 artículos se sentaron las bases para el funcionamiento de las vedas en México bajo el paradigma racional capitalista ya que se consideró a la fauna cinegética del país como una fuente de riqueza natural de gran importancia que debía cuidarse, conservarse y fomentarse con el propósito de obtener de ella el mayor rendimiento posible[192]. En 1935, la institución cinegética gubernamental estaba encabezada por el Departamento Autónomo Forestal y de Caza y Pesca, esta institución participó en 1936 en la Primera Conferencia Norteamericana de Fauna Silvestre, donde se realizó una de las primeras acciones de gestión de la fauna silvestre bilateral: el Convenio entre los Estados Unidos Mexicanos y los Estados Unidos de América para la Protección de Aves Migratorias y de

---

ta=4457921&fecha=20/04/1922&cod_diario=188517 (última consulta, 1.10.2025).

190 Vid. Acuerdo que establece la temporada hábil y período de veda para la captura de guajolote silvestre en los Estados de Coahuila, Nuevo León y Tamaulipas. DOF: 13-05-1933. Disponible en: https://sidof.segob.gob.mx/notas/4458781 (última consulta, 1.10.2025).

191 Vid. Acuerdo por el cual se establecen nuevas épocas de veda para la captura y comercio de las aves canoras y de ornato. DOF: 07-06-1929. Disponible en: https://dof.gob.mx/nota_to_imagen_fs.php?codnota=4427123&fecha=07/06/1929&cod_diario=186224 (última consulta, 1.10.2025).

192 Vid. Decreto estableciendo distintas disposiciones reglamentarias para las vedas de caza. DOF: 15-07-1924. Disponible en: https://dof.gob.mx/nota_to_imagen_fs.php?codnota=4581405&fecha=15/07/1924&cod_diario=196358 (última consulta, 1.10.2025).

Mamíferos Cinegéticos[193], acordado el 7 de febrero del mismo año, y publicado en el DOF el 15 de mayo de 1937[194], donde se establecían mecanismos de protección de aves migratorias y de su utilización de manera racional, con fines deportistas, de alimentación, de comercio y de industria, a fin de que sus especies no se extingan, por lo que se comprometieron a crear una normatividad adecuada para estos fines, incluyendo vedas temporales, aves migratorias de caza y de no caza, creación de zonas de refugio, regulación y limitación de la caza y la prohibición de matar aves migratorias insectívoras que no sean perjudiciales, así como la prohibición de cazar a bordo de aeronaves, en el tema de mamíferos cinegéticos —al igual que con las aves cinegéticas del convenio— que habitan en los países y se tuviese un aprovechamiento y se transportaran los animales, sus productos o despojos entre los países-parte se tenía que llevar como guía la autorización que expidiera para ese efecto el gobierno de cada país, sin la expresada autorización se consideraría este hecho como contrabando[195], tres años

---

193 Esta convención se estructura conforme a los lineamientos constitucionales como ley vinculante para el sistema jurídico mexicano, sin embargo, para algunos teóricos del derecho ambiental esta convención no es tomada en cuenta como un instrumento internacional del derecho ambiental en México. Cfr. NAVA, C. Legislación Ambiental en América del Norte. Experiencias y mejores prácticas para su aplicación e interpretación jurisdiccional (México 2011) 777-806.

194 Vid. Decreto que promulga el Convenio celebrado entre México y los Estados Unidos de América para la protección de aves migratorias y mamíferos cinegéticos. DOF: 15-05-1937. Disponible en: https://dof.gob.mx/nota_to_imagen_fs.php?cod_diario=193378&pagina=2&seccion=0 (última consulta, 1.10.2025).

195 El 10 de marzo de 1972 se realizó el acuerdo que modifica el artículo 4o. del Convenio para la Protección de Aves Migratorias y Mamíferos Cinegéticos del 7 de febrero de 1936, implementando una adición a la lista de aves conformada en el texto del acuerdo, asimismo el 5 de mayo de 1997 se llevó a cabo el Protocolo entre el gobierno de los Estados Unidos Mexicanos y el Gobierno de los Estados Unidos de América por el que se modificó la Convención para la Protección de Aves Migratorias y de Mamíferos Cinegéticos donde se estableció una temporada de veda para patos silvestres del diez de marzo al primero de septiembre, excepto en el Estado de Alaska, Estados Unidos de América, en donde los patos silvestres y sus huevos podrán ser capturados por habitantes indígenas del lugar, siempre que las temporadas y otras reglamentaciones implementando el no-desperdicio en la captura

después, el 12 de octubre de 1940[196] se acordó a nivel continental la Convención para la Protección de la Flora, de la Fauna y de las Bellezas Escénicas Naturales de los Países de América, conocida también como Convención de la Unión Panamericana de Washington[197], referente a la protección de especies cada parte enlistó en un anexo a las especies para dar una protección urgente con importancia especial, y la caza de estas especies tendría que estar regulada por las autoridades competentes solamente en circunstancias especiales cuando fueran necesarios para la realización de estudios científicos o cuando fueran indispensables en la administración de la región en que dicho animal o planta se encuentre. México consideró dentro de la lista de especies que han de incluirse como anexo de la convención solamente a 6 especies; berrendo, borrego cimarrón, castor, tapir, águila real y la garza blanca, siendo México el estado-parte con menor número de especies incluidas, asimismo, ningún estado-nación incluyó al jaguar dentro de las especies que merecían protección[198].

---

de patos silvestres y sus huevos sean consistentes con los usos habituales y tradicionales de los habitantes indígenas y sean para su propia alimentación y otras necesidades esenciales. Vid. Decreto por el que se aprueba el Protocolo entre el Gobierno de los Estados Unidos Mexicanos y el Gobierno de los Estados Unidos de América, por el que se modifica la Convención para la Protección de Aves Migratorias y de Mamíferos Cinegéticos. DOF: 26-12-1997. Disponible en: https://dof.gob.mx/nota_detalle.php?codigo=4904798&fecha=26/12/1997#gsc.tab=0 (última consulta, 1.10.2025).

196 "... En este mismo año, el Departamento de Caza intentó eliminar las "armadas" en el Lago de Texcoco, situado en el Valle de México, en una ocasión, varios integrantes de una patrulla fueron asesinados, incluyendo también dos guardias del Departamento y, como no se obtuvo apoyo de otras dependencias gubernamentales, el Departamento se vio obligado a abandonar su intento de aplicar la ley", Vid. LEOPOLD, A. Fauna Silvestre de México (México 2000) 82.

197 Vid. Decreto que promulga la Convención para la protección de la flora, fauna y bellezas escénicas naturales de los países de América. DOF: 29-04-1942. Disponible en: https://www.dof.gob.mx/nota_to_imagen_fs.php?cod_diario=192602&pagina=1&seccion=0 (última consulta, 1.10.2025).

198 Vid. Convención para la Protección de la Flora, de la Fauna, y de las Bellezas Escénicas Naturales de los Países de América. 1940. Disponible en: https://www.conanp.gob.mx/contenido/pdf/Convencion%20para%20la%20Proteccion%20de%20la%20Flora,%20de%20la%20Fauna%20y%20de.pdf (última consulta, 1.10.2025).

En 1940 dentro del ámbito local mexicano se promulgó la Ley de Caza[199], su objetivo era regularizar la explotación y los aprovechamientos de la fauna silvestre en territorio nacional y así garantizar su conservación, restauración y propagación. Si bien se establecía como utilidad pública la conservación, restauración y propagación de todos los animales silvestres, se tenía como condicionante que fueran útiles al hombre, por lo que existía como base el control de las especies de animales silvestres dañinas o perjudiciales[200]. Asimismo, dio un sustento legislativo a la figura de la veda que podía ser temporal o definitiva. Esta normatividad mantenía como derecho el ejercicio de la caza y por primera vez se consideró a las especies animales que subsisten libres en el territorio nacional como propiedad de la nación que, a través de la Secretaría de Agricultura y Fomento (SAF) se autorizaba este ejercicio y la apropiación de sus productos y despojos[201]. La tasación del aprovechamiento de la vida silvestre fue implementada por la Secretaría de Hacienda y Crédito Público, quien fijó la tarifa para la explotación, comercio y aprovechamiento de los animales silvestres, sus productos y despojos[202], en este sentido, la autorización de caza a través del permiso de explotación tenía un costo de $30.00 treinta pesos para todo territorio nacional, considerado un permiso deportivo general, como impuesto de explotación. El impuesto de explotación de los animales de caza, sus productos y despojos destinados al consumo interior y exterior del país aplicado al jaguar era exento de pago por no estar especificado, asimismo, para su uso como animal vivo con pelo no especificado tenía un costo de $50 centavos, y en el caso de animales muertos, sus productos y despojos por los cueros de felinos se cobraban $50 centavos.

---

199 Vid. DOF: 13-09-1940. Disponible en: https://www.dof.gob.mx/nota_to_imagen_fs.php?cod_diario=194227&pagina=4&seccion=1 (última consulta, 1.10.2025).

200 Art. 3o. Ley Federal de Caza. 1940.

201 Art. 13. Ley Federal de Caza. 1940.

202 Vid. Decreto que fija la tarifa para la explotación, comercio y aprovechamiento de los animales silvestres, sus productos y despojos. DOF: 30-12-1944. Disponible en: https://www.dof.gob.mx/nota_to_imagen_fs.php?codnota=4496189&fecha=30/12/1944&cod_diario=191110 (última consulta, 1.10.2025).

En su libro "Fauna Silvestre de México. Aves y Mamíferos de Caza", Aldo Leopold, en una estancia en México de dos años realizó un trabajo de campo desde 1944, posteriormente en 1946 ingresó al cuerpo directivo del Museo de Zoología de Vertebrados de la Universidad de California por lo que continuó con su trabajo de campo en México, en esta obra estudió a los animales "cinegéticos" y desarrolló opciones para potenciar la "excitante" cacería como parte del aprovechamiento de la fauna silvestre y que estos recursos; los animales silvestres, se constituyeran como recursos valiosos, Leopold optó por establecer mecanismos para reestructurar la caza como deporte recreativo para potenciar el valor económico de los animales silvestres, y así, conformar de la esclavitud-asolación-aniquilación una maquinaria básica para la conservación de los animales silvestres a través de su cosificación en el capital, ahora los cazadores serían deportistas conservacionistas, incluso Leopold en su estancia en México practicó la cacería, y comisionó a diversos cazadores locales para obtener ciertos ejemplares que le interesaban[203], asimismo, también Leopold mencionó que pese a que la Ley Federal de Caza de 1952 prohibió todo comercio por la cacería, esto no eliminó las transacciones comerciales, prevaleciendo el comercio con productos de fauna silvestre[204].

Con la publicación en el DOF de la Ley Federal de Caza de 1952[205], legalmente se prohibió la cacería con fines comerciales, sin embargo, se seguían expidiendo los permisos y autorizaciones comerciales por ocho años más[206]. La Ley Federal de Caza de 1952 mantenía el mismo sentido utilitarista de la fauna silvestre, donde el jaguar seguía siendo una especie perjudicial para el humano, por lo que su control al igual que los demás grandes carnívoros era de utilidad pública, como institución se modificó a la Secretaría de Agricultura y Fomento para cambiar a la Secretaría de Agricultura y Ganadería, que tendría a su cargo la inspección y vigilancia de todas las activida-

---

203 Vid. LEOPOLD, A. Fauna Silvestre de México. Aves y Mamíferos de Caza (México 1965).

204 LEOPOLD, A. Fauna Silvestre... *Op. Cit.* 79.

205 DOF: 05-01-1952.

206 RETANA, O. Fauna Silvestre de México. Aspectos históricos de su gestión y conservación. (México 2006) 93.

des cinegéticas, dentro de los lineamientos normativos se estableció el sustento para la determinación de vedas temporales o definitivas de animales silvestres[207]. Asimismo, dio pauta a la creación de cotos de caza como aquella superficie delimitada y destinada para la cacería, el ejercicio del derecho de caza se regulaba y prohibía la caza con fines comerciales, y promovía la caza como un deporte que debía ser regulado, se prohibía la caza por medio de venenos y los reclamos sólo podrán usarse en los casos excepcionales que fijaba el reglamento. En la normatividad se prohibía la exportación de piezas de caza vivas o muertas, así como de sus productos y derivados, cualesquiera que éstas fueren. Se exceptuaban de esta disposición las piezas o productos de caza logrados por extranjeros residentes, en el número autorizado en el permiso correspondiente.

En esta legislación por primera vez se formularon delitos en materia de caza, asimismo, se establecieron faltas administrativas en la misma materia. Dentro de las faltas en materia de caza se consideraron: I. Ejercer la caza sin el permiso correspondiente, II. La apropiación de animales salvajes sin permiso, III. Transitar en despoblado con armas de caza, trampas u otros medios de captura, sin la licencia respectiva, IV. La captura de animales predadores con trampas no autorizadas V. Ejercer la caza de especies en veda temporal VI. Ejercer la caza con ayuda de luz artificial, de venenos o reclamos. VII. La venta, comercio o anuncio de carnes, productos o despojos de animales de caza; VIII. Cazar o capturar más animales de los autorizados en el permiso; IX. Transportar animales de caza o productos derivados de los mismos, sin la documentación correspondiente, o en mayor número del autorizado; X. Remitir productos de caza mezclados o cambiar su denominación para eludir la vigilancia; y XI. Violar cualquiera de las demás disposiciones de esta ley o de su reglamento. Esta normatividad fue un instrumento de gestión de la fauna silvestre, pese a que consideraba obligatorio para el ejecutivo federal la creación de su reglamento, este nunca se realizó, por lo que esta normatividad era inoperante en el contexto mexicano pese a que su vigencia se extendió hasta finales del siglo XX. La normatividad en materia de caza pese a ser laxa, permisiva e impulsora del

---

[207] Artículo 9o. Ley Federal de Caza 1952.

derecho de caza, esta nunca se implementó en el contexto nacional, en las décadas de su funcionamiento solamente existieron dos cotos de caza legales en todo México, uno en los terrenos nacionales ubicados en el Municipio de Pitiquito, Estado de Sonora[208] y otro en un predio de propiedad particular denominado El Bellotal, ubicado en el Municipio de Nacozari de García, Sonora[209], asimismo, no existen registros de personas que compurgaran una pena por cometer ilícitos en materia de caza hasta inicios del siglo XXI[210], la inoperancia de la norma cinegética propició una caza desmedida, prolongada y exponencial en todo México.

A mediados del siglo XX, el gobierno de Estados Unidos tenía un programa exitoso de control de animales depredadores; en un primer momento en 21 de los 24 condados estadounidenses fronterizos con México, la aplicación diaria de medidas de control redujo eficazmente las perdidas de ganado y animales de caza, esta labor la realizaron y supervisaron agentes de la División de Control de Animales Depredadores y Roedores, Oficina del Servicio de caza y Pesca de la Secretaría Interior, esta División se ocupaba del control de los mamíferos dañinos —depredadores— como un mecanismo de protección de la ganadería, la caza —las especies de caza han de ser protegidas contra los animales depredadores que hacen de ellas sus víctimas—, de los bosques, cosechas y forrajes, de los seres humanos y, finalmente de la propiedad. Los programas permanentes de control de animales depredadores en los condados fronterizos contaban con tramperos, donde el éxito del programa dependía de

208 Vid. Decreto que declara Coto de Caza los terrenos nacionales ubicados en el Municipio de Pitiquito, Estado de Sonora. DOF: 08-11-1947. Disponible en: https://sidof.segob.gob.mx/notas/4685214 (última consulta, 1.10.2025).

209 Vid. Decreto por el que se declara Coto de Caza, el área que comprende el predio de Propiedad Particular denominado El Bellotal, con superficie de 6.500 00 Has., ubicado en el Municipio de Nacozari de García, Son. Disponible en: https://sidof.segob.gob.mx/notas/4756009 (última consulta, 1.10.2025).

210 Vid. MORALES, D., MORALES, J. Combate efectivo de los delitos contra la biodiversidad en México como una herramienta de conservación de la biodiversidad, en Nómadas. Revista Crítica de Ciencias Sociales y Jurídicas 51 (2017).

la aplicación diaria de los métodos de control; las trampas de acero, los cazadores, los cebos de estricnina y envenenamiento por ingesta de carne envenenada con fluoroacetato de sodio (1080) constituyeron los principales medios de aniquilación de los carnívoros, estas campañas de control fueron tan intensas, que para 1950 a 35 años de su inicio, ya se consideraban libres de lobos la mayoría de estados en Estados Unidos[211]. En México aún no se había realizado un control masivo de depredadores, en 1949 la Oficina Sanitaria Panamericana, a solicitud reiterada de las asociaciones ganaderas de la región de Nuevo Casas Grandes, del Estado de Chihuahua, primero, y luego las del área de Nacozari de García, en el Estado de Sonora, con base en el acuerdo de acción conjunta hecho en Nogales, el 26 de abril de 1949, durante la reunión anual de la Asociación Sanitaria Fronteriza de Estados Unidos y México, inició un programa de acción en contra de lobos y coyotes, alegando la necesidad de eliminar la amenaza de la rabia por la reducción del número de carnívoros[212]. En un esfuerzo conjunto, iniciaron campañas de control utilizando los mecanismos implementados por Estados Unidos para el control mortal de los carnívoros, esta unión dio pauta a la creación en 1954 del programa de control de depredadores en México, este acto fue ilícito, ya que la Ley Federal de Caza establecía la prohibición de la caza por medio de venenos y reclamos con excepción de uso en casos que fijara el reglamento[213], al no existir el reglamento *ipso facto* no se fijaron las excepciones, conformándose jurídicamente una prohibición total de esta acción letal, sin embargo, el gobierno mexicano trasgredió su propia legislación y fue permisivo en la aniquilación de los grandes carnívoros. La intromisión de Estados Unidos parte desde las demostraciones de control en México; en 1950, durante un periodo de tres semanas, se llevaron a cabo en el Estado de Chihuahua demostraciones de trampas, dispositivos de caza, así como la diseminación de cebos de estricnina sobre el terreno. Más tarde, en el mismo año, el Jefe de la División de Control

---

211 Vid. BROWN. D. The Wolf in the Southwest: the making of an endangered species (USA 1983); LOPEZ, B. Of wolves and men (New York 2004).

212 Vid. BAKER, R., VILLA, B. Distribución geográfica y población actuales del lobo gris en México, en Anales del Instituto de Biología 30 (1959) 371-372.

213 Art. 22. Ley Federal de Caza. 1952.

de Animales Depredadores y Roedores, y dos agentes de ésta, en Nuevo México, llevaron a cabo otras demostraciones en Chihuahua y Sonora. En 1958, el auxiliar de la División, en Nuevo México, y el agente encargado del control de mamíferos, demostraron, en una extensa región de Chihuahua, cómo utilizar el compuesto venenoso fluoroacetato de sodio, conocido como compuesto 1080, nombre que le fue dado al ingresar la molécula a Estados Unidos, fue descubierto por químicos alemanes durante la segunda guerra mundial y patentado como rodenticida en 1930, su comercialización inició en 1944[214]. En diciembre de 1960, el auxiliar en Texas y el montero pasaron dos semanas en el Estado de Chihuahua demostrando a granjeros y funcionarios mexicanos cómo usar el compuesto 1080, las trampas de acero, dispositivos de caza, así como la diseminación de cebos de estricnina sobre el terreno. Asimismo, funcionarios de salud pública de California supervisaron la colocación de cebos en estaciones de envenenamiento en Baja California[215], las campañas de control pronto se expandieron a diversos estados de la república como Durango y Zacatecas hasta abarcar una gran parte del territorio nacional. Por su parte, las entidades gubernamentales de México enfocado en los estados del norte del país consideraban —sin estudios técnicos ni científicos— que algunos animales depredadores se habían recuperado y sus poblaciones sobrepasaban a las que normalmente debían existir para mantener un equilibrio ecológico, y que se necesitaba reducir el número de animales silvestres que causaban daño a la agricultura y a la ganadería[216]. El impulso de aniquilación de los carnívoros por parte de los ganaderos y autoridades gubernamentales de México los llevó a adquirir una gran cantidad

---

214 GRANADA, J., RODRÍGUEZ, D. Intoxicación por fluoroacetato de sodio, en Revista de la Facultad de Medicina 62 (2014).

215 Vid. DONAHOO, D. El control de Animales Depredadores en la Zona Fronteriza Meridional de Estados Unidos, en Boletín de la Oficina Sanitaria Panamericana 3 (1965).

216 Vid. Acuerdo que modifica el de 1o. de julio de 1960, permitiéndose en el Estado de Chihuahua la caza de liebres en el período comprendido del 1o. de noviembre al 28 de febrero, con un límite de posesión de cinco ejemplares por día, y en el Estado de Coahuila, la caza de animales depredadores. DOF. 10-12-1960. Disponible en: https://sidof.segob.gob.mx/notas/4673728 (última consulta, 1.10.2025).

de tabletas de estricnina de la Unión Panamericana de Estados Unidos, así como de los medios de control que comprendían trampas de acero, armas, pistolas de cianuro, cebos de estricnina y estaciones de envenenamiento, siempre buscando constantemente nuevos medios y perfeccionando los antiguos para facilitar el control de los carnívoros silvestres. Pese a que la caza a través del uso de trampas y venenos estaba prohibida por la Ley Federal de Caza, esta práctica se exponenció a niveles nunca antes vistos en las sociedades rurales de México, llevando al ocaso a los grandes carnívoros en el siglo XX. El daño ocasionado por el control mortal contra la biodiversidad fue una destrucción innecesaria en el afán del humano de conquistar a la naturaleza, dentro de los deprimentes inventarios de estragos causados por el humano contra la vida en la tierra, un punto crucial se da con el exterminio de la fauna silvestre por el uso de químicos para envenenar, este control de la naturaleza es concebido con arrogancia en un periodo arcaico cuando se creía que la naturaleza existía para la conveniencia del humano[217].

En el siglo XX, las actividades de caza de la fauna silvestre en México mantuvo como constante la cacería del jaguar sin ningún tipo de restricciones, al contrario, al ser considerado una especie dañina, su exterminio era una utilidad pública, hasta 1963 el jaguar era considerado una especie que podía ser asesinada sin ningún tipo de limitantes, incluso, se promovía su aniquilación con los campeonatos y concursos que celebraba la federación mexicana de caza donde el jaguar era una de las especies más preciadas por ser considerada de caza mayor, los cazadores de jaguares o tigreros eran especialistas en perseguir y dar muerte a los jaguares por ser animales que hacen daño, el jaguar era considerado el carnicero asesino, dentro de los campeonatos existentes sobresalió el campeonato nacional de jaguar que organizaba la federación de caza, tiro y pesca en México[218], en el periodo comprendido de 1964 a 1965 se empezó a regular —jurídicamente— su aniquilación; se señaló una época de caza del 1o.

---

217 La obra de Rachel Carson publicada en 1960 fue un hito en el inicio del movimiento ecologista en defensa de la biodiversidad para hacer frente al uso de químicos como control de la naturaleza. Vid. CARSON, R. Primavera Silenciosa (México 2010) 87.

218 Vid. JOB, E. Cazando en México (México 1964).

de noviembre al 31 de diciembre y se autorizaba 1 ejemplar por temporada[219], esta regulación se mantuvo en 1965 y 1966[220], posteriormente en las temporadas 1966-1967[221], 1967-1968[222], 1968-1969[223], 1969-1970[224], 1970-1971[225], 1971-1972[226], 1972-1973[227], 1973-1974[228],

---

219 Vid. Acuerdo que establece las épocas hábiles de caza para la temporada 1964-65 y número de ejemplares autorizado. DOF: 27-07-1964. Disponible en: https://sidof.segob.gob.mx/notas/4797260 (última consulta, 1.10.2025).

220 Vid. Acuerdo que establece las épocas hábiles de caza para la temporada 1965-68 de las especies que integran la fauna silvestre del país. DOF: 03-07-1965. Disponible en: https://sidof.segob.gob.mx/notas/4622088 (última consulta, 1.10.2025).

221 Acuerdo que establece el calendario y reglamenta el ejercicio de caza para la temporada 1966-67. DOF: 27-07-1966. Disponible en: https://sidof.segob.gob.mx/notas/4680136 (última consulta, 1.10.2025).

222 Acuerdo que establece las épocas hábiles de caza de las especies animales silvestres permitidas, durante la temporada 1967-1968. DOF: 24-06-1967. Disponible en: https://sidof.segob.gob.mx/notas/4749069 (última consulta, 1.10.2025).

223 Acuerdo que establece las épocas hábiles de caza o captura de las especies animales silvestres permitidas, así como el número de ejemplares autorizados durante la temporada 1968-69. DOF: 05-07-1968. Disponible en: https://sidof.segob.gob.mx/notas/4821163 (última consulta, 1.10.2025).

224 Acuerdo que establece el calendario y reglamenta el ejercicio de caza para la temporada 1969-1970. DOF: 27-05-1969. Disponible en: https://sidof.segob.gob.mx/notas/4617124 (última consulta, 1.10.2025).

225 Acuerdo que dispone que la caza o captura de las especies animales silvestres permitidas, las zonas, así como el número de ejemplares autorizados, se sujetarán estrictamente al calendario y disposiciones para la temporada 1970-1971. DOF: 29-04-1970. Disponible en: https://sidof.segob.gob.mx/notas/4675385 (última consulta, 1.10.2025).

226 Acuerdo que establece el calendario y reglamenta el ejercicio de la caza para la temporada 1971-72. DOF: 10-07-1971. Disponible en: https://sidof.segob.gob.mx/notas/4766339 (última consulta, 1.10.2025).

227 Acuerdo que establece el calendario y reglamenta el ejercicio de la caza para la temporada 1972-73. DOF: 12-07-1972. Disponible en: https://sidof.segob.gob.mx/notas/4815346 (última consulta, 1.10.2025).

228 Acuerdo que establece el calendario y reglamenta el ejercicio de la caza para la temporada 1973-1974. DOF: 18-07-1973. Disponible en: https://sidof.segob.gob.mx/notas/4624330 (última consulta, 1.10.2025).

1974-1975[229], 1975-1976[230], 1976-1977[231], 1977-1978[232] y 1978-1979[233] se regulaba la cacería y aprovechamiento del jaguar mediante una autorización especial que expedía la autoridad gubernamental, En el calendario y ejercicio de la caza para la temporada 1879-1980[234] se limitó la caza de jaguar a los estados de Nayarit, Jalisco, Colima y Campeche del 1o. de febrero al 31 de marzo. Fue hasta 1980 con la publicación en el DOF del Acuerdo que establece el Calendario y regula el ejercicio de la Caza para la Temporada de 1980-81[235], donde el jaguar por primera vez en la historia moderna va a tener una protección por estar en peligro de extinción, en este sentido se prohibía su caza, siete años más tarde en 1987 se va a declarar su veda indefinida de aprovechamiento en todo el territorio nacional, quedando en consecuencia estrictamente prohibida la caza, captura, transporte, posesión y comercio de esta especie[236].

---

229 Acuerdo que establece el calendario y reglamenta el ejercicio de la caza para la temporada 1974-75. DOF: 06-06-1974. Disponible en: https://sidof.segob.gob.mx/notas/4684887 (última consulta, 1.10.2025).

230 Acuerdo que establece el calendario y reglamenta el ejercicio de la caza para la temporada 1975-1976. DOF: 25-06-1975. Disponible en: https://sidof.segob.gob.mx/notas/4781240 (última consulta, 1.10.2025).

231 Acuerdo que establece el calendario y reglamenta el ejercicio de la caza para la temporada 1976-1977. DOF: 06-07-1976. Disponible en: https://sidof.segob.gob.mx/notas/4847369 (última consulta, 1.10.2025).

232 Acuerdo que Establece el Calendario y Reglamenta el Ejercicio de la Caza para la Temporada 1977-1978. DOF: 24-06-1977. Disponible en: https://sidof.segob.gob.mx/notas/4629683 (última consulta, 1.10.2025).

233 Acuerdo que establece el calendario y reglamenta el ejercicio de la caza para la temporada 1978-1979. DOF: 21-06-1978. Disponible en: https://sidof.segob.gob.mx/notas/4709922 (última consulta, 1.10.2025).

234 Acuerdo que establece el calendario y reglamenta el ejercicio de la caza para la temporada 1979-80. DOF: 06-06-1979. Disponible en: https://sidof.segob.gob.mx/notas/4815961 (última consulta, 1.10.2025).

235 Vid. Acuerdo que establece el Calendario y regula el ejercicio de la Caza para la Temporada de 1980-81. DOF: 09-06-1980. Disponible en: https://www.dof.gob.mx/nota_to_imagen_fs.php?codnota=4854403&fecha=09/06/1980&cod_diario=208666 (última consulta, 1.10.2025).

236 Acuerdo por el que se declara veda indefinida del aprovechamiento de la especie jaguar (panthera onca) en todo el territorio nacional, quedando en consecuencia estrictamente prohibida la caza, captura, transporte, posesión y comercio de dicha especie. DOF: 23-04-1987. Dis-

El 11 de Enero de 1982 se publicó la Ley Federal de Protección al Ambiente[237], esta ley no presentaba avances de protección a la fauna silvestre, solamente delimitaba a una autoridad administrativa la protección de la flora y la fauna, especialmente aquellas especies que estén en peligro de extinción o se consideren benéficas para el equilibrio de los ecosistemas y de manera indirecta asociado a la afectación de la fauna por actividades antrópicas, asimismo se mantenía vigente la Ley Federal de Caza de 1952 como la ley especializada en materia de fauna silvestre, posteriormente se creó la Ley General del Equilibrio Ecológico y la Protección al Ambiente, publicada 28 de enero de 1988[238] y al igual que su antecesora, la norma establecía como asunto de alcance general en la nación o de interés de la federación la protección de la flora y fauna silvestres a fin de conservarlas y desarrollarlas, en los términos de la Ley Federal de Caza, si bien no establecía una regulación directa de la fauna silvestre, esta norma cimentó la protección ambiental e incluso es el antecedente directo de los derechos humanos ambientales en México debido a que dentro de su política ecológica, señalaba que para la conducción de la política ecológica, en materia de prevención y restauración del equilibrio ecológico y protección al ambiente, el ejecutivo federal tenía que observar diversos principios, uno de ellos era el que toda persona tiene derecho a disfrutar de un ambiente sano, las autoridades, en los términos de esta y otras leyes, tomarán las medidas para preservar ese derecho, asimismo, se fortalecieron las figuras de las áreas naturales protegidas, y se avanzó en la figura de la manifestación de impacto

---

ponible en: https://www.dof.gob.mx/nota_to_imagen_fs.php?codnota=4651536&fecha=23/04/1987&cod_diario=200242 (última consulta, 1.10.2025).

237 Ley Federal de Protección al Ambiente. DOF: 11-01-1982. Disponible en: https://www.dof.gob.mx/nota_to_imagen_fs.php?codnota=4709428&fecha=11/01/1982&cod_diario=202954 (última consulta, 1.10.2025).

238 Ley General del Equilibrio Ecológico y la Protección al Ambiente. DOF: 28-01-1988. Disponible en: https://www.dof.gob.mx/nota_to_imagen_fs.php?codnota=4718573&fecha=28/01/1988&cod_diario=203371 (última consulta, 1.10.2025).

ambiental[239] y de políticas públicas ambientales que conformaron el nuevo paradigma de la sustentabilidad nacional y que conforma en la actualidad el eje rector del sistema jurídico ambiental de México vigente.

Un elemento trascendental para la comprensión de las políticas públicas asociadas al jaguar en México es la creación del Programa de Conservación de la Vida Silvestre y Diversificación Productiva en el Sector Rural 1997-2000[240], este programa fue producto de los acuerdos internacionales para promover esquemas de desarrollo sustentable en México, el programa buscaba el equilibrio global y local entre los objetivos económicos, sociales y ambientales, tomando en cuenta que el aprovechamiento de la naturaleza sea compatible con las aptitudes y capacidades ambientales de cada región, a partir de una reorientación de los patrones de consumo y un cumplimiento efectivo de las normas. El objetivo general del programa fue conservar la biodiversidad de México y aprovechar oportunidades de diversificación económica para el sector rural, dentro de los pilares del programa sobresale la creación del programa de conservación y recuperación de especies prioritarias, donde el jaguar como fauna silvestre fue considerado dentro de este programa junto al berrendo, lobo gris mexicano, oso negro, borrego cimarrón, águila real, liebre tropical, guacamaya roja, guacamaya verde, cocodrilo de río, manatí, vaquita marina, ballena gris y tortugas marinas. Como segundo pilar se crearon las Unidades para la Conservación, Manejo y Aprovechamiento Sustentable de la Vida Silvestre (UMA´s), en estos lugares se realizaría en diversas modalidades de propiedad un aprovecha-

---

239 El primer instrumento jurídico que reguló en México las actividades del ser humano con el fin de evitar, prevenir y controlar la contaminación ambiental, fue la Ley Federal para Prevenir y Controlar la Contaminación Ambiental en 1971, esta ley es considerada un antecedente de la figura jurídica de impacto ambiental en México. Los estudios de impacto ambiental empezaron a realizarse en la administración pública federal desde 1977 en temas asociados a la infraestructura hidráulica. Vid. SEMARNAT. La evaluación del impacto ambiental (México 2012) 11-14.

240 Vid. SEMARNAP (Secretaría de Medio Ambiente, Recursos Naturales y Pesca). Programa de Conservación de la Vida Silvestre y Diversificación Productiva en el Sector Rural 1997-2000 (México 1997).

miento sustentable de la fauna, teniendo como elemento central la conservación y el aprovechamiento, estas UMA´s funcionan principalmente como centros productores de pies de cría para cacería deportiva, proveedores de mascotas, como productores de insumos para la industria y la artesanía, para promover la educación ambiental y el ecoturismo, y para realizar investigaciones[241]. El jaguar tenía como elementos para el proyecto de recuperación la creación de un Comité Consultivo Técnico, generar apoyos financieros, promover la cooperación internacional, recuperación en cautiverio con especial énfasis en el manejo y mantenimiento de la variabilidad genética en zoológicos, traslocación de jaguares problema, desarrollar proyectos de educación ambiental, realizar monitoreos de población, decretar santuarios en Sinaloa y Quintana Roo y analizar la posibilidad de reintegrar la especie al calendario de aprovechamiento.

Como parte de las adecuaciones de los tratados y convenciones internacionales en materia ambiental al marco interno de México, en sentido estricto el Convenio sobre Diversidad Biológica establece en su artículo 7 inciso (a) que cada Parte Contratante, en la medida de lo posible y según proceda, identificará los componentes de la diversidad biológica que sean importantes para su conservación y utilización sostenible, teniendo en consideración la lista indicativa de categorías que figura en el anexo I del convenio, el cual se refiere a la identificación y seguimiento de ecosistemas y hábitat que: contengan una gran diversidad, un gran número de especies endémicas o en peligro, o vida silvestre; sean necesarios para las especies migratorias; tengan importancia social, económica, cultural o científica; o sean representativos o singulares o estén vinculados a procesos de evolución u otros procesos biológicos de importancia esencial[242], como parte del cumplimiento de este punto, en México en el Instituto Nacional de Ecología se instauró la conformación de un listado de especies bajo un estatus de protección y riesgo publicado 16 de mayo de 1994, a través de la figura de una norma oficial mexicana denomi-

---

241 RETANA, O. Fauna Silvestre en México… *Op. Cit.* 133.

242 Vid. MORALES, D., MORALES, J., CÓRDOVA, M. Derecho ambiental, biodiversidad y fauna silvestre: análisis de la Tesis Aislada XIII.P.A.1 P (10ª.). dA. Derecho Animal (Forum of Animal Law Studies) 10/1 (2019) 202.

nada NOM-059-ECOL-1994[243], se determinaron las especies y subespecies de flora y fauna silvestres terrestres y acuáticas en peligro de extinción, amenazadas, raras y las sujetas a protección especial, y se establecieron especificaciones para su protección. Posteriormente se publicó la Norma Oficial Mexicana NOM-059-ECOL-2001, referente a la Protección ambiental-Especies nativas de México de flora y fauna silvestres-Categorías de riesgo y especificaciones para su inclusión, exclusión o cambio-Lista de especies en riesgo[244], en este sentido, se iniciaron actividades para la modificación del listado y el 30 de diciembre de 2010 se publicó en el DOF la NOM-059-SEMARNAT-2010, referente a la protección ambiental-Especies nativas de México de flora y fauna silvestres-Categorías de riesgo y especificaciones para su inclusión, exclusión o cambio-Lista de especies en riesgo[245], esta norma fue modificada en su listado —anexo normativo III— el 14 de noviembre de 2019 mediante una publicación en el DOF[246] y en la actualidad se está conformando un proyecto de Norma Oficial Mexi-

---

243 Vid. Norma Oficial Mexicana NOM-059-ECOL-1994, que determina las especies y subespecies de flora y fauna silvestres terrestres y acuáticas en peligro de extinción, amenazadas, raras y las sujetas a protección especial, y que establece especificaciones para su protección. DOF: 16-05-1994. Disponible en: https://sidof.segob.gob.mx/notas/4695637 (última consulta, 1.10.2025).

244 Norma Oficial Mexicana NOM-059-ECOL-2001, Protección ambiental-Especies nativas de México de flora y fauna silvestres-Categorías de riesgo y especificaciones para su inclusión, exclusión o cambio-Lista de especies en riesgo. DOF: 06-03-2002. Disponible en: https://sidof.segob.gob.mx/notas/735036 (última consulta, 1.10.2025).

245 Norma Oficial Mexicana NOM-059-SEMARNAT-2010, Protección ambiental-Especies nativas de México de flora y fauna silvestres-Categorías de riesgo y especificaciones para su inclusión, exclusión o cambio-Lista de especies en riesgo. DOF: 30-12-2010. Disponible en: https://sidof.segob.gob.mx/notas/5173091 (última consulta, 1.10.2025).

246 Modificación del Anexo Normativo III, Lista de especies en riesgo de la Norma Oficial Mexicana NOM-059-SEMARNAT-2010, Protección ambiental-Especies nativas de México de flora y fauna silvestres-Categorías de riesgo y especificaciones para su inclusión, exclusión o cambio-Lista de especies en riesgo, publicada el 30 de diciembre de 2010. DOF: 14-11-2019. Disponible en: https://www.dof.gob.mx/nota_detalle.php?codigo=5578808&fecha=14/11/2019#gsc.tab=0 (última consulta, 1.10.2025).

cana PROY-NOM-059-SEMARNAT-2025[247] de protección ambiental de especies nativas de México de flora y fauna silvestres bajo una categoría de riesgo con especificaciones para su inclusión, exclusión o cambio de listado, en este sentido, desde la creación de la norma oficial mexicana en 1994 hasta la norma oficial mexicana vigente en la materia, incluyendo el proyecto de norma en 2025, el jaguar ha sido enlistado como una especie en peligro de extinción (P), debido a que las áreas de distribución y el tamaño de sus poblaciones en el territorio nacional han disminuido drásticamente poniendo en riesgo su viabilidad biológica en todo su hábitat natural. La población del felino en México se estima de 5,326 jaguares para el 2024[248], aplicado a cifras del 2020 esto quiere decir que en México aproximadamente por cada jaguar en vida libre existen 23,660 humanos[249], 6,694 vacas, 3,528 cerdos, 111,076 gallinas, 1,638 ovejas y 1,658 cabras, a estas cifras es necesario aumentar la cantidad de animales asesinados para el consumo humano[250]. En el contexto nacional la única zona con un nivel menor de amenaza del jaguar es la población ubicada de la Península de Yucatán, en la selva maya, fuera de esta zona todas las subpoblaciones de jaguar en México se encuentran en niveles críticos y muy críticos de amenaza, aunado que el rango de distribución continental original del felino ha disminuido entre un 48 % y un 55 % en el último siglo[251].

---

247 Proyecto de Norma Oficial Mexicana PROY-NOM-059-SEMARNAT-2025, Protección ambiental-Especies nativas de México de flora y fauna silvestres-Categorías de riesgo y especificaciones para su inclusión, exclusión o cambio. DOF: 14/04/2025. Disponible en: https://www.dof.gob.mx/nota_detalle.php?codigo=5754858&fecha=14/04/2025#gsc.tab=0 (última consulta, 1.10.2025).

248 ANCJ. Tercer Censo Nacional del Jaguar. Resultados y Perspectivas (México 2024) 3-5.

249 Vid. INEGI. Censo de Población y Vivienda (CPV) 2020. Disponible en: https://www.inegi.org.mx/programas/ccpv/2020/ (última consulta, 1.10.2025).

250 Vid. FAOSTAT. Disponible en: https://www.fao.org (última consulta, 1.10.2025).

251 de la TORRE, A., GONZÁLEZ-MAYA, J., ZARZA, H., Ceballos, G., MEDELLÍN, R. The jaguar´s spots are darker than they appear… *Op. Cit.* 1-16.

Con casi medio siglo de vigencia de la Ley Federal de Caza, su inoperancia, desfase, e incumplimiento del estado mexicano de crear su reglamento y políticas públicas eficaces, tras la gran extinción de especies de fauna del siglo XX, donde se incluyen 38 peces, 29 anfibios, 19 aves[252] y 15 mamíferos[253] cuya distribución era endémica de México[254], así como una gran cantidad de pérdida de poblaciones silvestres y especies extirpadas a nivel local y nacional, el 3 de julio del 2000 se publicó en el DOF la Ley General de Vida silvestre[255], esta norma conjunta esquemas de aprovechamiento y conservación desde un enfoque sustentable, tiene como eje la conservación de la fauna silvestre mediante la protección y la exigencia de niveles óptimos de aprovechamiento sustentable de modo que se logre mantener y promover la restauración de su diversidad e integridad: utilizar y mediar a la fauna silvestre para los fines humanos pero sosteniblemente, enfocándose en el mejoramiento de la gestión, y utilización sostenible de la fauna teniendo como directriz la valoración económica de la biodiversidad para transformarse en capital natural.

En esta ideología especista-capitalista se consolidó el paradigma de la sustentabilidad en el sistema normativo mexicano: sólo se conserva lo que es apreciado y valorado por sus beneficios al humano, bajo este enfoque la cosificación de la fauna silvestre en dimensiones económico-mercantiles se transforma bajo la misma directriz de dominación y pasa de considerarse un recurso renovable subvalorado a contar con una valoración económica total como parte de la riqueza natural: el capital natural, centrando la conservación y el aprovechamiento sustentable conforme al capital, el valor económico total es el

---

252 Vid. CEBALLOS, G., MÁRQUEZ, L. Las aves de México en peligro de extinción (México 2000).

253 Vid. CEBALLOS, G., OLIVA, G. Los mamíferos silvestres de México (México 2005); CEBALLOS, G., EHRLICH, P. Mammal population losses and the extintion crisis, in science 296 (2002) 904-907.

254 Vid. BAENA, M., HALFTER, G. 10. Extinción de especies, en SARUKHÁN, J. (Coord.) Capital Natural de México. Vol. I. Conocimiento actual de la biodiversidad (México 2008) 263-282.

255 Ley General de Vida silvestre. DOF: 03-07-2000.
Disponible en: https://www.dof.gob.mx/nota_to_imagen_fs.php?codnota=2056880&fecha=03/07/2000&cod_diario=150247 (última consulta, 1.10.2025).

beneficio total que una especie animal aporta, en función de la suma de todos sus valores: valor utilitario directo, valor de opción, valor de uso indirecto y valor intrínseco o de existencia[256]. Esta valoración es uno de los puntos cúspides de la mediación instrumental de la fauna silvestre, donde se transforma en el capital natural y mantiene su estatus de recurso renovable para los fines humanos.

En abril de 2009, la Comisión Nacional de Áreas Naturales Protegidas (CONANP), realizó el Programa de Acción para la Conservación de la Especie: Jaguar (*Panthera onca*)[257], en este documento se establecieron las acciones, estrategias, metas a corto, mediano y largo plazo para recuperar al jaguar y su hábitat en México. Las estrategias de conservación son: 1) protección, 2) restauración, 3) manejo, 4) conocimiento, 5) cultura, y 6) gestión. Dentro del componente 1) protección, el punto 1.1. marco legal señalaba como objetivo conocer el marco legal e instrumentar los mecanismos y estrategias para asegurar su adecuada aplicación y manejo en pro de la conservación del jaguar y su hábitat, con un subcampo enfocado en la aplicación de la ley y vigilancia de la legislación vigente aplicable al jaguar donde se establecía dentro de este campo la veda indefinida para el aprovechamiento del jaguar 1987, norma que nunca se cumplió adecuadamente conforme a los lineamientos que se señalaban, por lo que no fue suficiente para garantizar la preservación efectiva del jaguar. Bajo los parámetros de las estrategias de conservación, el gobierno de México a realizado proyectos de manera constante desde el 2005 hasta la actualidad donde se han implementado algunos de los siguientes programas asociados directa e indirectamente al jaguar: Programa de Conservación para el Desarrollo Sostenible (PROCODES), Programa para la Protección y Restauración de Ecosistemas y Especies Prioritarias (PROREST), Programa de Empleo Temporal (PET), Programa de Recuperación y Repoblación de Especies en Riesgo (PROCER), Programas de Manejo de Áreas Naturales Protegidas (PROMANP),

---

256 Vid. ROBINSON, J., REDFORD, K., RABINOVICH, J. Uso y Conservación de la Vida Silvestre Neotropical (México 1997).

257 Vid. CONANP. Programa de Acción para la Conservación de la Especie: Jaguar (Panthera onca) (México 2009). Disponible en: https://www.gob.mx/cms/uploads/attachment/file/251960/PACE_Jaguar_2009.pdf (última consulta, 7.11.2025).

Programa de Vigilancia Comunitaria en Áreas Naturales Protegidas y Zonas de Influencia (PROVICOM), Programa de Monitoreo Biológico en Áreas Naturales Protegidas (PROMOBI) y Programa de Acción para la Conservación del Jaguar (PACE-Jaguar).

Dentro de la política penal asociado al jaguar en México, los antecedentes más importantes parten del siglo XIX; el 7 de Diciembre de 1871 se publicó en el DOF el decreto que contenía el Código Penal para el Distrito Federal y Territorio de la Baja-California sobre delitos del fuero común, y para toda la República sobre delitos contra la Federación[258], este código es nombrado también código Martínez de Castro debido a que Antonio Martínez de Castro fue nombrado por el presidente Benito Juárez en 1862 a fin de que formara parte de la Comisión nombrada para hacer el Código Penal, Martínez fue el alma de esa Comisión por lo que el código es casi totalmente su obra[259], este instrumento normativo enmarcó un hito en la historia en la protección, tutela del medio ambiente y derechos de los animales no humanos al considerar ilícito el maltrato animal, así como conductas donde se realizaran combates, juegos o diversiones públicas atormentando a los animales, se incluía cualquier espectáculo, desde las peleas de gallos, las corridas de toros, hasta los circos con animales no humanos donde el jaguar era una especie recurrente. Este instrumento normativo contiene el primer antecedente de alcance nacional referente a la protección de la biodiversidad y los animales no humanos en el México liberal juarista a través de la consideración de faltas dentro del código penal de conductas de dar muerte o envenenar sin derecho por cualquier medio a un animal ajeno, así como destruir peces a través de sustancias nocivas[260], justo en esta época la barbarie especista en México contra

---

258 Código penal para el Distrito Federal y Territorio de la Baja California sobre delitos del fuero común, y para toda la República sobre delitos contra la Federación. DOF: 07-12-1871. Disponible en: http://cdigital.dgb.uanl.mx/la/1020013096/1020013096.html (última consulta, 7.11.2025).

259 Vid. CARRANCÁ, R. Martínez de Castro y el Código Penal de 1871, en Revista de la Escuela nacional de jurisprudencia 32 (1942) 213-215.

260 Dentro de los numerales más sobresalientes del Código Penal que se decretó el 7 de Diciembre de 1871 en temas de medio ambiente, biodiversidad y derechos de los animales se transcriben los siguientes:

la fauna silvestre fue brutal, existían peleas de toros contra tigres, perros, leones e incluso osos que en la actualidad están extintos[261], asimismo, existían dentro del espectáculo taurino la batida de venados y perros[262]. Los jaguares eran también parte de espectáculos circenses y particulares que realizaban actos de crueldad, combates y diversiones públicas. Conforme a la exposición de motivos de la normatividad penal, el jurista señaló su análisis de derecho comparado con otras naciones, principalmente europeas, adecuando preceptos jurídicos al contexto mexicano, una de ellas son las señaladas

---

Artículo 489. Se castigará también con las penas señaladas al robo:
... I. Al que destruya ó deteriore una sementera, un plantío, uno ó más árboles, ó injertos.
... III. Al que por cualquier medio mate ó envenene sin derecho un animal ajeno, ó lo inutilice para el fin á que el dueño lo tiene destinado.
Artículo 490. Se castigará con arresto menor: al que con intención de destruir los peces, echare sustancias capaces de producir este efecto en un canal, arroyo, estanque, vivero, río ó laguna.
Si resultare la destrucción de los peces, se impondrá además una multa de segunda clase.
Artículo 1150. Serán castigados con multa de 1 á 10 pesos:
... IV. El que, por dejar salir á un loco furioso, ó que vague un animal feroz ó maléfico, ó por la mala dirección, por la rapidez ó excesiva carga de un carruaje, carro, caballo ó bestia de carga, de tiro ó de silla, cause la muerte ó una herida grave á un animal ajeno.
... XI. El que maltrate á un animal, lo cargue con exceso ó teniendo alguna enfermedad que le impida trabajar, ó cometa con él cualquier acto de crueldad:
... XII. El que en los combates, juegos ó diversiones públicas, atormente a los animales:
... XIV. El que cause daño en un paseo, parque, arboleda, o en otro sitio de recreo o de utilidad pública.

261 Vid. GARCÍA, J. Escritos infantiles (México 1978) 206-208; COELLO, J. Las corridas de toros entre independencias y revoluciones (México 2012) 46-50.

262 Vid. EL UNIVERSAL: PERIÓDICO INDEPENDIENTE. Espectáculo estraordinario de venados y perros 22 de mayo de 1852, en Hemeroteca Nacional Digital de México. Disponible en: https://hndm.iib.unam.mx/consulta/publicacion/visualizar/558075bf7d1e63c9fea1a477?pagina=558a372b7d1ed64f16d40e11&palabras=centenario-independencia&anio=1852&mes=05&dia=22&coleccion= (última consulta, 7.11.2025).

en el Código de Bélgica, por lo que el jurista no tuvo problemas en adaptarlas con algunas modificaciones[263].

Esta legislación penal fue abrogada con la publicación del Código Penal para el Distrito y Territorios federales[264], donde se eliminó la protección de los animales y del medio ambiente por parte del derecho penal, solamente se mantuvo un apartado asociado a la destrucción, deterioro y de los daños causados en propiedad ajena, y se consideraba conforme al artículo 1210 un delito equiparado a las sanciones señaladas en el robo a quien destruya o deteriore un plantío, uno o mas árboles, o injertos. Asimismo, se mantenía en el artículo 1211 la tipificación penal de las conductas siguientes: al que echare substancias capaces de producir la muerte de los peces en un canal, arroyo, estanque, vivero, río o laguna, la sanción era de arresto por más de 6 meses, si el resultado material era la destrucción de los peces, se impondrá, además, una multa de quince a treinta días de utilidad. Posteriormente con la publicación del Código Penal para el Distrito y Territorios Federales en materia de fuero común, y para toda la república en materia de fuero federal de 1931[265] se volvió a disminuir la vinculación del derecho penal con temáticas ambientales y animales, solamente se mantuvo el daño en propiedad ajena conforme lo establecido en el artículo 397 donde se imponía una pena de cinco a diez años de prisión y multa de cien a cinco mil pesos, a los que causen incendio, inundación o explosión con daño o peligro de montes, bosques, selvas, pastos, mieses o cultivos de cualquier género. Este código en materia penal es el documento que sigue vigente en México, sin embargo, en el último cuarto del

---

263 Vid. CÓDIGO PENAL DE 1871. Exposición de motivos del Código Penal de 1871, en Revista de la Escuela nacional de jurisprudencia 32 (1942) 252.

264 Código Penal para el Distrito y Territorios Federales. DOF: 05-10-1929. Disponible en: https://www.dof.gob.mx/nota_to_imagen_fs.php?codnota=4436262&fecha=05/10/1929&cod_diario=186990 (última consulta, 7.11.2025).

265 Código penal para el Distrito y Territorios Federales en materia de fuero común, y para toda la república en materia del fuero federal. DOF: 14-08-1931. Disponible en: https://www.dof.gob.mx/nota_to_imagen_fs.php?codnota=4531091&fecha=14/08/1931&cod_diario=193275 (última consulta, 7.11.2025).

siglo XX tuvo las modificaciones para dar una protección ambiental a la fauna silvestre, a mediados del siglo XX, un antecedente de la protección-regulación de la fauna silvestre en México a través del derecho penal fue la creación de la Ley Federal de Caza publicada el 5 de enero de 1952, debido a que esta legislación tipificaba de manera directa conductas que afectaban ilícitamente a la fauna silvestre por la cacería, estableciéndose en esta norma delitos en materia ambiental vinculados a la fauna silvestre. En el capítulo XI se enunciaban los delitos y faltas en materia de caza y en el artículo 30 se establecía como delitos de caza los siguientes ilícitos: el ejercicio de la caza y de especies en veda permanentes; el uso de armas prohibidas para el ejercicio de la caza; la caza de hembras y crías de mamíferos no considerados dañinos, cuando sea posible distinguir con claridad el sexo de los animales; la apropiación o destrucción de nidos y huevos de las aves silvestres; y la caza por el sistema de armadas o por otros medios no autorizados. La tipificación de estas conductas tenía una penalidad de hasta tres años de prisión, o multas de $100.00 a $100,000.00 pesos y en ambos casos, la inhabilitación para obtener permisos de caza por un término de cinco años duplicando las sanciones a los reincidentes, sin embargo, el jaguar era considerado un animal dañino cuya destrucción era una utilidad pública y permitida por un amplio periodo de tiempo.

El 11 de Enero de 1982 se publicó la Ley Federal de Protección Ambiental[266] que establecía los delitos contra el ambiente asociados indirectamente con la biodiversidad en los numerales 76 y 77. Posteriormente se creó la Ley General del Equilibrio Ecológico y la Protección al Ambiente[267], la cual establecía en su capítulo VI del título sexto los delitos del orden federal, empero, los tipos penales descritos de los numerales 183 al 187 no tenían una relación

---

266 Ley Federal de Protección al Ambiente. DOF: 11-01-1982. Disponible en: https://www.dof.gob.mx/nota_to_imagen_fs.php?codnota=4709428&fecha=11/01/1982&cod_diario=202954 (última consulta, 07.11.2025).

267 Ley General del Equilibrio Ecológico y la Protección al Ambiente. DOF: 28-01-1988. Disponible en: https://www.dof.gob.mx/nota_to_imagen_fs.php?codnota=4718573&fecha=28/01/1988&cod_diario=203371 (última consulta, 07.11.2025).

directa con conductas que afectaran a la biodiversidad. Fue hasta el 13 de diciembre de 1996 con las reformas al Código Penal Federal (CPF)[268] que se consolidaron los delitos contra el ambiente, ya que se adicionó el título vigésimo quinto, que en su capítulo único se denominaba: delitos ambientales y, posteriormente, el 6 de febrero de 2002 se realizaron en el mismo ordenamiento jurídico reformas para establecer el artículo 60, segundo párrafo asociado a las sanciones por delitos culposos en materia ambiental y de manera sustancial se consagraron los artículos 414, 415, 416, 417, 418, 419, 420, 421, 422, 423 y artículos 420 Bis, 420 Ter y 420 Quater del Código Penal Federal, la reformas incluyeron la denominación del Título Vigésimo Quinto: Delitos Contra el Ambiente y la Gestión Ambiental, con cinco capítulos denominados: Capítulo Primero. De las actividades tecnológicas y peligrosas, del artículo 414 al 416; Capítulo Segundo. De la biodiversidad, del artículo 417 al 420 Bis; Capítulo Tercero. De la bioseguridad, artículo 420 Ter.; Capítulo Cuarto. Delitos contra la gestión ambiental, artículo 420 Quater, y; Capítulo Quinto. Disposiciones comunes a los delitos contra el ambiente del artículo 421 al 423[269]. El 8 de febrero de 2006 se adicionó la fr. II Bis al artículo 420[270] del mismo ordenamiento legal en materia de especies acuáticas denominadas abulón y langosta asociado a su regulación ambiental administrativa federal, y mediante reforma se adicionó el numeral 419 Bis[271] para la tipificación de peleas de perros y prácticas

---

268 Decreto por el que se reforma, adiciona y deroga diversos artículos del Código Penal para el Distrito Federal en materia de Fuero Común, y para toda la República en materia de Fuero Federal DOF: 13-12-1996. Disponible en: https://www.dof.gob.mx/nota_to_imagen_fs.php?codnota=4906680&fecha=13/12/1996&cod_diario=209864 (última consulta, 07.11.2025).

269 Decreto por el que se reforman y adicionan diversas disposiciones de los códigos Penal Federal y Federal de Procedimientos Penales. DOF: 06-02-2002. Disponible en: https://www.dof.gob.mx/nota_detalle.php?codigo=736057&fecha=06/02/2002#gsc.tab=0 (última consulta, 7.11.2025).

270 Decreto por el que se adiciona el Código Federal de Procedimientos Penales y el Código Penal Federal. DOF: 08-02-2006. Disponible en: https://www.dof.gob.mx/nota_detalle.php?codigo=4923540&fecha=08/02/2006#gsc.tab=0 (última consulta, 07.11.2025).

271 Decreto por el que se adiciona el artículo 419 Bis al Código Penal Federal. DOF: 22-06-2017. Disponible en: https://www.dof.gob.mx/nota_det-

secundarias vinculadas a estas actividades, si bien existen reformas posteriores, en esencia de esta forma han quedado establecidos los tipos penales actuales contra la biodiversidad que rigen el sistema penal ambiental en el CPF en su capítulo segundo: de la biodiversidad, que abarca de los numerales 417 al 420 Bis. Actualmente en el sistema normativo penal federal se establecen 6 numerales que estipulan delitos contra la biodiversidad que incluyen los siguientes tópicos: forestal, salud ambiental, ecosistemas, vida silvestre y bienestar animal enfocado en la tipificación de actividades vinculadas a peleas de perros[272] con agravantes asociadas al tráfico, afectación de las áreas naturales protegidas y en el caso de los ilícitos ambientales en materia forestal —tala ilegal— cuando las conductas se realicen empleando armas de fuego o por cualquier otro medio violento[273]. La protección del jaguar a través del derecho penal no se limita a una tutela desde dimensiones ambientales del fuero federal, existen sistemas jurídicos a nivel local-estatal en México de protección animal en un ámbito penal que permiten proteger a los jaguares conforme a su normatividad en materia de bienestar animal asociado a la tipificación del maltrato y la crueldad, esto se encuentra en los siguientes estados: Baja California, Ciudad de México, Quintana Roo, Sonora, Tamaulipas, Veracruz, Campeche, Jalisco, Guanajuato, Nayarit, Coahuila, Estado de México, Michoacán, Oaxaca, Puebla[274], Durango, Guerrero, Tabasco y Zacatecas.

Desde una dimensión jurídica constitucional, este subcampo ha consagrado un vínculo indirecto y directo con el felino desde el dogmatismo que incluye el enfoque de los DESCA y en la ampliación

---

alle.php?codigo=5487716&fecha=22/06/2017#gsc.tab=0 (última consulta, 10.11.2025).

272 MORALES, A., MORALES, J. & CÓRDOVA, M. Derecho ambiental, biodiversidad y fauna silvestre: análisis de la Tesis Aislada XIII.P.A.1 P (10ª.), en dA. Derecho Animal (Forum of Animal Law Studies) 10/1 (2019) 197-199.

273 Decreto por el que se reforman y adicionan los artículos 418, 419 y 423 del Código Penal Federal, en materia de tala ilegal. DOF: 08-05-2023. Disponible en: https://www.dof.gob.mx/nota_detalle.php?codigo=5688046&fecha=08/05/2023#gsc.tab=0 (última consulta, 10.11.2025).

274 Vid. MORALES, D. Tipificación del maltrato animal en el Estado de Hidalgo, México, en DA. Derecho Animal. Forum of Animal Law Studies 7 (2016) 1-12.

constitucional del paradigma de los derechos humanos en materia de protección animal. En un primer momento la relación del jaguar con los DESCA en específico con los derechos humanos ambientales conforma el crisol del nexo intrínseco del jaguar con la naturaleza y los servicios ambientales básicos para la subsistencia de la humanidad. La importancia de este felino en los ecosistemas es vital por los servicios ecosistémicos básicos que brinda y que son determinantes para garantizar un derecho humano a un medio ambiente sano para su desarrollo y bienestar; al ser una especie focal se vuelve indispensable en los ecosistemas donde interactúa, al grado de considerar que, sin el felino, no se podría garantizar adecuadamente los derechos humanos ambientales. En este sentido, la protección ambiental asociada a su relación con la biodiversidad se dio en un inicio en el derecho administrativo y en el derecho penal, ya en la norma administrativa ambiental de finales del siglo XX se consagró como principio el derecho a tener un medio ambiente sano, en un marco constitucional, el 28 de junio de 1999 se publicó en el DOF la adición al párrafo quinto del artículo 4° de la Constitución Política de los Estados Unidos Mexicanos (CPEUM)[275] contemplando como parte del texto constitucional, esto es, bajo la teoría constitucional imperante en ese momento, una garantía individual y colectiva —dual— por su propia y especial naturaleza asociada al derecho de toda persona a un medio ambiente adecuado para su desarrollo y bienestar. Este precepto fue diseñado como un simple postulado normativo imperfecto, pues la legislación no permitía tutelar de manera efectiva dicha garantía. El 8 de febrero de 2012 se realizó una reforma constitucional para buscar ampliar el alcance de dicho postulado al incluirse lo siguiente: "Toda persona tiene derecho a un medio ambiente sano para su desarrollo y bienestar. El Estado garantizará el respeto a este derecho. El daño y deterioro ambiental generará responsabilidad para quien lo provoque en términos de

---

[275] Decreto por el que se declara la adición de un párrafo quinto al artículo 4o. Constitucional y se reforma el párrafo primero del artículo 25 de la Constitución Política de los Estados Unidos Mexicanos. DOF: 28-06-1999. Disponible en: https://dof.gob.mx/nota_detalle.php?codigo=4950695&fecha=28/06/1999#gsc.tab=0 (última consulta, 10.11.2025).

lo dispuesto por la ley"[276]. Este postulado constituye el centro de la dogmática constitucional ambiental en la actualidad y establece las directrices para tutelar este derecho a través de la estructuración de normas jurídicas ambientales y principios jurídicos conforme al marco ambiental como el principio de precaución, preventivo, corresponsabilidad, información, participación, protección elevada, no regresión, *indubio pro natura* y conservación, los cuales se incardinan dentro de otras subdisciplinas jurídicas por su doble naturaleza[277]. El jaguar al consolidarse simbólicamente como un elemento vital en las cosmovisiones mesoamericanas y consagrarse como elemento del núcleo social de los pueblos y comunidades, conforma una relación biocultural jurídica con los derechos humanos sociales y culturales, al igual que en los derechos ambientales, sin la presencia del felino en los espacios socioculturales no sería posible dar una protección adecuada a los derechos humanos sociales y culturales. La base constitucional de los derechos culturales como derechos humanos se enmarca de manera directa en el artículo 4o., párrafo duodécimo, de la CPEUM, que fue adicionado el 30 de abril de 2009 mediante reforma publicada en el DOF[278]. En un segundo momento se fortalece la relación del jaguar con la dogmática constitucional animalista de los derechos humanos la cual integra un vínculo directo con la protección constitucional de los animales, conforme a la reforma del artículo 4o. publicada en el DOF el 2 de diciembre de 2024[279] el párrafo establece: "Queda prohibido el maltrato a los

---

276 Decreto por el que se Declara reformado el párrafo quinto y se adiciona un párrafo sexto recorriéndose en su orden los subsecuentes, al artículo 4o. de la Constitución Política de los Estados Unidos Mexicanos. DOF: 08-02-2012. Disponible en: https://www.dof.gob.mx/nota_detalle.php?codigo=5232952&fecha=08/02/2012#gsc.tab=0 (última consulta, 10.11.2025).

277 GARCÍA, T. Derecho ambiental mexicano (Barcelona 2013) 38.

278 Decreto por el que se adiciona un párrafo noveno al artículo 4o.; se reforma la fracción XXV y se adiciona una fracción XXIX-Ñ al artículo 73 de la Constitución Política de los Estados Unidos Mexicanos. DOF: 30-04-2009. Disponible en: https://www.dof.gob.mx/nota_detalle.php?codigo=5089046&fecha=30/04/2009#gsc.tab=0 (última consulta, 10.11.2025).

279 Decreto por el que se reforman y adicionan los artículos 3o., 4o. y 73 de la Constitución Política de los Estados Unidos Mexicanos, en materia de protección y cuidado animal. DOF: 02-12-2024. Disponible en: https://www.

animales. El Estado mexicano debe garantizar la protección, el trato adecuado, la conservación y el cuidado de los animales, en los términos que señalen las leyes respectivas". Esta reforma consagra a nivel constitucional en progresión de los derechos humanos y sus garantías un dogmatismo que formula la protección jurídica de los animales —no humanos— enfocado en su bienestar al prohibir el maltrato animal, y señalar como mecanismos básicos de engranaje la responsabilidad del estado en garantizar la protección, el trato adecuado, la conservación y el cuidado como ejes rectores de la política pública, sentando un nuevo paradigma en la relación del animal humano con los demás animales, bajo estos preceptos jurídicos el jaguar tiene una protección constitucional que se bifurca en dos horizontes asociado al vínculo constitucional antrópico directo con los DESCA —de manera enunciativa, no limitativa con otros derechos humanos— y al vínculo constitucional animalista de los derechos humanos y sus garantías para la protección y bienestar animal[280].

---

dof.gob.mx/nota_detalle.php?codigo=5744207&fecha=02/12/2024#gsc.tab=0 (última consulta, 10.11.2025).

280 La protección constitucional de los animales no humanos también se ha desarrollado en un ámbito local por los siguientes ordenamientos jurídicos de México y que incluyen al jaguar en esta dimensión constitucional animalista: Constitución Política del Estado de Jalisco, con reforma publicada el 1/04/2000; Constitución Política de la Ciudad de México, publicada en el DOF: 05/02/2017, Constitución Política del Estado Libre y Soberano de Colima, con reformas publicadas en el Periódico Oficial el 3/08/2019; Constitución Política del Estado Libre y Soberano de Oaxaca, con reformas publicadas en el Periódico Oficial el 29/08/2019; Constitución Política del Estado Libre y Soberano de Durango, con reforma publicada en el Periódico Oficial el 15/09/2022; Constitución Política del Estado Libre y Soberano de Nuevo León, con reforma publicada en el Periódico Oficial el 1/10/2022; Constitución Política del Estado de Tamaulipas, con reforma publicada en el Periódico Oficial del Estado el 12/10/2023; Constitución Política del Estado Libre y Soberano de Quintana Roo, con reforma publicada en el Periódico Oficial del Estado el 24/11/2023; Constitución Política del Estado Libre y Soberano de México, con reforma publicada en el Periódico Oficial el 25/11/2024; Constitución Política del Estado Libre y Soberano de Hidalgo, con reforma publicada en el Periódico Oficial el 24/07/2025.

Dentro de la normatividad asociada al jaguar es importante referir que en diversas entidades federativas se están impulsando acciones para la protección biocultural del jaguar que sean compatibles con su conservación[281], en este sentido, en el Estado de Oaxaca el 18 de abril del 2017 los diputados de la LXIII Legislatura del Congreso del Estado de Oaxaca presentaron ante el pleno legislativo la iniciativa con Proyecto de Decreto por el que se declara al Jaguar (Panthera onca) como patrimonio tangible e intangible, cultural natural y biológico del Estado de Oaxaca, publicándose en el Periódico Oficial del Órgano de Gobierno Constitucional del Estado Libre y Soberano de Oaxaca el 2 de septiembre de 2017[282]. Estas iniciativas se están impulsando actualmente en diversos estados de la república, desde 2023 se han ingresado peticiones de la ANCJ y Biofutura a los gobiernos estatales de Hidalgo, Guerrero y Sinaloa

---

281 Una de las estrategias de conservación zoo-ética-cultural que ha implementado Biofutura A.C. es el fortalecer desde dimensiones político-jurídicas la relación biocultural humano-jaguar que sean compatibles con la supervivencia y dignidad del felino, esta visión se ha desarrollado teóricamente desde el año 2010 con investigaciones de Biofutura como marco base, en 2012 el Dr. Lief Korsbaek direccionó desde dimensiones antropológicas nuestras propuestas, un año después tuvimos importantes colaboraciones con miembros de las Jornadas Lascasianas Internacionales encabezadas por el Dr. Carlos Ordóñez, posteriormente se enriqueció con un trabajo colaborativo en 2015 con los miembros de la Alianza Nacional para la Conservación del Jaguar (ANCJ) dirigidas por el Dr. Gerardo Ceballos, un año después se consolida el marco teórico en el posgrado de Derecho Animal y Sociedad en la UAB apoyado por la Dra. Marita Giménez-Candela con un proyecto de investigación del jaguar mexicano, a la par se ha incidido en políticas públicas nacionales e internacionales asociadas a este trabajo desde niveles estatales hasta niveles internacionales, en un ámbito político-jurídico estas iniciativas parten de esfuerzos colaborativos de las organizaciones de la sociedad civil, especialmente de Biofutura y la Alianza Nacional para la Conservación del Jaguar que desde el año 2015 han impulsado estas acciones direccionadas por Biofutura donde se ha propuesto en el área de políticas públicas y derecho de la ANCJ el impulsar declaratorias del ejecutivo para dar una protección biocultural al jaguar.

282 Vid. Periódico Oficial. Órgano del Gobierno Constitucional del Estado Libre y Soberano de Oaxaca. 2 de septiembre del 2017. Disponible en: https://periodicooficial.oaxaca.gob.mx/files/2017/09/SEC35-05TA-2017-09-02.pdf (última consulta, 10.11.2025).

para fortalecer la conservación del jaguar y declarar días estatales para la conservación, rescatar el patrimonio biocultural del jaguar y fortalecer la figura de los corredores biológicos y bioculturales, en respuesta el Estado de Guerrero creó un decreto por el que se declara al jaguar como patrimonio cultural y natural del Estado de Guerrero y se instituye la jornada académica y cultural denominada "el jaguar: identidad guerrerense", publicado en el Periódico Oficial del Estado de Guerrero el 10 de enero del 2025[283]. En el Estado de Sinaloa se logró una iniciativa que reformó la Ley Ambiental para el Desarrollo Sustentable en artículo 111 Bis que señala la facultad del legislativo del estado para establecer declaratorias estatales para la conservación de las especies que se encuentren dentro de su hábitat natural en el territorio sinaloense[284]. En el Estado de Hidalgo las propuestas dieron como resultado que en el poder legislativo se ingresara una iniciativa para declarar el día del jaguar en el Estado de Hidalgo.

La dimensión jurídica del jaguar en el sistema normativo mexicano parte desde un racionalismo eminentemente capital-ambientalista y está modificándose con las vertientes de los DESCA y el constitucionalismo animalista de los derechos humanos, en específico con los derechos humanos bioculturales y con los derechos de los animales con una base filosófica y normativa que incluye el neoconstitucionalismo animalista que rompe con el paradigma clásico y cerrado de los derechos humanos para dar paso a un dogmatismo animalista abierto de los derechos humanos que abarcan los derechos de otras especies bajo un principio de progresión, estas adecuaciones se adaptan a los requerimientos sociales y dan forma a una visión distinta de la conservación del jaguar que ahora incluye elementos sociales, culturales, ambientales, zooéticos, animalistas, políticos y jurídicos en una integración que da esperanza a la conservación y tutela de sus

283 Periódico Oficial del Gobierno del Estado de Guerrero 10-01-2025. Disponible en: https://www.guerrero.gob.mx/wp-content/uploads/2025/01/DJAGUARPATRICULT.pdf (última consulta, 10.11.2025).

284 Reforma publicada en el Periódico Oficial El Estado de Sinaloa 18-10-2024. Disponible en: https://media.transparencia.sinaloa.gob.mx/uploads/files/11874/POE-18-octubre-2024-127.PDF (última consulta, 10.11.2025).

derechos en un nuevo sistema que empieza a construir una época en alteridad con el jaguar.

Capítulo II

La dominación del jaguar en México; una crítica desde la alteridad zooética

5. DOMINACIÓN Y POSITIVIZACIÓN

La estructura social del sometimiento de los jaguares al *imperuim* hegemónico especista tiene su centro en la ontología de dominación, en su devenir ha conformado un sistema político con diversos subsistemas jurídico-normativos de derecho que lo afirman a lo largo de la historia como lo reprimido antes de que el jaguar pueda ser un ser; ser uno mismo, y es negado en la dominación-encubrimiento del dominador pese a ser —en alteridad-afirmación— un individuo con autonomía; un sujeto zooético que es capaz de ser libre. La concepción jurídico-política de esta dominación se conforma básicamente de los siguientes pilares ideológicos del especismo: la cosificación, la propiedad y la fetichización-normalización-legalización del especismo, donde se posiciona unívocamente en el centro al "soberano" como sujeto humano y en la periferia a los jaguares y demás animales como medios para los fines del humano —del capital—, configurándose como una fuerza dominante hegemónica que oculta y encubre a través de la política como el continuo bélico —la guerra presidió el nacimiento de los Estados: el derecho, la paz, las leyes nacieron en la sangre y el fango de las batallas[285]— el no-ser del animal-jaguar en múltiples espacios de subjetivización en referencia a lo real: normas, saber, normalización…, donde el derecho estructura la ley del más fuerte para subyugar a los débiles, teniendo como resultado prácticas, aparatos, procesos, institucionalizaciones, dispositivos y normas que manifiestan la voluntad del soberano-dominador, mismas que regulan, a través de validar o invalidar; legalizar o ilegalizar, permitir o

---

285 FOUCAULT. M., Defender la sociedad. Curso en el Collège de France (1975-1976) (México 2001) 55.

prohibir, determinados modos de comportamiento en una relación instrumental mediática con los animales-cosas, lo que conforma el derecho especista.

La politización del especismo que direcciona al subcampo jurídico que configura las reglas del derecho constituye uno de los mecanismos que regulan y delimitan formalmente al poder, y por el otro extremo, el otro límite, los efectos de verdad que ese poder produce, lleva y que, a su vez, lo prorrogan. Triángulo, por lo tanto: poder, derecho, verdad: reglas de derecho, mecanismos de poder, efectos de verdad[286]. En las sociedades especistas modernas, múltiples relaciones de poder atraviesan, caracterizan y constituyen el cuerpo social, este poder somete a la producción de la verdad —de acuerdo con una proposición dialéctica propuesta por Marcuse, es la totalidad la que determina la verdad— donde el mundo es como es: especista de dominación, y las reglas de derecho regulan y perpetúan las relaciones de poder. La elaboración del pensamiento jurídico se hace esencialmente en torno del poder real, el edificio jurídico social se construyó a pedido del poder real y también en su beneficio, para servirle de instrumento o de justificación al sujeto-soberano-dominador —quien ejerce sus derechos y habla de la verdad— como personaje central del edificio jurídico, solamente de el se trata sus derechos, su poder y los límites eventuales de éste; organizándose en un sistema político-jurídico[287]; el derecho como instrumento de la dominación que se ejerce dentro de las sociedades y pone en acción los mecanismos de sometimiento.

La estructura simbólica de la política de dominación del jaguar se sustenta en diversos momentos históricos que reflejan la conciencia colectiva cotidiana del especismo opresor en las sociedades asentadas en el actual territorio mexicano, como primer momento colonialista en la modernidad, la contradicción dialéctica posicionó —en un efecto que se manifiesta continuamente en las sociedades hasta el presente— a los animales europeos domésticos-esclavizados para consumo-devoración del humano —animales domésticos de ganadería— como seres con un valor dentro del capital temprano en la

---

286 *Ibídem* 33-36.

287 *Idem.*

Nueva España, desplazando simbólicamente al jaguar hacia la periferia; asociándolo con una simbólica del mal por configurarse en este racionalismo especista instrumental como el depredador que afecta al capital y por simbolizar la resistencia indígena temprana ante el dominio europeo. En esta dimensión temporal temprana colonial era lícito afectar o destruir a los jaguares sin ninguna restricción, era libre cualquier acto contra ellos por ser su aniquilación un bien de interés social; incluso se llegó a tener una compensación económica y social por su aniquilación, su esclavitud era permisible por ser un bien susceptible de apropiación, dando la apertura a una multiplicidad de transformaciones conforme a su cosificación, este largo periodo comprendido de 1521 a 1964 con la regulación de su aniquilación, tiene un paréntesis entre 1871-72 y 1929 cuando el código penal de 1871 del periodo liberal juarista sentó las bases para sancionar en el Código Penal de 1871 el maltrato y cualquier acto de crueldad, incluidos los combates, juegos y diversiones públicas donde se atormentaban a los animales no humanos conformando el primer momento dentro del positivismo jurídico moderno —antecedente básico del derecho animal en América Latina— que se consideró a los animales no humanos bajo la tutela del derecho mexicano. El segundo momento comprende de 1964 a 1980; este ciclo simbólico se determina en una sociedad industrial donde se establece una regulación de la esclavitud-asolación-aniquilación del jaguar por la transformación dialéctica conforme a su valor de uso y valor de cambio principalmente por la industria de la alta costura. El tercer momento comprende desde la primera veda del jaguar de 1980-81 y la veda definitiva de 1987 al 2000 con un sistema jurídico de dominación sustentable, en estricto derecho esta veda promulgada en 1987 sigue vigente, aunque desfasada de manera parcial, su aplicación ha sido inobservada por la autoridad gubernamental en México[288]. El cuarto momento comprende del 2000 —con la publicación de la Ley General de Vida silvestre (LGVS)— a la actualidad, donde se regula la esclavitud-asolación-aniquilación del jaguar a través del paradigma ambiental del aprovechamiento sustentable, en este periodo el

---

[288] MORALES, D. Reestructuración de la veda de jaguar en México como opción para su conservación, en IUCN WCEL International, Regional and National Reports (2018).

jaguar se puede usar-aprovechar como cosa en mediación para los fines humanos siempre y cuando sea dentro de los lineamientos de la reglamentación-regulación, dando lugar a la miseria sustentable del jaguar conforme a un laxo "bienestar" animal que los confina-esclaviza en Unidades de Manejo para la Conservación de la Vida Silvestre (UMA's), Predios o Instalaciones que Manejan Vida Silvestre en Forma Confinada Fuera de su Hábitat Natural (PIMVS), zoológicos, circos[289], así como su apropiación para su uso de mascotas en inmuebles particulares y en una gama amplia de instrumentos para los fines humanos —del capital—, confluyendo conservación-miseria-sustentabilidad bajo los lineamientos de la norma ambiental imperante: la LGVS, que positiviza el paradigma dual del ambientalismo: aprovechamiento-conservación del jaguar. El subcampo jurídico-político de dominación especista desde una perspectiva histórica ha presentado modificaciones, pero en esencia, la fuerza de dominación se mantiene, afirmando los mecanismos que cosifican al jaguar en un racionalismo instrumental especista que niega su dignidad, autonomía y libertad.

En este cuarto momento el derecho —principalmente ambiental— bajo la directriz económica del capital se ha consolidado en un sistema con ejes en la preservación-conservación-aprovechamiento-dominación del jaguar —en la idea fantasmagórica de proteger y conservar a la especie que materialmente no existe, y dar una importancia ínfima a los individuos de jaguar que si existen— bajo los lineamientos de la sustentabilidad conforme a los fines del humano —el capital— a fin de que la mediación instrumental del jaguar se optimice y se mantenga en el tiempo dando paso en esta práctica de dominación a una conservación que busca la acumulación del capital que permita el eterno retorno de la dominación del felino; una conservación perversa y perniciosa del jaguar. En esta etapa de dominación del jaguar se ha consolidado su fetichización, lo que re-

---

289 Vid. Decreto por el que se reforman y adicionan diversas disposiciones de la Ley General del Equilibrio Ecológico y la Protección al Ambiente y la Ley General de Vida Silvestre donde se reformó el artículo 78 para prohibir el uso de ejemplares de vida silvestre en circos. DOF: 09-01-2015. Disponible en https://www.dof.gob.mx/nota_detalle.php?codigo=5378251&fecha=09/01/2015#gsc.tab=0 (última consulta, 10.11.2025).

fleja los procesos estructurales del ocultamiento de la alienación y cosificación del jaguar en un dinamismo que encubre al ser sintiente emotivo, con *zoo cogitans* y volitivo para visibilizar la mercancía que es el producto fabricado como intercambiable y puesto en el mercado[290]; un elemento del capital natural y un recurso renovable que elimina su historia, su ser y su identidad a través de la conceptualización en atención a su mediación instrumental de racionalidad especista-capitalista. El momento alienante presenta una base en el encubrimiento de su ser y esencia, asimismo, lo conceptualiza en una homogeneidad conforme su mediación instrumental en el racionalismo especista-capitalista, adquiriendo un valor de cambio en las estructuras de dominación que mantendrán en su superestructura la regulación de la esclavitud-asolación-aniquilación de los jaguares como medios para los fines humanos —el capital—, positivizando la transformación reduccionista en cosa-sentido, producto, recurso y mercancía conforme a un determinado espacio tiempo, en el momento histórico ambientalista-capitalista se posiciona a los jaguares como cosas-elementos del capital natural, donde importa la especie pero no los individuos, por lo que su lógica instrumental especista de dominación es encaminada hacia el capital y la ganancia económica con un tinte social-ambientalista; la esclavitud-asolación-aniquilación del jaguar será ahora sustentable, conservacionista e incluso bienestarista, conformando nichos de mercado verde para satisfacer la insaciable avaricia a costa de la miseria de los felinos. La dominación especista del jaguar apunta a conservar la posición ocupada y a perpetuar el *statu quo* como lo que es; para eso son, manteniendo y haciendo mantener los principios que fundan la dominación.

La dominación del jaguar tiene diversos momentos históricos que han marcado hitos que develan la sistematización y hegemonía, en la actualidad esta dominación se sustenta en la racionalización del especismo y el capital en atención a la sustentabilidad. Debido al impacto y la drástica disminución de su población, la adecuación del especismo-capitalista emplea estrategias dinámicas para evitar la extinción de este felino y así perpetuar su dominación, una de las estra-

---

290 Para analizar la fetichización, alienación y transformación Vid. DUSSEL, E. 16 tesis de economía política. Interpretación filosófica (México 2014) 39 y ss.

tegias para conservar al jaguar en el racionalismo especista-capitalista se da a través del desarrollo de zootecnias y estrategias de reproducción artificial en criaderos o granjas de jaguares, dando pauta a clasificar —desde el especismo-capitalista— a jaguares de vida silvestre y a jaguares reproducidos en cautiverio en condiciones controladas; jaguares de primera y de segunda, esta respuesta demuestra el proceso de adaptabilidad del especismo-capitalismo ante la crisis ambiental, el dinamismo de la dominación y la tolerancia represiva en las sociedades industriales avanzadas.

Al racionalizar la esclavitud-asolación-aniquilación del jaguar en las sociedades humanas se justifica y perpetúa la dominación, encerrándose a sí misma en una totalización con estos elementos, lo que hace que la miseria, la esclavitud, la pobreza, la asolación y la aniquilación en la humanidad sean eternas, bajo el pensamiento crítico de la primera generación de la Escuela de Fráncfort, la eliminación de la violencia y la reducción de la represión en el grado requerido para proteger al jaguar de la crueldad y la agresión, son precondiciones para la creación de una sociedad humana. Una sociedad así no existe todavía; el progreso hacia ella está detenido quizás más que nunca por la violencia y la represión en una escala mundial. La violencia y la represión contra el jaguar son promulgadas, practicadas y definidas por el gobierno democrático especista y la gente sujeta a este gobierno es educada para sostener tales prácticas como necesarias para la conservación del *statu quo*. En este sentido, la tolerancia de la miseria del jaguar se extiende a la política, las condiciones y formas de conducta se basan en un esquema laxo de bienestar de la esclavitud-asolación-aniquilación encaminado a la sustentabilidad en un bienestar económico-social-ambiental antrópico cerrado. El jaguar es subsumido dentro del esquema racional ambiental-capitalista-especista y su miseria aparece ahora desde una visión de tolerancia porque es necesaria para la cohesión de la totalidad en el camino al bienestar económico-social o al creciente bienestar económico-social al ser parte de esquemas de aprovechamiento y desarrollo sustentable; la tolerancia de la miseria del jaguar sirve principalmente para la protección y la preservación de una sociedad represiva, es una tolerancia perversa, esta tolerancia es administrada a individuos manipulados e indoctrinados qué repiten como propia la opinión de sus dominadores, en esta democracia de bienestar y sustentabilidad las decisiones de conservación prevalecen dentro del marco establecido del especismo de dominación del jaguar donde se tiene una amplia tolerancia debido a que todos los puntos de vista pueden escucharse. La opinión necia es tratada con el mismo respeto que la inteligente, el que no está informado puede hablar tanto como el que lo está, y la propaganda va acompañada de la educación, la verdad y la falsedad, esta tolerancia pura de lo sensato y lo insensato es justificada por el democrático argumento de que nadie, sea grupo o individuo, se halla en posesión de la verdad ni se hallaría en condiciones de determinar qué cosa es justa o injusta, buena o mala. De ahí que hayan de presentarse "al pueblo", sometidas a deliberación y elección, todas las opiniones rivales. El argumento democrático incluye una condición necesaria, a saber: que el pueblo sea capaz de deliberar y elegir, sobre la base del conocimiento, y que le sea accesible una auténtica información cuya valoración ha de ser producto de un pensamiento autónomo[291] y no de una alienación de la ideología especista-capitalista —ideología que perpetúa la violencia y que prevalece en los centros de la civilización humana—, el proceso argumentativo en términos del lenguaje —que en sí es especista— determina la dirección en la que el proceso de pensamiento termina donde empezó: en las condiciones y relaciones dadas desde un principio especista de dominación en un eterno retorno, la opinión está impuesta desde una engañosa imparcialidad ya que los individuos están adoctrinados bajo el especismo que se ramifica en su cotidianidad, en su modo de vivir, pensar y sentir, confirmándose a sí mismo, el objeto de la discusión rechaza la contradicción, puesto que la antítesis es determinada en el sentido de la tesis en la unificación de los opuestos; la tesis sostiene realizar acciones por la supervivencia-conservación-salvación-cuidado del jaguar; la antítesis sostiene: prepararse para la esclavitud-asolación-aniquilación; y en la unificación de los opuestos: realizar esclavitud-asolación-aniquilación del jaguar es trabajar por su supervivencia-conservación-salvación-cuidado, ahora se salva y cuida al jaguar con su muerte; se le despoja y roba su hábitat y territorio para poder conservarlo; o se reduce a una mercancía comercial para salvar a la especie... esta unificación define

---

291 Vid. MARCUSE, H., La tolerancia represiva y otros ensayos (Madrid 2010) 47-76.

a la supervivencia-conservación-salvación-cuidado del jaguar con la esclavitud-asolación-aniquilación desde dimensiones sustentables y conforma todo su contenido, perdiendo la fuerza de liberación y alienándose al sistema-totalización-mundo de lo que es, repeliendo cualquier alternativa que no esté dentro del campo de dominación, la neutralización de la supervivencia-conservación-salvación-cuidado del jaguar en el especismo-capitalista limita estructuralmente la tolerancia —expresada en tal imparcialidad sirve para minimizar o incluso absolver la intolerancia y la represión prevalecientes— en la mentalidad precondicionada en los esquemas de conservación; será una conservación de dominación en un eterno retorno, y condiciona que el beneficio antrópico sustentable sea lo positivo y cualquier afectación a el *statu quo* lo negativo.

6. RUPTURA DE LA VEDA ANTE LA PROGRESIÓN DEL ESPECISMO SUSTENTABLE

La estructuración de la veda del jaguar en la modernidad como el tercer periodo en su conformación histórica dentro del sistema interno se germina en dos momentos: el primero es temporal-parcial delimitado a los años 1980 y 1981[292] donde se prohibía su caza por considerarse una especie en peligro de extinción, posteriormente, con la consolidación de la veda definitiva en 1987[293], el jaguar tuvo por primera vez desde una dimensión jurídico-política una protección legal total sin excepciones ante su esclavitud-asolación-aniquilación en

292 Acuerdo que establece el Calendario y regula el ejercicio de la Caza para la Temporada de 1980-81. DOF: 09-06-1980. Disponible en: https://www.dof.gob.mx/nota_to_imagen_fs.php?codnota=4854403&fecha=09/06/1980&cod_diario=208666 (última consulta, 1.10.2025).

293 Acuerdo por el que declara veda indefinida del aprovechamiento de la especie jaguar (panthera onca) en todo el territorio nacional, quedando en consecuencia estrictamente prohibida la caza, captura, transporte, posesión y comercio de dicha especie. DOF. 23-04-1987. Disponible en: https://www.dof.gob.mx/nota_to_imagen_fs.php?codnota=4651536&fecha=23/04/1987&cod_diario=200242 (última consulta, 10.10.2025).

México; si bien la ideología especista se manifiesta en considerar a la fauna silvestre como un recurso natural renovable con un aprovechamiento racional, las condiciones críticas en que se encontraba el jaguar como especie en peligro de extinción hicieron que el gobierno federal declarara la veda indefinida del aprovechamiento del jaguar en todo el territorio nacional, quedando estrictamente prohibida la caza, captura, transporte, posesión y comercio de dicha especie. Esta prohibición total sin excepciones protege a cualquier ejemplar de jaguar sin importar si se encuentra en vida silvestre o confinado[294], por ser una veda indefinida el tiempo de su efectividad desde dimensiones de existencia y validez tiene un alcance con la creación de un acto embestido con las formalidades esenciales donde se señala *ex profeso* el termino de la protección bajo los parámetros normativos y principios del derecho ambiental —v.g. principio de no regresión—. En la práctica ambiental, esta veda tuvo una degradación e invisibilidad en entornos políticos, ya que el gobierno de México emitió permisos para su explotación, actos que aumentaron a partir de la publicación de la Ley General de Vida Silvestre —cuarto periodo— y con la formación de instituciones ambientales disociadas de las señaladas en la veda indefinida del jaguar, el debilitamiento de la veda por la LGVS desfasó su funcionalidad parcialmente, aunque siga vigente. La inoperancia de la veda por parte del gobierno de México es clara, tan sólo de 1994 al 2003 —tres años posteriores a la entrada de vigor de la Ley General de Vida Silvestre en el 2000— la autoridad ambiental federal emitió 17 permisos para que particulares tuvieran a jaguares como mascotas, con una variable de edad de los felinos de 2 meses a 7 años con un total de 8 machos y 9 hembras, estos registros ante la autoridad ambiental están en algunos casos incompletos; no tienen claves de permisos, no señalan fechas de registros y omiten presentar los documentos que acrediten la identificación de los felinos[295]. Estos permisos y autorizaciones del gobierno ambiental federal para el aprovechamiento de jaguares trasgreden lo dispuesto

---

294 MORALES, D. Reestructuración de la veda de jaguar en México..., *Op, Cit.*, p. 2.

295 Información obtenida a través del ejercicio del derecho humano a la información pública ambiental. INFOMEX. Número de folio 0001600182416. (2016).

en la normatividad: es una condición grave que el propio gobierno federal encargado de proteger a la biodiversidad y el estado de derecho sea el primero en trasgredir la normatividad ambiental en México en casos asociados al jaguar y es un reflejo de la crisis política, negligencia y corrupción que atraviesan las instituciones gubernamentales ambientales. El aprovechamiento ilegal del jaguar y las autorizaciones que trasgreden el marco normativo no terminan con la tenencia de jaguares como mascotas, tan sólo en 2016-17 —ya con la formalización de UMA's y PIMVS en la LGVS— se tenían registros de 117 unidades de manejo para la conservación de la vida silvestre (UMA) intensivas y predios o instalaciones con manejo de vida silvestre de forma confinada (PIMVS) que cuentan con la inclusión de por lo menos un jaguar en sus listas de aprovechamiento[296], donde incluso el Heroico Colegio Militar, perteneciente a la Secretaría de la Defensa Nacional, tiene registrados a estos felinos dentro de su inventario de aprovechamiento[297].

El crecimiento de la explotación mercantil pseudolegal del jaguar en México es significativo, tan sólo en 2012 en 19 UMA's y PIMVS registradas ante la SEMARNAT, mencionaron que contaban dentro de su inventario de plan de manejo a por lo menos un ejemplar de jaguar, para junio de 2016 existían 118 UMA's y PIMVS con registros de jaguar[298], un crecimiento exponencial de estos espacios en tan solo 4 años, esta cifra se mantiene en promedio en el 2022 al registrarse 114 UMA's y PIMVS con jaguares en su inventario de aprovechamiento, donde incluso empresas enfocadas en ámbitos deportivos como el Centro Interactivo Mundo Futbol S.A. de C.V. tienen su registro

---

296 En 2011, uno de los organismos ambientales registrados ante la autoridad ambiental que explotan animales silvestres es la empresa denominada Circo Barley, esta empresa tenía en su posesión 11 ejemplares de jaguar para su espectáculo. Vid. MORALES, D. & MORALES, J. Justicia y vida silvestre: dos estudios de caso sobre ilícitos ambientales del orden federal asociados al jaguar en México, en dA. Derecho Animal (Forum of Animal Law Studies) 9/3 (2018) 96.

297 Vid. INFOMEX. Número de folio 0001600182416.

298 *Ibídem.*

como UMA con aprovechamiento de jaguar[299], en estos espacios mercantiles ambientales se permite el comercio de jaguares, durante su funcionamiento se han autorizado 530 permisos para el aprovechamiento de 1,115 ejemplares de jaguar con fines comerciales, sólo una se otorgó con objeto de exhibición y una de conservación[300]. A esta lista se debe de aumentar la cifra negra de ejemplares que no se informan ante la autoridad ambiental pero que se encuentran en el comercio ilegal de felinos. Las UMAs y PIMVS que se encuentran en el sureste del país han impactado negativamente en la conservación de la vida silvestre y en el desarrollo rural en las comunidades empobrecidas donde han sido implementadas[301], desde el punto de vista de la conservación de la vida silvestre, los resultados de su operación son poco convincentes[302], por lo que asociado al jaguar no se han realizado actividades contundentes de conservación, simplemente el felino es utilizado como un medio para obtener ingresos económicos a través de su aprovechamiento. El aprovechamiento y explotación mercantil de ejemplares de jaguar en México es una realidad, las figuras ambientales para el manejo y uso de la biodiversidad tienen una baja efectividad lo que propicia una nula protección de esta especie bajo confinamiento al no existir mecanismos para su conservación, la veda del jaguar no ha tenido un impacto significativo debido a que la propia autoridad ambiental promueve este tipo de actividades al no cumplir con la legislación ambiental.

---

299 Vid. PLATAFORMA NACIONAL DE TRANSPARENCIA. Número de folio 330026723000042. 2023.

300 Vid. SOSA-ESCALANTE, J., MASÉS-GARCÍA, C., MARTÍNEZ-MEYER, E., GONZÁLEZ-MORENO, J., GONZÁLEZ-SAUCEDO, Z., CAO, R., GONZÁLEZ-BERNAL, A., BAUTISTA-GONZÁLEZ, J., CRUCES-CASELLAS, A., PECH-CANCHÉ, J., HERNÁNDEZ, A., ROSAS-ROSAS, O., NÚÑEZ-PÉREZ, R., HIDALGO-MIHART, M., LÓPEZ-GONZÁLEZ, C., CONTRERAS, F., CRUZ-ROMO, J. Comercio ilegal del jaguar en México (México 2024) 35.

301 Vid. WEBER, M., GARCIA G., REYNA, R. The Tragedy of commons: wildlife management Units in Southwestern Mexico. En Wildlife Society Bulletin 34 (2006) 1480-1488.

302 GALLINA, S., HERNÁNDEZ A., DELFÍN C., GONZÁLEZ A. Unidades para la conservación, manejo y aprovechamiento sustentable de la vida silvestre en México (UMA). Retos para su correcto funcionamiento, en Investigación ambiental Ciencia y política pública 1 (2009).

7. POSITIVISMO AMBIENTAL DEL ESPECISMO

La comprensión de las relaciones de dominación en la que son sometidos los jaguares bajo el *imperuim* del especismo en México tiene como eje el bastión basado en la reducción del jaguar conforme la mediación instrumental capitalista imperante en el último cuarto del siglo XX conforme al paradigma de la sustentabilidad donde la esclavitud-asolación-aniquilación es encubierta por el uso-aprovechamiento sustentable del jaguar: la materialización del especismo de dominación en el campo político y el subcampo jurídico en México en su cuarto momento —ambiental— se positiviza como eje social en el siglo XXI con la consolidación de la Ley General de Vida silvestre (LGVS) y su reglamento, este ordenamiento jurídico tiene como objetivo establecer la concurrencia de todos los ordenes de gobierno para conservar y aprovechar sustentablemente la vida silvestre[303]. Bajo esta normatividad, el jaguar es considerado una especie prioritaria para la conservación[304] y cuenta con un Programa de Acción para la Conservación de la Especie, PACE: Jaguar[305]. Asimismo, es una especie en riesgo por estar considerada en peligro de extinción (P) conforme lo establecido en relación a la norma legislativa ambiental y la NOM-059-SEMARNAT-2010[306]. Como eje de funcionamiento social, esta ley estructura la política nacional en materia de vida sil-

---

303 Artículo 1o. LGVS.

304 Desde 1997 la Semarnap consideró al jaguar como una especie prioritaria para la conservación, termino que mantiene vigente la LGVS, Vid. SEMARNAP. (Secretaría del Medio Ambiente Recursos Naturales y Pesca). Programa de conservación de la vida silvestre y la diversificación Productiva en el sector Rural. 1997-2000 (México 1997).

305 CONANP (Comisión Nacional de Áreas Naturales Protegidas). Programa de acción para la conservación de la especie: Jaguar (Panthera onca) (México 2009).

306 Modificación del Anexo Normativo III, Lista de especies en riesgo de la Norma Oficial Mexicana NOM-059-SEMARNAT-2010, Protección ambiental-Especies nativas de México de flora y fauna silvestres-Categorías de riesgo y especificaciones para su inclusión, exclusión o cambio-Lista de especies en riesgo. DOF: 14-11-2019. Disponible en: https://www.dof.gob.mx/nota_detalle.php?codigo=5578808&fecha=14/11/2019#gsc.tab=0 (última consulta, 1.10.2025).

vestre y su hábitat que tiene como objetivo la conservación de la vida silvestre mediante la dualidad de protección y el aprovechamiento sustentable en niveles óptimos[307].

En el marco sistematizado del especismo en los espacios políticos y jurídicos internos, el jaguar es un elemento de fauna silvestre mexicana considerado un bien inmueble; un recurso natural; capital natural, que, cuando se encuentre en vida libre los propietarios y legítimos poseedores —humanos— de los predios donde se distribuye pueden ejercer sus derechos de aprovechamiento sustentable sobre el jaguar-cosa; esta acción es el despliegue de la fuerza del especismo que somete a la voluntad del dominador al jaguar-cosa, este derecho puede ser transferido a terceros, conservando el derecho a participar de los beneficios que se deriven de dicho aprovechamiento. Diversos tratadistas en derecho ambiental han analizado la propiedad originaria —primaria o básica— de la fauna silvestre en México como un elemento natural, llegando a considerar que la naturaleza —incluyendo la fauna silvestre— no es un bien que pueda adscribirse a un régimen de propiedad específico, pues es de todos —*los humanos*— y, al mismo tiempo, nadie puede ostentar la propiedad, ni siquiera el Estado por no considerarse en forma específica un bien de la nación —la *res nullius* del derecho romano es el concepto que más se asemeja a las características de la naturaleza y de los elementos naturales que la componen—, sin embargo, en la Ley Federal de Caza de 1952 —actualmente abrogada por la LGVS— se consideraba en su artículo 3o. que todas las especies de animales silvestres que subsisten libremente en el territorio nacional son propiedad de la Nación[308]. Estas "cosas de nadie"[309] o propiedades de la nación en realidad si son de alguien: los jaguares al igual que cualquier ser de fauna silvestre son de sí mismos, sin embargo, la ceguera especista del derecho am-

---

[307] Artículo 5o. LGVS.

[308] Artículo 3o. Ley Federal de Caza. DOF: 05-01-1952.

[309] Sobre la consideración de la fauna silvestre en México como un elemento de la biodiversidad asociada a ser una cosa de nadie —*res nullius*— Vid. GONZÁLEZ, J. Tratado de derecho ambiental mexicano. Propiedad, aprovechamiento sustentable y protección de los recursos naturales (México 2017) 169-179; JUÁREZ, C., RABASA, A. Manual sobre adjudicación de derechos fundamentales y medio ambiente (México 2022) 181.

biental en la lógica racional-instrumental impide reconocer que los animales son alguien y no algo; al despojarles su vida o libertad se las arrebatan fundamentalmente a ellos. Considerar a estos seres como bienes de la Nación, de propiedad privada o *res nullius* susceptible de apropiación en el acto opresor es el reflejo del sistema especista político-jurídico de dominación especista que los reduce a su utilidad de mediación como bienes del soberano. En la lógica del derecho especista ambiental de la Ley General de Vida silvestre, los jaguares que no han nacido en vida libre sino en condiciones controladas por los humanos, estos seres pasan a ser bienes inmuebles propiedad de las personas que ostentan la dominación a través de la regulación y normatividad principalmente la legislación civil y ambiental. Dentro de los mecanismos e instituciones regulatorias del derecho interno para ejercer el aprovechamiento sustentable del jaguar-cosa, el acto de dominio se realiza a través de: 1) Unidades de Manejo para la Conservación de Vida Silvestre (UMAS), estos espacios tienen como objetivo general la conservación de hábitat natural, poblaciones y ejemplares de especies silvestres, pueden tener objetivos específicos de restauración, protección, mantenimiento, recuperación, reproducción, repoblación, reintroducción, investigación, rescate, resguardo, rehabilitación, exhibición, recreación, educación ambiental y aprovechamiento sustentable[310], 2) los Predios o Instalaciones que Manejan Vida Silvestre en Forma Confinada, Fuera de su Hábitat Natural (PIMVS), comprenden todos los criaderos intensivos, viveros, jardines botánicos o similares que manejen vida silvestre de manera confinada con propósitos de reproducción controlada de especies o poblaciones para su aprovechamiento con fines comerciales[311]. Dentro de las actividades de sustentabilidad que se realizan en estas dos instituciones privadas ambientales, se clasifican en extensivas e intensivas; las extensivas o de vida libre las especies están sujetas a un control-manejo semilibre en el predio, en las UMA's intensivas el manejo se efectúa bajo condiciones controladas y el mantenimiento de los ejemplares lo realizan técnicos en instalaciones regularmente

---

310 Artículo 39 LGVS.

311 Artículo 2 frac. XV Bis. Reglamento de la Ley General de Vida Silvestre (RLGVS). DOF: 30-11-2006. Disponible en: https://www.diputados.gob.mx/LeyesBiblio/regley/Reg_LGVS.pdf (última consulta, 1.10.2025).

cerradas con un control cercano de los ejemplares existentes[312], 3) el confinamiento de ejemplares silvestres como mascotas o animales de compañía[313], 4) aprovechamiento para fines de subsistencia, donde las personas de las localidades pueden aprovechar los ejemplares de vida silvestre, partes y derivados para su consumo directo, o para su venta en cantidades que sean proporcionales a la satisfacción de las necesidades básicas de éstas y de sus dependientes económicos, estas necesidades básicas incluyen las necesidades culturales para ceremonias y ritos tradicionales por parte de integrantes de comunidades rurales, el cual se podrá realizar dentro de sus predios o con el consentimiento de sus propietarios o legítimos poseedores, siempre que no se afecte la viabilidad de las poblaciones y las técnicas y medios de aprovechamiento sean las utilizadas tradicionalmente[314] y la 5) colecta científica y con propósitos de enseñanza[315]. Dentro de las bases análogas que mantienen estas figuras —principalmente de la 1 a la 4— para la esclavitud-asolación-aniquilación del jaguar el elemento que está presente es el beneficio asimétrico entre la víctima y el victimario.

Si el aprovechamiento sustentable del jaguar implica la extracción del ejemplar de vida libre mediante colecta, captura o caza[316], la ley determina que podrá realizarse solamente en condiciones de sustentabilidad, considerando como sustentable que tengan la autorización previa de la Secretaría de Medio Ambiente y Recursos Naturales (Semarnat) donde se establezca la tasa de aprovechamiento y su temporalidad. La finalidad de la colecta, captura o caza tiene que tener fines de reproducción restauración, recuperación, repoblación, reintroducción, traslocación, económicos o educación ambiental, la solicitud para la autorización del aprovechamiento extractivo del jaguar debe incluir y demostrar: a) que las tasas solicitadas son menores a la de renovación natural de las poblaciones sujetas a aprovechamiento, en el caso de ejemplares de especies silvestres en vida libre; b) que son producto de reproducción controlada, en el caso de ejemplares

---

312 Artículo 3o. frac. XXIX. LGVS y artículos 24, 25 y 103 del RLGVS.

313 Artículo 27. LGVS.

314 Artículo 92. LGVS.

315 Artículo 97. LGVS.

316 Artículo 3o. Frac. I LGVS.

de la vida silvestre en confinamiento; c) que éste no tendrá efectos negativos sobre las poblaciones y no modificará el ciclo de vida del ejemplar, en el caso de aprovechamiento de partes de ejemplares; y d) que éste no tendrá efectos negativos sobre las poblaciones, ni existirá manipulación que dañe permanentemente al ejemplar, en el caso de derivados de ejemplares. La autorización para el aprovechamiento de ejemplares, incluirá el aprovechamiento de sus partes y derivados[317]. Dentro de la regulación para tener el aprovechamiento del jaguar, que no sea colecta y captura para actividades de restauración, repoblamiento, reintroducción o investigación científica, al ser una especie en riesgo considerada en peligro de extinción, su autorización estará sujeta a que se demuestre que se ha cumplido satisfactoriamente cualesquiera de las cuatro actividades mencionadas anteriormente y que: a) Los ejemplares sean producto de la reproducción controlada, que a su vez contribuya con el desarrollo de poblaciones en programas, proyectos o acciones avalados por la Secretaría cuando éstos existan, en el caso de ejemplares en confinamiento; b) Contribuya con el desarrollo de poblaciones mediante reproducción controlada, en el caso de ejemplares de especies silvestres en vida libre[318]. Las autorizaciones para realizar el aprovechamiento tienen que estar relacionados con el plan de manejo aprobado que tenga entre otros elementos los estudios de poblaciones o muestreos, para el aprovechamiento de ejemplares de especies silvestres en riesgo se deberá contar con: a) criterios, medidas y acciones para la reproducción controlada y el desarrollo de dicha población en su hábitat natural incluidos en el plan de manejo; b) Medidas y acciones específicas para contrarrestar los factores que han llevado ha disminuir sus poblaciones o deteriorar sus hábitats; c) un estudio de la población que contenga estimaciones rigurosas de las tasas de natalidad y mortalidad y un muestreo. En el caso de poblaciones en peligro de extinción o amenazadas, tanto el estudio como el plan de manejo, deberán estar avalados por una persona física o moral especializada y reconocida, de conformidad con lo establecido en el reglamento. Tratándose de poblaciones en peligro de extinción, el plan de manejo y el estudio deberán realizarse, además, de confor-

---

317 Artículos 82-84. LGVS.

318 Artículo 85. LGVS.

midad con los términos de referencia desarrollados por el Consejo Técnico Consultivo Nacional para la Conservación y Aprovechamiento Sustentable de la Vida Silvestre [319]. Dentro de las limitantes a la regulación del uso-explotación de los jaguares, no se otorgarán autorizaciones asociadas al aprovechamiento extractivo es que se tengan consecuencias negativas sobre las poblaciones, el desarrollo de los eventos biológicos, las demás especies que ahí se distribuyan y los hábitats, y se dejarán sin efectos las que se hubieren otorgado, cuando se generaran tales consecuencias[320]. Otro mecanismo para obtener beneficios de la vida silvestre se da a partir del aprovechamiento no extractivo como aquellas actividades antrópicas que no implican la remoción de ejemplares, sus partes o derivados, y que, de no ser adecuadamente reguladas, pudieran causar impactos significativos sobre eventos biológicos, poblaciones o hábitat de las especies silvestres[321].

Un elemento central en la regulación normativa de la mediación instrumental del jaguar en el sistema interno mexicano es sobre la legalidad o ilegalidad de las conductas de aprovechamiento del jaguar, estas encuentran su sustento formal en la LGVS cuya autorización o registros están relacionados intrínsecamente con la legal procedencia del jaguar transformado en cosa sentido, producto, recurso, capital natural o mercancía, esta legal procedencia se demostrará con la marca que muestre que han sido objeto de un aprovechamiento sustentable y la tasa de aprovechamiento autorizada, o la nota de remisión o factura correspondiente[322]. Para acreditar la legal procedencia de un aprovechamiento de jaguar basta contar con una nota de remisión, esta aberración jurídica es incompatible con la conservación del jaguar, asimismo, refleja el laxo sistema de justicia ambiental en México[323].

---

319 Artículo 87. LGVS.

320 Artículo 88. LGVS.

321 Artículo 3°o. frac. II y artículo 99. LGVS.

322 Artículo 50 y 51. LGVS.

323 MORALES, D., MORALES, J. Justicia y vida silvestre: dos estudios de caso sobre ilícitos ambientales del orden federal asociados al jaguar en México, en dA. Derecho Animal (Forum of Animal Law Studies) 9/3 (2018) 92-107.

Dentro de la LGVS en el marco de la dominación existen elementos asociados a la progresión y el fortalecimiento del movimiento contrahegemónico de los derechos de los animales en sus vertientes abolicionistas y bienestaristas, esta normatividad considera como uno de los elementos antagónicos a la sustentabilidad los actos de crueldad y maltrato animal, tratando de evitar en lo máximo posible las afectaciones a los animales, las medidas asociadas al trato digno y respetuoso tienen como finalidad evitar o disminuir —no eliminar— la tensión, sufrimiento, traumatismo y dolor que se pudiera ocasionar a los ejemplares de fauna silvestre durante su aprovechamiento, traslado, exhibición, cuarentena, entrenamiento, comercialización y sacrificio[324]. La adecuación del bienestar animal en leyes especistas de dominación son una inclusión forzada y resultado de la resistencia del poder especista, asimismo, pese a que el sistema se enfoca en la reducción cosificadora del jaguar en un aprovechamiento tomando como eje el lucro y beneficio económico al servicio del capital en una posición privilegiada ante la sociedad y el medio ambiente —*primus inter pares*—, en la práctica existen grupos y espacios donde el jaguar es el elemento central y no el capital, un grupo reducido de organizaciones y personas están trabajando por su conservación desde su otredad sin reducirlo o cosificarlo para beneficios personales.

Dentro del sistema jurídico en materia de uso-aprovechamiento la vida silvestre en México, uno de los elementos que se mantiene desde comienzos del siglo XX hasta la normatividad vigente es la figura jurídica de las vedas, estas son consideradas como limitaciones gubernamentales del aprovechamiento de poblaciones de vida silvestre, esta medida es una última razón; únicamente puede ser ejercida cuando a través de otras medidas no se pueda lograr la conservación o recuperación de las poblaciones, la autoridad debe agotar los mecanismos de aprovechamiento sustentable que establece la ley[325], en este sentido, la veda del jaguar se mantiene vigente conforme al ordenamiento normativo.

La normatividad interna vigente consagrada principalmente en la LGVS reduce al jaguar a su importancia económico-ambiental de

---

[324] Artículo 3o. frac. XLVII y 29-37. LGVS.

[325] Artículo 71. LGVS. Artículos 76 y 77 RLGVS

mediación instrumental para los fines del capital, esta ley permite y fomenta el especismo de dominación a través de la regulación la esclavitud-asolación-aniquilación de los jaguares, considerándose y teniendo importancia conforme a su origen; si los ejemplares son de vida libre o de cautiverio, para los jaguares que son de vida libre la ley determina un mayor ámbito de regulación que los jaguares que han nacido en cautiverio, quienes están sometidos a una regulación más laxa. En México, la legislación vigente permite y regula el aprovechamiento del jaguar en instituciones privadas que utilizan-explotan jaguares tanto de vida libre como de especies esclavizadas y reproducidas en cautiverio. La legislación regula el aprovechamiento de los jaguares silvestres para realizar con ellos la mediación autorizada por el marco legal, incluso se puede realizar un aprovechamiento cinegético una vez cumplidos los requisitos de la LGVS y su reglamento; la ley no lo prohíbe, lo regula. El caso más emblemático del aprovechamiento extractivo cinegético consistente en asesinar a través de la cacería de trofeo o deportiva a ejemplares de vida libre que se encuentran en una categoría de riesgo es el del borrego cimarrón, que en México, se encuentra enlistado en la NOM-059-SEMARNAT-2010 como una especie sujeta a protección especial (Pr) no endémica, al igual que el jaguar es una especie prioritaria y altamente apreciada como trofeo de caza: un ejemplar de cimarrón puede alcanzar un valor de mercado del orden de los $65,000 dólares o más, por lo que su conservación-aprovechamiento es un atractivo esquema de negocio[326], debido a su valor mercantil en las sociedades especistas de consumo se ha instaurado su manejo en cautiverio-esclavitud bajo esquemas de unidades de manejo y aprovechamiento intensivo (UMA), donde se han construido criaderos con fines reproductivos, en 1999 existían 26 UMA's de la especie en Sonora con más de 2000 ejemplares producidos en encierros, en Chihuahua 3 UMA's con una población estimada de 400 ejemplares y en Nuevo León una UMA intensiva con más de 10 individuos[327], en la actualidad existen au-

---

326 CARABIAS, J., SARUKHÁN, J., DE LA MAZA, J., GALINDO, C. (Coords.). Patrimonio Natural de México. Cien casos de éxito (México 2010) 76-77.

327 SANDOVAL, A., VALDEZ, R., ESPINOSA, A. El borrego cimarrón en México, en VALDEZ, R., ORTEGA, A. (Eds.). Ecología y Manejo de Fauna Silvestre en México (México 2014) 489-518.

torizaciones de aprovechamiento extractivo del borrego cimarrón, tanto en las UMA como en encierros o confinamientos en Baja California Sur, Sonora, Coahuila, Nuevo León y Chihuahua, tal es la importancia económica de esta especie que en la actualidad existen 113 UMA's registradas en los 5 estados antes referidos con manejo, conservación y aprovechamiento sustentable de esta especie, el crecimiento poblacional a través del asesinato de borregos cimarrones constituye un caso de éxito para la conservación del patrimonio natural de México[328] y refleja las posibilidades amplias que el sistema normativo mexicano regula y promueve para aumentar poblacionalmente a las especies en riesgo con negocios sustentables a costa de la miseria de ellos. La propia autoridad ambiental federal: la Semarnat, ha señalado que en México la comercialización de jaguares no tiene restricción alguna[329] —a diferencia de los pericos mexicanos, mamíferos marinos o primates[330]—, bajo este panorama fútil de la esclavitud-asolación-aniquilación del jaguar se ha potenciado el mercantilismo de este felino como un medio para el enriquecimiento económico y tiene una gama amplia de posibilidades en el sistema normativo interno para continuar con su esclavitud-asolación-aniquilación como el caso del borrego cimarrón, en esta ideología especista de la conservación se considera importante que la conservación de esta especie inicie con programas que contemplen la implementación del uso-explotación que les sirvan a las comunidades rurales que coexisten con esta especie para generar negocios como su caza deportiva; la caza sustentable ofrece incentivos económicos importantes, este aprovechamiento de recursos de animales silvestres tiene un papel potencialmente importante que desempeñar en el éxito del desarrollo futuro y conservación de la diversidad biológica[331].

---

328 CARABIAS, J., SARUKHÁN, J., DE LA MAZA, J., GALINDO, C. (Coords.). Patrimonio Natural de México..., *Op. Cit.* 76-77.

329 OFICIO NÚM. UCPAST/EU/12/595. Secretaría de Medio Ambiente y Recursos Naturales. Semarnat. 2012.

330 Artículos 60 Bis, 60 Bis 1 y 60 bis 2. LGVS.

331 ROBINSON, J., REDFORD, K., RABINOVICH, J. Uso y Conservación de la Vida Silvestre Neotropical (México 1997).

8. PROHIBICIONISMO Y REGULACIÓN SUSTENTABLE

La inclinación social, económica y política del especismo sustentable constituye la miseria del jaguar en el siglo XXI. El fetichismo de la dominación del jaguar encubre la miseria y opresión en un despliegue de poder que normaliza, invisibiliza y trasforma económica y simbólicamente al jaguar en cosa, cosa-sentido, producto, capital natural o mercancía en relación del paradigma especista de la sustentabilidad. El sistema-totalización ha organizado dentro del dinamismo especista de poder en la superestructura; en el subcampo jurídico, diversos momentos de dominación, en la actualidad se ha estructurado conforme los parámetros del desarrollo sustentable de dominación, por lo que se ha adecuado el sistema-jurídico en un giro del prohibicionismo (1987) a la regulación-aprovechamiento sustentable del jaguar (2000). La modificación al subcampo jurídico es una manifestación de la hegemonía especista en su *statu quo* perpetuo que confirma su movimiento cíclico —eterno retorno de la dominación especista del jaguar—, sin embargo, estas modificaciones se debieron realizar con un soporte primario científico-ecológico y en apego a los criterios políticos-jurídicos de fondo y forma que se establecen en el marco normativo interno. La omisión de las pautas establecidas en el sistema jurídico refleja la fuerza hegemónica de la dominación especista del jaguar y la invisibilidad de su miseria en la cotidianidad de las sociedades de consumo.

El aprovechamiento-explotación del jaguar se transformó en una herramienta del desarrollo sustentable donde se incluye la conservación del capital natural, armonizándose al interés común y bien público conforme el marco normativo en el año 2000, este revestimiento colectivo de mediación instrumental especista se potencia con incentivos económicos anuales del gobierno federal mexicano para la creación de instituciones privadas para asolar-esclavizar a este felino y obtener beneficios económicos sustentables-verdes conforme los lineamientos de la legislación mexicana, en específico la LGVS[332].

---

332 SEMARNAT (Secretaría de Medio Ambiente y Recursos Naturales). Lineamientos para otorgar subsidios de conservación y aprovechamiento sus-

Con la entrada en vigor de este instrumento y la práctica de gestión ambiental, la veda tuvo una degradación e invisibilidad en entornos políticos, asimismo, esta norma ambiental creo instituciones ambientales disociadas de las señaladas en la veda indefinida del jaguar, lo que causó una afectación en la validez *ipso facto* el debilitamiento de la veda y un desfase en la funcionabilidad de la veda indefinida de manera parcial ya que contiene una cláusula abierta de aplicabilidad de sanción, dando paso a la regulación del uso-aprovechamiento-explotación del jaguar. Desde una dimensión jurídica se creó un vacío legal que afecta gravemente derechos humanos ambientales, sociales y culturales[333], así como derechos de los jaguares y principios conforme a legislaciones locales[334], formando un conflicto complejo que en la actualidad se inclina a favor del especismo capitalista.

9. VEDA

En México, la estructuración de vedas temporales y definitivas han sido mecanismos ambientales para regular el uso-explotación de los animales en tanto recursos renovables naturales para el consumo de mediación instrumental especista desde inicios del siglo XX, este mecanismo jurídico tiene una relación intrínseca con el principio de prevención en materia ambiental —principio toral del derecho ambiental—. Las normas jurídicas ambientales están diseñadas desde el racionalismo instrumental especista del capital que reduce a la naturaleza a su valor de mediación a fin de perpetuar sosteniblemente los beneficios del capital natural, estas normas que regulan el impacto humano en la naturaleza, encaminándose a la construcción de una normatividad basada en obtener un beneficio-aprovechamiento de

---

tentable de la vida silvestre nativa en UMA y PIMVS. 2022. Disponible en: https://www.gob.mx/cms/uploads/attachment/file/720037/Lineamientos_Fomento_2022.pdf (última consulta, 1.10.2025).

333 MORALES, D., MORALES, J. Patrimonio Cultural y Biodiversidad; el caso del jaguar mexicano, en Boletín Mexicano de Derecho Comparado 153 (2018) 973-999.

334 MORALES, D. Tipificación del maltrato animal en el Estado de Hidalgo, México, en dA. Derecho Animal (Forum of Animal Law Studies) 7 (2016).

la naturaleza sin que exista el daño ambiental o, que se controle el daño —acto que conforma la regla— debido a que cuando éstos se generan son de muy difícil, costosa, e inclusive de imposible reparación *in natura*, que consiste en que el ambiente retorne a un estado admisible tras la generación del daño. El enfoque preventivo del derecho ambiental consiste en que las normas jurídicas establezcan disposiciones tendientes a que el daño ambiental no se cause o que este sea del menor impacto posible —pudiendo existir el daño a los animales como individuos sin que exista un daño ambiental como se considera que sucede erróneamente con la instauración de criaderos de animales silvestres esclavizados—, mediante el establecimiento de medidas específicas para la ejecución de actividades materiales. En el caso del jaguar bajo este razonamiento ambientalista-reduccionista, al criar a los jaguares en cautiverio, tras su "cosecha" y obtener de ellos un beneficio económico lucrativo, se considera que no se afecta ni genera un daño al ambiente ya que son criados artificialmente para sostener la demanda de las sociedades de consumo, sin embargo, este reduccionismo es erróneo e inclusive tiene afectaciones a la fauna silvestre como ha quedado plasmado con las estrategias de conservación perniciosa del tigre alrededor del mundo donde se han impulsado la creación de granjas de tigres para sustituir a los tigres en vida libre y así satisfacer a las sociedades de consumo, sin embargo, la reducción del problema complejo a la cría de tigres de manera artificial para satisfacer el mercado no considera la gama amplia de factores y variables, por lo que en la realidad es más probable que la cría de tigres en granjas aumente la demanda de productos de tigre y estimule mayores niveles de cacería furtiva[335]. Bajo el paradigma de la sustentabilidad especista, la LGVS dispone que la autoridad ambiental, en la formulación y conducción de la política nacional en materia de vida silvestre, debe prever las medidas preventivas para el mantenimiento de las condiciones que propician la evolución, viabilidad y continuidad de los ecosistemas, hábitats y poblaciones en sus entornos naturales. Asimismo, se establece que la institución jurídica de las vedas asociadas al aprovechamiento-explotación de la vida silvestre es una medida preventiva y complementaria a otras

---

[335] KIRKPATRICK, R., EMERTON, L. Killing Tigers to Save Them: Fallacies of the Farming Argument, in Conservation Biology (2010) 655–659.

medidas, con la finalidad de evaluar los daños ocasionados, permitir la recuperación de las poblaciones y evitar daños a los derechos humanos[336]. Las vedas en el sistema jurídico mexicano actual son limitaciones al aprovechamiento de poblaciones de la vida silvestre, en correlación con lo establecido en la Ley General del Equilibrio Ecológico y Protección al Ambiente (LGEEPA), se delimita a la Semarnat para establecer las vedas de flora y fauna silvestre con base en estudios. La finalidad de la veda es preservar, repoblar, propagar, distribuir, aclimatar o refugiar a especímenes principalmente de las especies endémicas, amenazadas, en peligro de extinción o sujetas a protección especial, los instrumentos jurídicos mediante los cuales se establezcan vedas, deben precisar su naturaleza y temporalidad, los límites de las áreas o zonas vedadas y las especies de la flora o la fauna comprendidas en ellas, de conformidad con las disposiciones legales que resulten aplicables. Dichos instrumentos deberán publicarse en el órgano oficial de difusión de la entidad federativa o entidades federativas donde se ubique el área vedada[337], como última razón esta medida requiere un acto de definitividad al tener que haber agotado otras medidas donde no se pueda lograr la conservación o recuperación de las poblaciones[338].

En sentido estricto, la veda del jaguar de 1987 estaba armonizada con el andamiaje jurídico conforme la teoría del acto administrativo imperante en su momento de creación, dando un soporte sólido a esta institución al erigirse con elementos esenciales de existencia y validez; cumpliéndose las formalidades y requerimientos legales existentes en estricto apego al marco normativo. La ley crea las situaciones jurídicas abstractas, que sólo devienen concretas cuando se realiza el acto o el hecho previsto en la misma ley y que hace nacer a favor o a cargo de una persona determinada los derechos u obligaciones inherentes al funcionamiento de la institución[339]. La normatividad ambiental, al reglamentar la institución de la veda del jaguar,

---

336 GARCÍA, T. Derecho Ambiental Mexicano. Introducción y principios (Barcelona 2013) 153-170.

337 Artículo 81. LGEEPA.

338 Artículo 71. LGVS.

339 ORTIZ-URQUIDI, R. Los conflictos de leyes en el tiempo a la luz de la doctrina, de la legislación y de la jurisprudencia. Ensayo de revisión a su

creo la situación jurídica abstracta respectiva, que sólo se convierte en concreta cuando las personas realizan actos de cacería, captura, transporte, posesión y comercio de la especie; al momento de realizar los actos prohibidos *ipso facto* actos jurídicos, se genera el vínculo intrínseco del accionante con la responsabilidad jurídica.

Al posicionarse sincrónicamente con la publicación de la LGVS, el soporte jurídico e institucional se desfasó, creando errores *a posteriori* que afectan doctrinalmente su validez principalmente en su arista asociada a la formalidad, teniendo un mal funcionamiento institucional. De manera proporcional los errores *a posteriori* se relacionan con afectaciones parciales asociadas principalmente a la certeza y seguridad jurídica debido principalmente a que las instituciones ambientales administrativas; la Secretaría de Desarrollo Urbano y Ecología como la Dirección General de Conservación Ecológica de los Recursos Naturales dejaron de existir por modificaciones a la administración pública federal y las leyes que soportaban formalmente esta institución en su generalidad fueron abrogadas con la entrada en vigor de la LGVS: tanto la Ley Federal de Caza (LFC) como el Reglamento Interior de la Secretaría de Desarrollo Urbano y Ecología (RISDUE) fueron abrogados, quedando vigente únicamente la Ley Orgánica de la Administración Pública Federal, sin embargo, la veda contiene una cláusula abierta de aplicabilidad de sanción por lo que su desfase en atención a las autoridades sancionadoras solo es parcial y se permite la adecuación de diversas disposiciones legales aplicables bajo un enfoque *pro natura*. La abrogación específica de la LFC tiene su sustento material en el transitorio segundo de la LGVS, donde se establece además complementariamente que se derogaba cualquier otra disposición que se opusiera a esta ley, en este sentido, la veda indefinida de 1987 no se opone a la LGVS, sino que esta es un instrumento que busca la conservación y protección del jaguar por tener una especial importancia en México y estar en peligro de extinción.

Dentro del ámbito temporal de validez de la veda del jaguar como momento inicial se establece en su transitorio único que entra

---

teoría general y a su solución legislativa, en *Revista de la Facultad de Derecho de México* (1975) 851-880.

en vigor el 27 de abril de 1987, al momento de delimitar su vigencia, esta en su contenido se señaló indefinida, prolongándose en el tiempo hasta la creación de un nuevo acto administrativo específico en la materia, la LGVS no es un acto en sí que comprenda la limitación temporal de la veda, en sí es un complemento legal aplicable. Como mecanismo para evitar un conflicto de normatividad en el tiempo, dentro del transitorio séptimo de la LGVS se estableció la obligación al Ejecutivo Federal con previo dictamen del Consejo Técnico Consultivo Nacional para la Conservación y Aprovechamiento Sustentable de la Vida Silvestre (CONAVIS) para revisar los decretos y acuerdos de vedas y de restricciones al comercio internacional, así como cualquier otro acto suyo que sea contrario a disposiciones de la LGVS, y proceder a su adecuación mediante la expedición de un nuevo decreto o en su caso, a la abrogación de los mismos, el Consejo es un órgano técnico de carácter consultivo de apoyo para la Semarnat, asimismo es un mecanismo de participación ciudadana que tiene por objeto propiciar y fomentar la participación equilibrada de la sociedad en la conservación, protección y aprovechamiento sustentable de la vida silvestre[340]. La Semarnat tenía un plazo máximo de noventa días al entrar en vigor la LGVS para constituir al CONAVIS, sin embargo, tuvieron que pasar nueve años para que la autoridad ambiental cumpliera con su obligación; el 19 de marzo del 2009 se realizó la convocatoria para integrar el Consejo en el periodo 2009-2013, dentro de las actividades el Consejo solamente operó una etapa entre el 2009 y el 2015, donde realizaron únicamente 9 sesiones ordinarias y 2 extraordinarias, así como 4 talleres, un foro, una presentación y una reunión. Dentro de los organismos que integraban este Consejo se conformaba del sector público con el Titular de la Semarnat, el Director General de Vida Silvestre de la Semarnat y un representante de la Secretaría de Agricultura, Desarrollo Rural, Pesca y Alimentación, del sector privado/ sociedad civil a un representante de los organismos de carácter social y privado, y del sector de la sociedad civil a un representante de las ONG's, un representante de instituciones académicas y centros de investigación y cuatro personas físicas con conocimiento probado en la materia. Prácticamente el Consejo se conformó de la Se-

---

[340] Vid. Art. 16 LGVS, art. 5 RLGVS.

marnat, Sagarpa, organizaciones civiles WWF-México, Endesu, por académicos principalmente de la Unam y uno del CITRO-UV y del sector productivo-empresarial. La participación de este organismo tuvo una baja incidencia y poca efectividad en la conservación de la vida silvestre, si bien la participación de la sociedad civil es fundamental y un derecho humano en temas ambientales consagrado en instrumentos nacionales e internacionales[341], los modelos de gobernanza ambiental, como aquellas interacciones entre estructuras, procesos y tradiciones que determinan cómo se ejerce el poder y las responsabilidades, cómo se toman las decisiones y cómo intervienen los ciudadanos u otros actores, incluye los mecanismos, procesos e instituciones mediante los cuales los ciudadanos expresan sus intereses, ejercen sus derechos, satisfacen sus obligaciones y resuelven sus diferencias[342] en temas ambientales-conservacionistas la participación social en México es un fracaso a nivel nacional y una violación grave a derechos humanos ambientales enfocados a la participación social, derechos a la información y justicia ambiental.

El modelo aplicado en la CONAVIS fue deficiente y con una baja incidencia en la conservación de la vida silvestre, durante 7 años de funcionamiento nunca analizaron la reestructuración de la veda del jaguar pese a ser una especie prioritaria para la conservación en México. A fin de establecer mecanismos para el fortalecimiento del CONAVIS, el 17 de marzo de 2009 se publicó en el DOF el Acuerdo por el que se crea y define la estructura, organización y funcionamiento del Consejo Técnico Consultivo Nacional para la Conservación y Aprovechamiento Sustentable de la Vida Silvestre, sin embargo, a 14 años de creación del Acuerdo, este no se ha instaurado, propiciando violaciones a los derechos humanos de participación en temas ambientales, gobernanza y buen gobierno, por ende, el jaguar en México sigue con un instrumento jurídico de protección desfasado.

---

341 Vid. Art. 16 LGVS y Principio 10 y 11 de la Declaración de Río sobre Medio Ambiente y el Desarrollo (1992) Disponible en: https://www.un.org/spanish/esa/sustdev/agenda21/riodeclaration.htm (última consulta, 1.10.2025).

342 Vid. IZA, A., ROVERE, M. (Eds.). Gobernanza del agua en América del Sur: dimensión ambiental (Reino Unido 2006).

Referente a la veda del jaguar, pese a la obligación establecida en los transitorios de la LGVS, a más de dos décadas la autoridad ambiental ha sido omisa en la reestructuración de la veda del jaguar, en este periodo la autoridad ambiental ha autorizado su aprovechamiento, incluso fomenta la práctica de gestión ambiental en materia de fauna silvestre asociada al comercio del jaguar por particulares y se permite; administrativamente por la Procuraduría Federal de Protección al Ambiente (Profepa) y penalmente por la Fiscalía General de la República (Fgr) cuando una de las funciones de estas instituciones es vigilar y evaluar el cumplimiento de las disposiciones jurídicas aplicables a la preservación y protección de la vida silvestre en sus respectivos niveles de competencia. La respuesta de la autoridad ambiental en estas dos décadas referente a la existencia y validez de la veda del jaguar es cambiante conforme a cada sexenio: en 2012 la Semarnat consideró que no existen limitantes para el aprovechamiento de jaguares en México; en 2023 la misma autoridad señala que los jaguares en cautiverio en UMA's y PIMVS y con particulares cuentan con facultades para la comercialización y venta de ejemplares, partes y derivados del jaguar. Sin embargo, al realizar la comercialización, en todo momento se deberá demostrar la legal procedencia de los ejemplares, partes y derivados, con el marcaje que permita su trazabilidad y demuestre que han sido objeto de un aprovechamiento sustentable, reproducción controlada para tal fin, la tasa de aprovechamiento autorizada, la nota de remisión o factura emitida conforme con las especificaciones del artículo 51 de la Ley General de Vida Silvestre (LGVS) y con los artículos 53 y 54 del Reglamento de la Ley General de Vida Silvestre (RLGVS). Asimismo, esta máxima autoridad ambiental menciona que el jaguar en 1987 se declaró veda indefinida del aprovechamiento en México, con lo que se prohibió su caza, captura, transporte, posesión, mediante el Acuerdo por el que declara veda indefinida del aprovechamiento de la especie jaguar (Panthera onca) en todo el territorio nacional, quedando en consecuencia estrictamente prohibida la caza, captura, transporte, posesión y comercio de dicha especie. La autoridad ambiental en este acto si reconoce la existencia y validez de la veda del jaguar, pero al mismo tiempo describe las actividades comerciales a los que están sujetos[343], para esta autoridad existe la veda y el aprovechamiento del jaguar en un mismo espacio-tiempo. El gobierno mexicano en más de dos décadas a impulsado la violación al estado de derecho al realizar actos jurídicos contrarios a la veda del jaguar, ha formalizado los actos de comercio de este felino entre particulares y los ha revestido de legalidad con la propiedad privada y la libertad civil consistente en el derecho de hacer lo que la ley no prohíbe como uno de los ejes del derecho, sin embargo, en estricto derecho el jaguar está protegido por una veda desde 1987 por lo que los actos de comercio, tráfico, posesión, transporte están prohibidos, sin importar si el individuo fue criado artificialmente en cautiverio o de vida libre.

El Estado a dejado impunes los abusos cometidos hacia los jaguares pese a estar sustentada su protección en un sistema de protección y justicia administrativo, penal, constitucional, civil e internacional[344], siendo en práctica el derecho ambiental civil y penal las vías más frecuentes al momento de accionar mecanismos jurídicos para su protección. La autoridad ambiental administrativa encabezada por la Semarnat y la Profepa en la práctica y ante autoridades federales del ámbito penal han señalado, en casos asociados a delitos contra el ambiente vinculado con jaguares[345], lo siguiente: "la extracción del medio natural del organismo —*jaguar*— está permitida y regulada a través de la autorización por parte de la Semarnat, que ha otorgado los permisos y autorizaciones correspondientes[346]"... Por su parte, el Director General de Vida Silvestre (DGVS) de la Semarnat informó que: "existen UMA's y PIMVS con la autorización de aprovechamiento extractivo de ejemplares, partes y derivados modalidad B, de ejemplares de jaguar", la modalidad B se refiere al aprovechamiento de ejemplares de especies en riesgo cuando se dé prioridad a la colecta

343 Respuesta otorgada por la Semarnat. Vid. UNIDAD COORDINADORA DE VINCULACIÓN SOCIAL, DERECHOS HUMANOS Y TRANSPARENCIA UNIDAD DE TRANSPARENCIA Oficio Núm. SEMARNAT/UCVSDHT/UT/0387/2023.

344 MORALES, D. & MORALES, J. Justicia y vida silvestre: dos estudios de caso sobre ilícitos ambientales del orden federal asociados al jaguar en México, en dA. Derecho Animal (Forum of Animal Law Studies) 9 (2018) 97-99.

345 Vid. Av. Previa: 29/UEIDAPLE/DA/10/2016.

346 *Ibídem* 424-440.

y captura de actividades de restauración, repoblación y reintroducción. El aprovechamiento extractivo es la utilización de ejemplares, partes o derivados de especies silvestres, mediante colecta, captura o caza[347]. En esta denuncia penal federal, el dictamen técnico en materia de fauna silvestre de personal de la Profepa como organismo coadyuvante manifestó: "aunque los documentos para acreditar la legal procedencia del ejemplar —jaguar— mediante nota de remisión por la PIMVS tuzoofari[348], no cumplen con los requisitos establecidos en la LGVS, se tenía por acreditada la legal procedencia del ejemplar...". Aunque las autoridades gubernamentales ambientales señalan en su discurso que el jaguar es una especie en veda desde 1987, en la práctica las autoridades ambientales permiten, autorizan y fomentan el aprovechamiento extractivo de jaguares en UMA's y PIMVS intensivas y extensivas. Las actuaciones gubernamentales ambientales asociadas al aprovechamiento del jaguar han sido contrarias a derecho, los mecanismos para conservar al jaguar a través de su mercantilización han tenido impactos negativos al aumentar el deseo en las sociedades de consumo de utilizar a los jaguares en la mediación instrumental, este mecanismo basado en la capitalización del jaguar para su conservación ha servido para el enriquecimiento de las personas en la cadena de producción-mercantilización, potenciando su cosificación y alejando aun más al jaguar de una alteridad; este remedio especista es igual que el mal que esclaviza-asola-aniquila al jaguar.

10. POLÍTICA Y CONSERVACIÓN ESPECISTA

En el paradigma de la sustentabilidad capitalista del siglo XXI, el jaguar enfrenta al especismo como una prolongación de la dominación del pasado con elementos sincrónicos que lo han posicionado en un punto de crisis histórica, uno de estos elementos es la fuer-

---

347 Vid. Oficio SGPA/DGVS/11597/2016.

348 Tuzoofari es un zoológico que realiza actividades empresariales de comercialización de fauna silvestre que supuestamente había vendido un jaguar a un particular con una nota de remisión en atención a la Av. Previa: 29/UEIDAPLE/DA/10/2016.

za generada por la economía técnico-científica que tiene la fuerza de destruir su mundo en un instante y a los ecosistemas, que son el fundamento material de la vida, incluso de la vida humana. Las estructuras de las sociedades humanas y el fundamento social de la economía sustentable capitalista están en un colapso y se encuentran en una contradicción insuperable, pese a la crisis, el sistema se redimensiona y adecua a las determinaciones históricas, modificándose en la actualidad conforme a los parámetros verdes ambientalistas que unen a los contrarios en un ensueño imaginario que envuelve y embellece la dominación del felino, esta adecuación verde y sustentable del especismo conjuga el proceso argumentativo y el lenguaje con palabras para encubrir la dominación y direccionar el proceso de pensamiento en un eterno retorno que termina donde empieza todo; una dominación especista. La unión de los contrarios en el racionalismo ambiental-capitalista conjuga la premisa de la liberación-supervivencia-conservación-protección-cuidado del jaguar con la premisa de esclavitud-asolación-aniquilación, afirmando el campo de dominación desde dimensiones sustentables-bienestaristas y conforma todo su contenido, perdiendo la fuerza de liberación y alienándose al sistema-totalización-mundo de lo que es, repeliendo cualquier alternativa que no esté dentro del campo de dominación. Esta unificación de los contrarios direccionada a la dominación del jaguar permite la acumulación de la riqueza a costa de la miseria del felino; el sistema-totalización-mundo los posiciona en una dialéctica de dominación capital-especista como una cosa susceptible de mediación conforme al racionalismo instrumental para los fines que dicta la sociedad de consumo: el neoliberalismo ambiental ha debilitado las resistencias de la cultura y de la naturaleza para subsumirlas dentro de la lógica del capital[349], la naturaleza —incluyendo al jaguar y a todos los animales— es cosificada para ser dominada; es transformada en recurso natural y materia del proceso económico donde los deberes jurídicos se basan en una relación de dominio con la naturaleza donde la conservación como un proceso dominación y los derechos de los animales como mecanismo de liberación se posicionan como elementos antagónicos. Las políticas públicas asociadas al jaguar como

---

349 LEFF, E. Saber ambiental: sustentabilidad, racionalidad, complejidad, poder (México 1998).

instrumentos del Estado generalmente se basan en una racionalidad especista, mecanicista, simplificadora, unidimensional, fraccionadora y colonialista que posicionan reductivamente a estos felinos como instrumentos de mediación, consolidando en el devenir especista un paradigma de la sustentabilidad que, con sus pilares, direccionan el proceso de modernización el cual persiste en la actualidad como lo que es, en el dinamismo especista-capitalista se ha incorporado a este felino al capital; alejando su valor intrínseco e inherente como ser en sí mismo con dignidad para convertirse conforme su valor de uso y valor de cambio[350] al servicio del capital sin importar su miseria.

Las políticas ambientales especistas mantienen esta visión hasta la actualidad ya que se basan en una directriz que obedece a la lógica del sujeto-dominador en el sistema económico imperante, estas estrategias resultan idóneas para propiciar la conservación de dominación de este animal ante los fenómenos socio-ambientales, en realidad, el capitalismo especista está devorando al jaguar[351] y lo realiza a través de una conservación perniciosa cuya finalidad es obtener ganancias a costa de la miseria de los jaguares o de quien sea, menos de los dominadores. La lógica destructiva del especismo capitalista en la modernidad realiza una conservación perniciosa que esclaviza-asola-aniquila al otro: el jaguar, por la negación ontológica de su condición y dignidad animal, así como por su invisibilización como ser en alteridad que es víctima de la dominación.

El sistema de conservación perniciosa del jaguar tiene por fin proteger los beneficios que se derivan de su uso-aprovechamiento, fortalecer la propiedad privada en su gestión y manejo y favorecer al individuo particular asociado al lucro y beneficio, tiene como eje el interés privado y el fortalecimiento de la ontología especista de dominación que sustenta la legitimidad de su poder principalmente

---

350 Vid. MARX, K. El capital. I. Crítica de la economía política (México 2014) 41-82.

351 El comercio del jaguar es tan brutal en México que ejemplares vivos son comercializados por paquetería. Vid. PROFEPA. Asegura Profepa cría de jaguar en aeropuerto de Culiacán, Sinaloa. Disponible en: https://www.profepa.gob.mx/innovaportal/v/6166/1/mx.wap/asegura_profepa_cria_de_jaguar_en__aeropuerto_de_culiacan_sinaloa.html (última consulta, 10.10.2025).

el derecho de propiedad, la libertad para dominar y el derecho humano a un medio ambiente sano, este instrumento político bélico tiene enraizada al especismo como ideología, toda opresión tiene su ideología, pero todo comienza cuando se sitúa al otro como el no-ser[352], reduciendo a este felino a su mediación instrumental, esta mediación inevitablemente es la guerra, donde su libertad y dignidad han muerto.

La racionalidad política actual y los procesos de racionalización especista en diversos dominios de la lógica sustentable individualiza y encierra en la totalización al soberano-dominador como fin en sí mismo en una dialéctica de exclusión, desplazando forzadamente al jaguar a la periferia de mediación instrumental, creando la realidad de lo que es en un conjunto de relaciones asimétricas donde se ejercen prácticas que producen la cotidianidad, discursos, el saber —el poder produce saber: que poder y saber se implican directamente el uno al otro; que no existe relación de poder sin constitución correlativa el uno al otro; que no existe relación de poder sin constitución correlativa de un campo de saber, ni de saber que no suponga y no constituya al mismo tiempo unas relaciones de poder. Relaciones de "poder-saber"[353]— y la verdad —discurso inmerso en el sistema interpretativo del especismo— a través de los cuales se da sentido y construye la realidad, controlando los escenarios sociales y subjetividades, produciendo el mundo social y las formas como se está en el mundo y al mismo tiempo limita la asignación del ser, la esencia y el concepto. En el subsistema normativo-jurídico se crea un postulado de la legalidad permisiva que administra-regula la miseria del jaguar, crea núcleos de permisividad y zonas de tolerancia según un equilibrio estratégico del poder. La ley que se conforma es una gestión que organiza la manera de eludir a través de la permisibilidad, la tolerancia como compensación y la prohibición, pero, como medio de dominación; Foucault muestra que la ley no es ni un estado de paz ni el resultado de una guerra ganada: es la guerra, la estrategia

352 Vid. DUSSEL, E. Ética de la liberación. En la edad de la globalización y de la exclusión (Madrid 2009) 66 y ss.

353 Vid. FOUCAULT, M. Vigilar y castigar. Nacimiento de la prisión (México 2009) 37.

de esa guerra en acto, de la misma manera que el poder no es una propiedad adquirida de la clase dominante, sino un ejercicio actual de su estrategia[354].

El Estado ratifica, regula, controla y administra al especismo que es en sí la totalización de las relaciones de fuerza sobre el jaguar; produciéndose una realidad y verdad que normaliza la miseria del felino, quien es disuelto y despojado de un espacio propio frente a la fuerza social especista. El uso-explotación del jaguar-capital natural a través del desarrollo sustentable —especista— como institución es creada para controlar-regular la dominación y el sistema de totalización ambiental que son admisibles después de la invención de las nociones conjugadas de daño ambiental, perdida de especies, capital natural, mediación instrumental, conservación y aprovechamiento sustentable, este discurso de la dominación del jaguar está orientado hacia crear modelos técnicos-científicos de conservación de dominación: perversa y perniciosa, bajo el paradigma de racionalizar los conflictos y solucionar unívocamente como un problema de ciencia y tecnología sin dimensionar el sistema-totalización-mundo social, cultural, histórico, ético y político, esta cientificidad ambiental-especista es una fuerza que dicta el aprovechamiento-explotación eterno del jaguar como mercancía del capital e invisibiliza las tensiones y fracturas sociales en los entornos rurales donde se materializa el conflicto primate-felino direccionando erróneamente el malestar social al jaguar donde la coexistencia se reduce a los intereses unidireccionales de un sector sin tomar en cuenta a la totalidad, el racionalismo ambiental-capitalista propone los mecanismos de conservación de dominación en una coexistencia basada en encubrir la miseria del jaguar y visibilizar la acumulación del capital en un ganar-ganar para los dominadores.

Las políticas públicas asociadas a la conservación del jaguar se conforman en un racionalismo especista capitalista bajo un esquema de aprovechamiento comercial-mercantil, a nivel continental estas políticas perversas han estructurado estrategias cosificadoras y necrófilas donde el pensamiento mecanicista, simplificador, unidimensional y fraccionador considera que si el jaguar deja ser visto como

---

354 Vid. DELEUZE, G. Foucault. (Barcelona 1987) 49-71.

una cosa mercantil para su uso-mediación carecerá de valor, por lo que este pensamiento necrófilo asevera que la gente debe de usar y explotar al jaguar sustentablemente sin exterminarlo por completo, de manera racional, de lo contrario se extinguirá[355]. La mercantilización y reducción del jaguar a su valor de uso y valor de cambio a formado una gran riqueza en sus opresores, sin embargo, es un capital basado en la miseria de los mismos que producen la riqueza, esto es una injusticia. Las aseveraciones subjetivas de reducir al jaguar a una cosa conforme su valor económico en las sociedades de consumo, buscan eliminar el ser y la esencia de este felino para conceptualizarlo conforme a su valor en relación al capital, el jaguar-mercancía-servicio solamente valdrá por la ganancia, y esta se producirá a través de diversas formas de esclavitud-asolación-aniquilación del felino con una base principalmente en la estética, la erótica, lo místico-religioso-cultural, lo técnico-científico, el trabajo y la importancia ambiental. Estas categorías no son categorías excluyentes, sino que pueden darse de manera conjunta en atención al fenómeno de dominación especista y en su mayoría se envuelven en una estética que los justifica, redimensionando el ser, la esencia y el concepto del jaguar; esta transformación encubre el ser y la esencia de los jaguares y los homogeniza como un elemento del capital natural, un recurso natural renovable que se expresa en una gama amplia de cosas-sentido, productos y mercancías que dictan las sociedades de consumo sustentable, siendo las principales —desde un sistema de regulación-legalización— de manera enunciativa no limitativa los siguientes: 1) mascota, 2) elemento de exhibición, 3) colecciones privadas, 4) espectáculos, 5) rituales, 6) ornato, 7) vestimenta, 8) falacias medicinales tradicionales, 9) objeto o pieza de cacería y 10) servicio que da al humano a través de los servicios ambientales, esto se asocia a la condición del sistema abierto de dominio del capital ya que este sistema fluye libremente en la acumulación y la ganancia, si bien parecería que esta visión permea en la actualidad en algunas sociedades

---

[355] Vid. ROBINSON, J., REDFORD, K., RABINOVICH, J. Uso y Conservación de la Vida Silvestre Neotropical (México 1997); GUERRA, M., CALMÉ, S., GALLINA, S., NARANJO, E. Uso y manejo de fauna silvestre en el norte de Mesoamérica (México 2010); VALDÉZ, R., ORTEGA, A., Ecología y manejo de fauna silvestre en México (México 2014).

al considerar al jaguar una especie en riesgo y valorizar su importancia ambiental y cultural, en realidad esto es simplemente una forma de explotación ya que se transforma en una ganancia-beneficio para el capital a fin de que persista el dominio a largo plazo. Conservar especies en peligro de extinción sólo se da por que el capital se ve obligado a tomar este giro, debido a la flexibilidad de este sistema, incluso en especies en peligro de extinción, el asedio se dará bajo el termino mercantil del aprovechamiento sustentable, que es la forma en que el capital pueda seguir controlando la vida de este felino por la eternidad[356], dentro de las modalidades de aprovechar al jaguar-capital natural en un ámbito de dominación, los sistemas económicos y políticos forman un mecanismo con determinados estándares y normatividad donde el jaguar mercancía es una cosa que a través del trabajo humano podrá ser cosechado en granjas, generándose una estructura político-económica para su mediación, dando sentido a la conservación perniciosa del jaguar, teniendo como principales acciones la creación de granjas-criaderos de jaguares para fomentar su mercantilización y que su explotación-dominación sea sustentable. El sistema especista que reduce al jaguar en el sistema-mundo-totalización configura y determina en la multiplicidad de transformaciones instrumentales de mediación los ámbitos normativos para que las actividades sean legales y apegadas al marco normativo, teniendo como limitante la autorización correspondiente del Estado y que encuentran su normalización en la expedición de permisos para realizar las actividades que por lo general se basan en requerimientos para captación de recursos económicos y elementos técnicos para poder esclavizar-asolar-aniquilar al jaguar de manera rentable y sustentable, sin embargo, en esencia su resultado material es el mismo: la miseria «Imagen 2.1».

---

[356] Vid. MORALES, J. La asolación del jaguar en el capital. dA. Derecho Animal (Forum of Animal Law Studies) 12/1 (2021).

«Imagen 2.1» Aún sin todo, soy y seré. Avasallado, no lo perdí, me lo quitaron, mi andar, mi color, la fuerza y sin saber que, aún sin estar, siempre seré. Elaboración propia.

En la actualidad, las actividades de dominación de los jaguares que son reguladas y permitidas por las instituciones del especismo se estructuran en un eje denominado conservación perniciosa del jaguar, la dominación-conservación del jaguar en el siglo XXI en México es un sistema complejo dentro del escenario ambiental predominante que se conforma como una entidad basada por lo general en la comprensión del jaguar-capital natural discursivamente en medición instrumental que da sentido al sistema-mundo-totalización a través de la creación del conocimiento, verdad y conceptualización que se imponen como lo que es, mientras que los otros son silenciados y despreciados. Este discurso hegemónico del dualismo aprovechamiento-conservación del jaguar tiene como elemento central la triada sustentable: la economía capitalista con una condición *primus inter pares*, el medio ambiente y la sociedad, por lo que fuera de estos elementos no se concibe la idea de la sustentabilidad, tiene por objetivo la conjugación armónica del aprovechamiento-conservación en relación a los fines de las sociedades de consumo para mantener una porción estable del jaguar en vida libre, sus ecosistemas y sus presas en un espacio y tiempo en atención a su valor en el sistema capitalista, determinado con métodos y objetivos permitidos dentro del paradigma de la sustentabilidad —especista—, fuera de este paradigma, el fin justifica los medios; esclavizar-asolar-aniquilar a los animales silvestres desde su individualización y miseria tendrá una ínfima importancia cuando la finalidad es alcanzar la sustentabilidad, asimismo cuando existan otras alternativas para aumentar las ganancias y que se afecten a los jaguares y a la vida silvestre de manera directa y proporcional, el sistema político como una totalización especista-capitalista siempre tendrá como elemento central los beneficios para los intereses económicos por encima de los intereses ambientales y sociales. A manera de ejemplo, el gobierno federal actual de México encabezado por Andrés Manuel López Obrador (2018-23) realizó el principal proyecto de “desarrollo” de su administración: la megaobra del Tren Maya y complementariamente un sistema inmobiliario que incluye la construcción de un Hotel dentro de un ANP, ambos proyectos realizados por el ejercito mexicano. Esta infraestructura impactó en la zona con mayor concentración de jaguares en México y se está realizando con violaciones graves a los derechos sociales de los pueblos indígenas[357] de la región en un *continuum* de violencias coloniales que ha caracterizado la historia contemporánea de estos

---

357 Vid. BACHELOT, B. Libre determinación y megaproyectos: El Consejo Regional Indígena y Popular de Xpujil (CRIPX) frente al Tren Maya, en Nuestra praxis. Revista de Investigación Interdisciplinaria y Crítica jurídica 7 (2020).

pueblos[358], asimismo, el gobierno federal está trasgrediendo derechos humanos ambientales, así como de seguridad y certeza jurídica en materia ambiental, ante esto el gobierno consideró esta actividad de interés público y seguridad nacional a fin de instruir a las dependencias y entidades de la Administración Pública Federal a otorgar la autorización provisional a la presentación y/u obtención de los dictámenes, permisos o licencias necesarias para iniciar los proyectos u obras y con ello garantizar su ejecución oportuna[359], en este voraz razonamiento colonialista, primero se destruye y después se pide permiso, incluyendo posteriormente los estudios de impacto ambiental, lo que permite visibilizar el paradigma económico supraposicionado encima de los intereses sociales y ambientales de la sustentabilidad en México. La perversidad del especismo capitalista posiciona al capital como proceso valorizador, por eso se delimita que el valor de la selva y de los animales que ahí existen incluyendo a los humanos esta en una posición inferior en atención al crecimiento económico, por tal motivo el gobierno mexicano militariza las mega construcciones como actividad prioritaria para la nación en lugar de brindar una adecuada protección y garantía de los más vulnerables.

Bajo el paradigma especista, los criadores de jaguares en cautividad que obtienen ganancias al vender jaguares-mercancías para satisfacer a las sociedades de consumo —incluyendo a la delincuencia organizada donde se incluyen a los narcotraficantes que en las últimas décadas han desarrollado una fascinación por tener a estos felinos como mascotas— son considerados verdaderos campeones de la tierra y guardianes de la fauna silvestre. Esta respuesta perniciosa y especista se origina de la idea de crisis de la fauna silvestre y se esta-

---

358 HERNÁNDEZ, R., CRUZ, E. ¿Independencia en tiempos del Tren Maya?: Continuum de violencias coloniales contra los indígenas en el México contemporáneo, en Mexican Studies/Estudios Mexicanos (2021) 394-426.

359 Acuerdo por el que se instruye a las dependencias y entidades de la Administración Pública Federal a realizar las acciones que se indican, en relación con los proyectos y obras del Gobierno de México considerados de interés público y seguridad nacional, así como prioritarios y estratégicos para el desarrollo nacional. DOF: 22-11-2021. Disponible en: https://www.dof.gob.mx/nota_detalle.php?codigo=5635985&fecha=22/11/2021#gsc.tab=0 (última consulta, 10.10.2025).

blecen como mecanismos científicos y parámetros para resolver esta problemática dentro del sistema-mundo-totalización especista, incorporándose herramientas de mercado "verde" para incentivar el uso-aprovechamiento para conservar y transformar al jaguar con un incentivo directo e indirecto, enfocándose en los incentivos directos o en pagos para la conservación. La premisa fundamental de la conservación de dominación se basa en mantener a los jaguares en el medio natural y resolver los conflictos humano-jaguar con una estrategia basada en una relación conciliadora —asimétrica—, si los habitantes locales no están en verdad convencidos de que existe un valor real y tangible para ellos en las poblaciones silvestres de este felino, la estrategia de conservación fracasará. El éxito de las acciones de conservación —perniciosa— radica en que se traduzcan o generen beneficios directos para los habitantes locales[360]. De esta forma, se piensa que se puede generar una gestión más eficiente o adecuada del ambiente, a través de la promoción de prácticas y productos compatibles con la conservación o innocuas para la biodiversidad. En este sentido, los individuos y unidades familiares son observados y transformados en empresarios rurales o microempresarios, capaces de utilizar su capital natural para crear nuevos productos y servicios, promoviendo de forma paralela el desarrollo local sustentable y la conservación, en lo que hoy se conoce como conservación neoliberal[361], en este racionalismo especista-ambiental bajo el sistema económico capitalista se afirma que el jaguar sólo puede ser preservado si se le asigna un valor económico redituable directamente a los actores involucrados, generando una construcción ambiental del jaguar-mercancía en el sistema de valores con un ámbito de inversión y de oportunidades para la expansión del capital verde en un ganar-ganar conforme a las reglas del mercado donde los beneficios son para todos los actores y sectores sociales con costos poco significativos; como la miseria de

---

[360] Vid. TABER, A., CHETKIEWICZ, C., MEDELLÍN, R., RABINOWITZ, A., REDFORD, K. La conservación del jaguar en el nuevo milenio, en MEDELLÍN, R., EQUIHUA, C., CHETKIEWICZ, C., CRAWSHAW JR., P., RABINOWITZ, A., REDFORD, K., ROBINSON, J., SANDERSON, E., TABER, A. (Comps.). El jaguar en el nuevo milenio (México 2002) 638-639.

[361] Vid. DURAND, L. Naturalezas desiguales. Discursos sobre la conservación de la biodiversidad en México (México 2017) 45.

los jaguares —un perder-perder—. Este sistema constituye la idea del desarrollo y progreso sustentable a costa de la miseria del jaguar cuyo devenir es la esclavitud, asolación y aniquilación con un profundo desprecio, en este ganar-ganar donde no hay perjudicados visibles el daño lo resienten los jaguares que son invisibilizados, son los pobres de mundo. El especismo dentro del orden social vigente guarda legitimidad o hegemonía conforme al sistema-totalización-mundo, se torna opresora de dominación para los oprimidos como los jaguares; quienes sufren desde la corporalidad sufriente; quienes no pueden ejercer su sintiencia-emotividad, *zoo cogitans* y voluntad en libertad, en este orden social e interés público que reduce al jaguar a su condición material-instrumental conforman beneficios para los opresores como una pretendida acción universal sustentable viable y buena que consolida un ganar-ganar, esta contradicción del ganar-ganar sustentable especista implica la negación de la otredad del jaguar —eterno retorno—.

El valor económico del jaguar se vuelve determinante y su conservación se condiciona a su aprovechamiento como un mecanismo para el crecimiento y el desarrollo sustentable, estableciéndose la transformación dialéctica como la única opción para conservar a este felino, dejando en los instrumentos del capitalismo y el especismo la esperanza para salvar a este felino. Estos animales en el racionalismo ambiental-capitalista han sido producidos en granjas de jaguares para satisfacer la voracidad de las sociedades de consumo que utilizan los productos. Estas estrategias de conservación al servicio del capital y las sociedades de consumo son la miseria de miles de jaguares esclavizados que son considerados de segunda, sin valor, frente a los jaguares de vida silvestre valorizados en una deficiente dimensión ambiental. En realidad, estas estrategias necrófilas basadas en aniquilar-asolar-esclavizar a unos jaguares para salvar a otros se basan en el argumento falaz de la reproducción en cautiverio, pese a la exponencial cría artificial de jaguares —ilegal conforme a la veda de 1987— para su comercio, el comercio ilegal permanece como un problema de conservación mayor. La crianza de jaguares se ha propuesto como una solución potencial donde los jaguares de granja sustituyan a los jaguares en vida libre a través de la cría controlada para que aumente la oferta de jaguares y que permita que los precios disminuyan para que la caza furtiva deje de ser rentable, sin embargo, este argumento es erróneo ya que los mercados de jaguares son imperfectos, están dominados por unos pocos productores que controlan el precio, los consumidores prefieren a los jaguares en vida libre sobre los criados en granjas, esta diferencia social no los configura como sustitutos, incluso esta estrategia necrófila de conservación, en lugar de ayudar a la conservación del jaguar en vida silvestre, en realidad es más probable que la cría de jaguares en granjas aumente la demanda de productos de jaguar y estimule mayores niveles de cacería furtiva.

Los jaguares excluidos a la periferia en el segundo momento de la dialéctica ontológica de dominación como el enemigo a vencer por el conflicto y tensiones primate-felino que afecta el sistema-mundo-totalización enfocado en el conflicto ganadero bajo el pensamiento colonial-especista posiciona a los jaguares-depredadores hacia lo otro-negativo; un ser que es una amenaza a la estructura social, con quien se compite, convirtiéndose en el adversario y enemigo que necesita ser derrotado, esta visión del mundo elimina cualquier compasión en su dominación y exclusión, sobre esta exclusión ontológica se ha construido la conservación perversa que suprime cualquier alteridad con ellos, posicionándolos en la totalidad del mundo social humano especista como excluidos que atentan contra el capital y los esquemas que se implementan buscan ampliar aún más la brecha de desigualdad y la coexistencia será unidireccional, en este sentido, la coexistencia material en los entornos rurales se da a partir de alejar al jaguar a través de la fuerza y la molestia en los entornos humanos, principalmente para eliminar la depredación de la ganadería[362], esta exclusión forzada incluye estrategias inquisitivas antidepredación que causan daño al jaguar para que aprenda a no convivir con los humanos, se incluyen técnicas como electrocutar al felino sin privarlo de la vida con cercas eléctricas[363], el uso de explosivos, sonidos

362 La parte más confusa del conflicto social ganadero con el jaguar dentro del círculo de los fenómenos derivados superficiales sin acercarse a la cuestión primordial se encuentra en que no se sabe si el jaguar depreda a las vacas o las vacas al jaguar, y aún no se comprende que un depredador mayor devora a diario jaguares, vacas y campesinos.

363 ROSAS, O., GUERRERO-RODRÍGUEZ, J., HERNÁNDEZ-SAINTMARTÍN, A. Manual de prácticas ganaderas para regiones con grandes carnívoros en la Sierra Madre Oriental (México 2015) 68; WCS & JSM. Conviviendo con

o disparos con bolas de pintura[364], darle carne con repelentes aversivos, asustar y atemorizar con luces, olores, sonidos o con otros animales de guardia del ganado, perseguir y acosar al jaguar con perros, creando experiencias aterrorizadoras, y así, a través del sufrimiento y miedo el jaguar aprende a no interactuar con los intereses del humano, y el humano refuerza la idea especista de la dominación y exclusión del felino. En esta conservación perversa las investigaciones en campo con el jaguar implican colocar trampas con lazos de metal y jaulas, donde existen casos de jaguares con extremidades fracturadas o amputadas por estas malas prácticas arcaicas o con piezas dentales dañadas debido a malas estrategias y prácticas que centran sus actividades en la protección del capital, aumento de la ganancia y no en el jaguar en sí mismo. Estos mecanismos se están implementando desde programas gubernamentales con apoyo de organismos nacionales e internacionales y se configura como una opción para la conservación en México. La conservación perversa incluye las investigaciones de científicos negligentes que, al momento de capturar de la vida silvestre a los jaguares, a través de trampas con lazos de metal, trampas de jaulas y los dardos tranquilizantes para sedarlos les causan daños físicos a los ejemplares, desde amputaciones de extremidades, daños en garras y colmillos, daños en la vista por perdida de ojos, e incluso la muerte, esta conservación incluso afecta en niveles sociales debido a que imponen su visión colonial en las comunidades rurales, afectando la relación biocultural positiva a través del despojo.

La conservación perniciosa y perversa se han constituido dentro del sistema político imperante bajo el eje rector del capitalismo como una opción legal, racional, justa y correcta para aumentar la ganancia a costa de la miseria del jaguar. A través de la fetichización del jaguar en el capital se perciben ideas ilusorias para sostener en el sistema que las poblaciones de esta especie en vida libre se ven mejoradas, que tienen bienestar todas las personas, principalmente las más pobres quienes reciben los beneficios económicos concretos por

---

el Jaguar-Manual de buenas prácticas ganaderas para mejorar la convivencia con los jaguares en la Selva Maya (México 2020).

364 PEÑA-MONDRAGÓN, J., de la TORRE, A., RIVERO, M. Recomendaciones de mejores prácticas ganaderas para disminuir el riesgo de depredación (México 2016).

los esquemas de mercado verde y conservación que se conglomeran por la estimación económica valorativa monetaria en el componente ambiental del capital natural de las sociedades. Esta conservación-dominación del jaguar se asocia al sistema-totalización-mundo de dominación especista y al sistema capitalista, integrándose en un componente de sustentabilidad como una cosa-sentido, producto, capital natural y mercancía en un discurso de mediación para obtener la mayor ganancia y quienes opten por tener una crítica a este sistema se constituirá como una amenaza al bien común. Los científicos y conservacionistas bajo el sistema-totalización-mundo especista crean mecanismos y acciones acordes a su tiempo, perpetuando el *statu quo* de dominación como lo que es; la práctica ambiental responde a lo que le es propio en su dimensión temporal, estos conservacionistas —que robaban la leche materna de tapires al consumirla o que comían murciélagos y demás animales silvestres en sus prácticas de campo; quienes al estar de encargados o directivos de centros de rescate animal estaban como depositarios de animales silvestres provenientes del tráfico y los llevaban a sus casas y a la de sus amigos como mascotas; o quienes se toman fotografías y besaban a los animales esclavizados que están condicionados bajo una miseria e incluso aquellos que trabajan en acciones de conservación de felinos que al llegar a las comunidades rurales megadiversas celebraban la muerte de los felinos silvestres y degustaban de alimentos hechos de individuos pertenecientes a estas especies— son prisioneros y víctimas de su tiempo.

11. EL DEVENIR DE LA CONSERVACIÓN ESPECISTA

El estado mexicano como gobierno moderno descansa en supuestos que sostienen su base social, los cuales están conformados por la aceptación de autoridad de sus gobernados, la supremacía de su poder ante otras unidades que operan en su territorio y los servicios que los gobiernos proporcionan a sus gobernados[365], bajo este paradig-

---

365 Vid. HOBSBAWM, E. Guerra y paz en el siglo XXI (México 2007) 132-133.

ma, un eje que estructura la idea del estado y la fuerza del gobierno es la conformación de sistemas políticos-jurídicos que establecen el orden, lo correcto y justo de la sociedad, en estas directrices, la relación del humano con la naturaleza se ha sistematizado en un complejo ordenamiento que instrumentaliza a la naturaleza para mediarla en atención de los fines del sistema, en la actualidad, la mediación se torna bajo un discurso del desarrollo sostenible que ha colonizado a la naturaleza, convirtiéndola en capital natural[366] donde el jaguar se determina dentro de la política de dominación en atención a su valor de uso y valor de cambio, lo que transforma al jaguar-cosa en una mercancía verde susceptible de explotación conforme a la normatividad establecida en mecanismos que perpetúan la dominación en una industrialización del mercado de jaguares para la sociedad de consumo con determinados estándares y medidas regulativas que responden a la lógica de la conservación al servicio del especismo y del capital. Con su valoración y transformación económica sustentable como elemento del capital natural y su mediación-aprovechamiento racional impuesto desde espacios gubernamentales, el jaguar es despreciado y excluido en diversas zonas por su valoración ínfima cuando se le relaciona con factores económicos debido a que en la racionalidad económica la balanza se inclina hacia la ganancia y la acumulación, donde el felino con sus intereses está desamparado. En esta racionalidad capital-especista, las estrategias de conservación son dictadas desde las estructuras gubernamentales conforme la visión de mediación instrumental de la ciencia y el progreso que se encargan de legitimar los crímenes a través de los intelectuales con una función de asimilar y afirmar la ideología dominante en atención a los intereses de los dominadores, adaptándose al dominio y miseria del jaguar para mantener un ganar-ganar sin tomar en cuenta los intereses del jaguar e incluso la supervivencia de su especie, por eso esta conservación es perversa, no considera al jaguar y sus intereses en su centro, sino a la ganancia y acumulación que conllevan en su devenir a un eterno retorno que termina donde inicia la dominación. Esta conservación especista está direccionada hacia la miseria y extinción del jaguar, así como a profundizar la brecha de la

---

[366] Vid. LEFF, E. Ecología y Capital. Racionalidad ambiental, democracia participativa y desarrollo sustentable (México 1994) 352.

desigualdad social, si bien presenta una curvatura del eje de su directriz lineal a través de mecanismos que presentan efectividad a corto plazo, en su devenir a mediano y largo plazo, sin un impulso alterno que genere un giro, el jaguar y los pueblos indígenas del jaguar están condenados a la muerte y la extinción.

De manera sincrónica, esta dominación se refuerza con múltiples fenómenos sociales como la marginación, la pobreza, la desigualdad, la violencia, la corrupción, la impunidad, la falta de conciencia crítica e incluso por la narcocultura, estos elementos se sociabilizan en diversos entornos sociales hasta crear un habitus —estructuras que son constitutivas de un tipo particular de entorno y que guían el comportamiento en el mundo social[367]— que normaliza un modo de vivir con violencia. En estas sociedades especistas la narcocultura ha potenciado la cosificación del jaguar para consumo como mercancía de poder y estatus social, principalmente como elemento simbólico en los narcozoológicos, mascotas y en diversos casos, aún como accesorio que transforma la piel, garras y colmillos en vestimenta y amuletos. Actualmente la delincuencia organizada, principalmente por el narcotráfico y quienes se dedican a la extracción ilegal de hidrocarburos han arropado el simbolismo del jaguar en sus operaciones y en su cotidianidad, incluso existen criadores de jaguares y diversos felinos silvestres con nexos con la delincuencia organizada a quienes les suministran los animales silvestres. Este fenómeno social vinculado al narcotráfico se ha consolidado en la zona denominada el triángulo dorado en los estados de Sinaloa, Chihuahua y Durango, permeando en las sociedades que arropan la narcocultura en todo el país. La narcocultura refleja el dinamismo de la dominación del jaguar y el desplazamiento del polo dominante al polo dominado donde las clases inferiores y populares tienen en su desarrollo un vínculo para apropiarse y reproducir el gusto de las clases dominantes bajo inmundas y miserables manifestaciones culturales aniquiladoras del jaguar[368], asimismo, el jaguar-mascota es un elemento habitual de

367 Vid. BOURDIEU, P. Poder, derecho y clases sociales (España 2001) 25.

368 Vid. MORALES, D., MORALES, J. Genealogía diacrónica del conflicto humano-jaguar, en dA. Derecho Animal (Forum of Animal Law Studies) 12 (2021).

personas con alto poder adquisitivo, principalmente en la arista musical, narcotráfico, turístico, político y empresarial. El jaguar, al igual que los demás felinos silvestres de México, es explotado y comercializado como una cosa, en algunos casos son utilizados como mascotas, lucran con su estética, misticidad y simbolismo al ser exhibido para tomas fotográficas bajo el dominio del humano[369], comercializan con su piel, dientes, garras, grasa..., incluso, bajo el argumento de que estas actividades se basan en el aprovechamiento sustentable.

En este paradigma de dominio especista en el marco normativo mexicano actual asociado al jaguar existe una contradicción jurídica entre la protección-prohibicionismo establecido en la veda de 1987 y el aprovechamiento-dominación reglamentado para la explotación sustentable del felino establecida en la legislación ambiental. La normatividad que se conforma con mayor legitimación social es la que regula el aprovechamiento del jaguar —aunque sea ilegal conforme a la veda indefinida—; se ha acatado tan bien que los espacios de producción de jaguares y comercializadoras han aumentado exponencialmente debido a la facilidad y beneficios de la gestión ambiental —en esta racionalización el jaguar es un producto que emerge de la naturaleza y también de las granjas—, pese a que el sistema se enfoca en explotar legalmente al jaguar, existe un aprovechamiento ilícito que es exponencialmente mayor al comercio legal, estas explotaciones en sus vertientes pseudolícitas e ilícitas se visibilizan en espacios cotidianos de las sociedades e incluso dentro de actividades gubernamentales sustentables y amigables con el ambiente donde se fomentan las ilicitudes y el daño contra el jaguar[370], bajo esta bar-

369 Comercializadoras, empresas y organizaciones en México que lucran con jaguares y felinos principalmente en la Península de Yucatán se han contactado con miembros de Biofutura para solicitar una colaboración ante una problemática: los felinos que son utilizados para lucrar a través de fotografías y eventos mientras son crías y cachorros son redituables, pero cuando son adultos dejan de serlo y se convierten incluso en un peligro por su condición, por lo que solicitan que se incorporen a encierros en cautiverio bajo una supuesta semilibertad y buscan que sea financiada por organizaciones civiles y el gobierno. La organización Biofutura se ha negado a colaborar con la explotación animal.

370 El 27 y 28 de abril del 2019 se realizó por parte del Gobierno de la Ciudad de México el evento: "Tierra Beat", fiesta de música y educación ambiental,

barie de política gubernamental el derecho pierde su legitimación y justificación, ya que es incapaz de logar un doble efecto social: prevenir la comisión de ilícitos y prevenir la aplicación de sanciones informales, promoviéndose la violencia extrainstitucional al no existir una institucionalidad jurídica encargada de procesar y sancionar[371]. El aprovechamiento del jaguar desde el racionalismo ambiental-capital en México no tiene un orden, el estado y su cuerpo de guardia es empleado para sus propios intereses, donde no figura su protección. La conservación y protección del jaguar en México en el siglo XXI tiene en sus cimientos y baluarte a un conjunto de mecanismos políticos radicalmente inadecuados para abordarlos, los mecanismos políticos y jurídicos que regulan lo lícito e ilícito del aprovechamiento del jaguar son escuetos, convirtiendo al derecho —ambiental principalmente—, que debería ser una herramienta para la conservación y la justicia, en una ilusión perversa que no ha funcionado para la protección del felino sino para el enriquecimiento y la acumulación, lo que da como resultado un sistema inoperante a conveniencia del especismo y el dominio del jaguar.

En casi tres décadas desde la positivización regulatoria del uso-aprovechamiento de la vida silvestre en la normatividad interna con la LGVS y su fortalecimiento con programas gubernamentales de apoyo, en la actualidad los negocios asociados a la vida silvestre tienen como registro un total de 1,844 UMA's intensivas y aproximadamente 8,930 en UMA's extensivas donde incluso existen instituciones de aprovechamiento de jaguares que son manejadas por el

---

en este evento en agradecimiento a la madre tierra se realizaron diversas danzas con pieles originales de jaguar y otros felinos silvestres, lo que visibiliza la cotidianidad de la miseria del felino en las sociedades especistas; en un evento especista por la educación ambiental y la protección de la naturaleza, la danza con pieles de jaguar son un acto positivo. Vid. TIERRA BEAT. Fiesta internacional de música y acción ambiental (2019). Disponible en: http://sisec.cultura.df.gob.mx/pat/downFiles/F-1029-6012-1-Programa_TB_web.pdf (última consulta, 10.10.2025).

371 Vid. FERRAJOLI, L. Principia iuris. Teoría del derecho y de la democracia. 1. Teoría del derecho (España 2007); MORALES, D. & MORALES, J. Combate efectivo de los delitos contra la biodiversidad en México como una herramienta de conservación de la biodiversidad, en Nómadas. Revista Crítica de Ciencias Sociales y Jurídicas 51 (2017).

ejército nacional. Asociado al jaguar el crecimiento de los espacios para la esclavitud-asolación de este felino en las instituciones privadas ambientales especistas han aumentado de manera exponencial en México, donde no existe un control por parte de las instituciones gubernamentales ambientales referente a la cantidad de jaguares en cautiverio tanto "lícita" como "ilícitamente". En la actualidad con certeza por parte de las instituciones gubernamentales ambientales existen por lo menos 34 UMA's con jaguares en México, 80 PIMVS con jaguares en cautiverio[372] y 16 personas con jaguares como mascotas registradas ante la Semarnat, el crecimiento de las UMA's con jaguares cautivos del 2012 al 2023 es exponencial, y los PIMVS del 2016 al 2023 aumentaron en este mismo sentido, estas cifras reportadas por la autoridad ambiental federal no reflejan el verdadero asedio del jaguar, la realidad es muy diferente ya que en una gran cantidad de UMA's y PIMVS se tiene un aprovechamiento de jaguar y este no es reportado a las instituciones gubernamentales, en el año 2015, la Dirección de Aprovechamiento de Vida Silvestre de la Dirección General de Vida Silvestre informó que no existía una base de datos de los jaguares en cautiverio, con información desfasada debido a que ellos tienen información de 120 instituciones privadas de gestión para el uso-aprovechamiento de jaguar y sólo entregan el 33.3% de estas sus reportes anuales[373], incumpliendo con la ley en la materia.

Las instituciones de gestión para el uso-aprovechamiento de los jaguares en UMA's y PIMVS tienen facultades para la comercialización y venta de ejemplares, partes y derivados, bajo los principios reglamentarios de realizar el comercio apegado a la norma ambiental, lo que incluye demostrar la legal procedencia de los ejemplares, partes y derivados, con el marcaje que permita su trazabilidad y demuestre que han sido objeto de un aprovechamiento sustentable —aunque en México no existe aun la normatividad que regule el marcaje lo que suma otro acto de negligencia de la autoridad am-

---

372 SEMARNAT. Oficio Núm. SEMARNAT/UCVSDHT/UT/0387/2023. 2023.

373 CONANP. Comisión Nacional de Áreas Naturales Protegidas. Dirección General de Operación Regional Solicitud de Acceso a la Información núm. 1615100015718. Oficio no. F00/DGOR/DEPC-077. 2018.

biental[374]— con reproducción controlada para tal fin, así como la tasa de aprovechamiento autorizada y la nota de remisión o factura emitida conforme con las especificaciones del artículo 51 de la Ley General de Vida Silvestre (LGVS) y de los artículos 53 y 54 del Reglamento de la Ley General de Vida Silvestre (RLGVS).

Los jaguares en cautiverio en México para el uso-aprovechamiento se reproducen en las UMA's y en PIMVS como instituciones de gestión ambiental —además de criaderos clandestinos—, en la actualidad están registradas más de un centenar de instituciones privadas donde en la mayoría tienen programas de reproducción para el comercio de este felino. El periodo de gestación promedio del jaguar es de 100 días y la camada es de una a cuatro crías, comúnmente de dos, al mes y medio o dos meses comienzan a seguir a la madre, permaneciendo con ella de 15 a 24 meses y alcanzando la madurez sexual entre los 2 y 3 años y en cautiverio llegan a vivir hasta los 22 años[375], en los procesos de reproducción en cautiverio, las crías de jaguares son separadas de la madre en los primeros meses para ser vendidas desde los 2 meses de edad, si bien en condiciones óptimas la reproducción de jaguares en cautiverio puede tener una "cosecha" anual, esto no es lo común, y entre más adulta sea la jaguar en gestación se va espaciando su reproducción, pudiéndose extender 7 u 8 años para posteriormente reproducirse de manera esporádica, después de esta etapa diversos criaderos ponderan la utilidad del jaguar y si es mayor

---

374 En diversos procedimientos instaurados por parte del equipo de Biofutura ante las instituciones ambientales, se ha llegado a analizar lo siguiente: como parte del marcaje de las especies silvestres se incluye la amputación de falanges o desprendimiento de alguna parte del cuerpo del animal con aprovechamiento. En la actualidad el único antecedente normativo de marcaje de animales es el marcaje de la Totoaba. Vid. Norma Oficial Mexicana NOM-169-SEMARNAT-2018, Que establece las especificaciones de marcaje para los ejemplares, partes y derivados de Totoaba (Totoaba macdonaldi) provenientes de unidades de manejo para la conservación de vida silvestre. DOF: 28-09-2018. Disponible en: https://www.dof.gob.mx/nota_detalle.php?codigo=5539493&fecha=28/09/2018#gsc.tab=0 (última consulta, 10.10.2025).

375 Vid. CHÁVEZ, C., ARANDA, M., CEBALLOS, G. Jaguar, Tigre, en CEBALLOS, G. & OLIVA, G. (Coords.). Los Mamíferos Silvestres de México (México 2005) 367-370.

el costo de manutención se sacrifica a fin de obtener ganancias por la venta de piel, garras, cráneo, huesos, colmillos, grasas, decoración taxonómica..., el mercado de jaguares en la actualidad es dinámico y creciente, de manera anual se generan únicamente desde dimensiones lícitas un aproximado mínimo de "cosecha" de 236 jaguares, sin incluir los criaderos clandestinos o los particulares con funciones de criadero sin contar con los registros, es importante referir la cifra negra en las actividades ilícitas de aprovechamiento de jaguar en México, ya que este país se ha caracterizado por un alto índice de impunidad y corrupción principalmente en temas ambientales, cuyas políticas ambientales son frágiles, no hay suficiente capacidad institucional para cumplir sus funciones ni la posibilidad de garantizar el derecho a un medio ambiente sano[376]. Los precios de los jaguares vivos en este sistema mercantil son muy amplios, dependiendo el criador o zoológico con el que se realice la compra, se tienen registros mínimos de venta de $30,000.00 (treinta mil pesos mexicanos), al límite mayor de $120,000.00 (ciento veinte mil pesos mexicanos), teniendo como media la venta entre los $60,000.00 (sesenta mil pesos mexicanos) a los $80,000.00 (ochenta mil pesos mexicanos), con un mercado en crecimiento para satisfacer a las sociedades de consumo. En México, para contar con el registro y autorización de un jaguar, sus partes y derivados en dimensiones comerciales por parte de Semarnat basta con realizar una solicitud a la Dirección General de Vida Silvestre (DGVS) y remitir un documento que avale la legal procedencia —v.g. nota simple o factura—. Pese a la veda, cualquier individuo puede adquirir un ejemplar de jaguar como mascota, así como sus garras, taxidermia, pieles, huesos, dientes, carne... la única limitante para poder adquirirlo es su valor económico. El origen de estos ejemplares que se encuentran bajo aprovechamiento es dudoso debido a que no existe información que esclarezca de donde vienen estos ejemplares y si existe dicha información, es poco confiable.

Los jaguares en cautiverio son en su mayoría producto de la reproducción artificial y son producto de diversas cruzas, principalmente

---

376 Vid. LE CLERCQ, J, & CEDILLO, C. Números de la injusticia ambiental: la medición de la impunidad en México, en Íconos. Revista de Ciencias Sociales 73 (2022) 179-200.

con ejemplares sudamericanos y muy pocos ejemplares de origen en vida libre[377]. La tenencia de jaguares en cautiverio y su comercio como mascota o por sus partes como piel y colmillos en México es una realidad que representa uno de los principales retos para su conservación. Actualmente, la venta en el mercado negro nacional de la piel del jaguar oscila entre los $5,000.00 (cinco mil pesos mexicanos) a los $80,000.00 (ochenta mil pesos mexicanos), los colmillos tienen un precio entre los $500.00 (quinientos pesos mexicanos) a los $5,000.00 (cinco mil pesos mexicanos), las garras oscilan entre los $300.00 (trescientos pesos mexicanos) hasta los $5,000.00 (cinco mil pesos mexicanos) en atención al material con el que conforman la pieza —los colmillos y las garras son usadas principalmente como dijes y amuletos—, incluso cráneos completos entre $1,000.00 (mil pesos mexicanos) y $10,000.00 (diez mil pesos mexicanos), estos elementos son los más comerciados en el mercado nacional. Los comerciantes de los productos de jaguar son en su mayoría vendedores ambulantes y en algunos casos los danzantes que utilizan partes de jaguar los venden al público en general[378]. El comercio no se limita al ambulantaje y al comercio informal, se ha documentado la venta de partes de jaguar en prestigiosas tiendas de lujo en el sureste de México como parte del comercio formal. El comercio del jaguar abarca múltiples espacios, se encuentran pulseras y patas de jaguar desde $100.00 (cien pesos mexicanos) en tianguis y mercados informales como en la Lagunilla en la Ciudad de México, hasta en tiendas de lujo con altos precios, en ambos espacios el tráfico de jaguar es irrelevante para las autoridades gubernamentales. En diversos zoológicos de México se realizan como parte de sus actos de educación ambiental aprobado en su plan de manejo ante la Semarnat el que los visitantes se tomen fotografías con los jaguares; desde crías y cachorros hasta jaguares adultos que están previamente sedados o con un

---

377 CONANP. Comisión Nacional de Áreas Naturales Protegidas. Dirección General de Operación Regional Solicitud de Acceso a la Información núm.: 1615100015718. Oficio no. F00/DGOR/DEPC-077. 2018.

378 La información se obtuvo a través de un muestreo estadístico aleatorio donde se entrevistaron a 116 artesanos, vendedores ambulantes y danzantes que tenían en su posesión productos o derivados del jaguar en un periodo comprendido del año 2015 al 2020. Biofutura. Archivo personal.

fuerte condicionamiento etológico para estas actividades. Un ejemplo de estas "actividades de conservación y educación ambiental en las instituciones científicas" de los zoológicos, es el Zoofari, Centro de Conservación Morelos[379], estos conservacionistas venden la experiencia para los visitantes de tener a un jaguar sedado y condicionado para que puedan hacer actos de educación ambiental como meter la mano a su boca sin que los muerdan, cargarlos como acto del dominio del humano sobre la naturaleza y así acercarse sin ninguna molestia, estas actividades son parte de las diversiones que los visitantes de diversos zoológicos pueden realizar para apoyar la ciencia de la conservación[380], de acuerdo a notas periodísticas, en el 2016, empleados de este zoológico centro de conservación fueron atacados por un jaguar, al parecer uno perdió un dedo de la mano y el otro fue herido en una pierna[381]. Diversos predios donde se realiza la explotación de jaguares han sido señalados por la probable comisión de ilícitos y delitos ambientales asociado al tráfico de vida silvestre, así como por actos de maltrato y crueldad animal[382]. Asimismo, existen zoológicos como el Parque Loro de Puebla y la promotora Zoofari S. A. de C. V. de Morelos, que en 23 años han aprovechado comercialmente 20 garras, 15 taxidermias, 14 pieles, 1 cráneo, 1 conjunto de huesos y 50 kg de carne de jaguar[383] donde el precio por este aprovechamiento

---

379 El zoofari. Centro de conservación Morelos, su costo de entrada para adultos es de $275.00 y el costo extra por la fotografía con la fauna confinada es de $249.00, el zoológico se encuentra en la carretera Federal Cuernavaca-Taxco Km. 55, Huajintlán, Amacuzac, Morelos, México.

380 Los jaguares utilizados para estas experiencias especistas de entretenimiento-conservación del zoológico zoofari sufren una miseria, dentro de los visitantes que han experimentado estas actividades de educación ambiental se encuentra quien fue el Director de Especies Prioritarias para la Conservación, donde se incluye al jaguar, de la Conanp, Semarnat, México.

381 Vid. EXCELSIOR. Jaguar muerde a dos empleados en zoológico de Morelos. Nota periodística 10-09-2016. Disponible en: https://www.excelsior.com.mx/nacional/2016/09/10/1116138 (última consulta, 10.10.2025).

382 Vid. Expediente PFPA/5.1/2C.10.1/0010 en relación con el Juicio de Amparo 1278/2022. Eduardo Mauricio Moisés Serio. Jaguar Negro – Tigre Blanco.

383 Vid. SOSA-ESCALANTE, J., MASÉS-GARCÍA, C., MARTÍNEZ-MEYER, E., GONZÁLEZ-MORENO, J., GONZÁLEZ-SAUCEDO, Z., CAO, R., GONZÁLEZ-BERNAL, A., BAUTISTA-GONZÁLEZ, J., CRUCES-CASELLAS,

sustentable se incrementa notoriamente por la supuesta legalidad que reconocen las autoridades ambientales de México.

En esta directriz de cosificación del jaguar como mecanismo de educación ambiental especista se suman una gran cantidad de instituciones privadas a lo largo del país para realizar un aprovechamiento sustentable y promoción de la educación —especista de dominación—, otro ejemplo de conservación, aprovechamiento sustentable y educación ambiental desde el especismo se presenta en el zoológico Tuzoofari[384], institución privada ubicada en el Estado de Hidalgo, México, en este espacio de sustentabilidad especista tienen un programa de educación ambiental que permite a los visitantes fotografiarse con jaguares sedados, condicionados y con diversas amputaciones; las principales son amputación de garras, limadura de la dentición y amputación total o parcial de la cola, incluso, con el dinero suficiente se pueden utilizar estos felinos fuera de las instalaciones del zoológico para uso personal, como la exhibición de un ejemplar en un centro educativo, asimismo, en dicho lugar un león devoró a crías de la misma especie ante la presencia de visitantes[385]. En este predio conservacionista ambiental de dominación se reproducen y venden jaguares[386] y diversas especies silvestres, dentro

A., PECH-CANCHÉ, J., HERNÁNDEZ, A., ROSAS-ROSAS, O., NÚÑEZ-PÉREZ, R., HIDALGO-MIHART, M., LÓPEZ-GONZÁLEZ, C., CONTRERAS, F., CRUZ-ROMO, J. Comercio ilegal del jaguar en México (México 2024) 35-36.

384 El Tuzoofari tiene un costo de entrada para adultos de $95.00 y el costo por tomarse fotografías varía conforme la temporada. Dentro de los dueños de este zoológico sus dueños tienen ranchos cinegéticos —cacería de animales silvestres— y el propio tuzoofari a vendido cabezas de jaguares a $0.00 pesos a personas físicas con notas de remisión simples (Biofutura, archivo personal 2020).

385 Vid. CONGRESO DE LA UNIÓN. Diputado Luis Arturo González Cruz, integrante del Grupo Parlamentario del Partido Verde Ecologista de México. Proposición con punto de acuerdo, para exhortar a la Profepa a investigar y sancionar al responsable de lo sucedido en el zoológico Tuzoofari. 07-01-2022. Disponible en: http://sil.gobernacion.gob.mx/Archivos/Documentos/2022/01/asun_4294682_20220112_1641576833.pdf (última consulta, 10.10.2025).

386 Av. Previa: 29/UEIDAPLE/DA/10/2016.

de las acciones de aprovechamiento sustentable en esta institución privada en sus ferias por la sustentabilidad y mercados verdes han exhibido diversos objetos con partes de animales silvestres, como la creación de lámparas con crías de puma (*Puma concolor*) en taxidermia como decoración y otras creaciones del ingenio especista de dominación ambiental. En diversos zoológicos, museos y colecciones de México estas prácticas especistas son comunes, incluso realizan ferias ambientales y conmemoraciones del día del jaguar con restos y pieles de estos felinos donde algunas de ellas aún conservan las evidencias de los disparos efectuados con armas de fuego para asesinar a los jaguares.

En el caso del jaguar el comercio presenta un fenómeno criminal peculiar asociado a la dominación del felino; el lavado de vida silvestre, este ámbito de ilícitos ambientales a alcanzado niveles complejos de crimen organizado, vinculando grupos criminales, conservación y cárteles de drogas en México. El lavado de jaguares aporta a la pérdida de este felino en vida silvestre y a su miseria, esta actividad pretende declarar especies, partes y derivados de origen ilegal y convertirlos en legales, ocultando el origen ilícito y obteniendo mecanismos para acreditar la legalidad y que se incorpore al mercado lícito de la vida silvestre a través de empresas y negocios autorizados por la autoridad ambiental incluso con apoyo de gobiernos, estos centros que en teoría aportan en la disminución de la presión en las poblaciones silvestres, en realidad potencian el daño con el lavado de jaguares.

La evidencia empírica sobre situaciones donde se sabe que la vida silvestre ilegal se lava en los mercados legales es escasa[387], y aun menor en casos de jaguares, sin embargo, se presentan datos fehacientes para considerar la existencia de lavado de jaguares en México. El 6 de mayo de 2024 se ingresó una denuncia formal ante la Profepa por parte del equipo de Biofutura —parte denunciante— asociado al tráfico de jaguares en México, los hechos narraban que en redes sociales y de manera continua en espacios públicos y privados se estaban cometiendo —probablemente— diversos ilícitos que afectan

---

387 WYATT, T., VAN UHM, D., NURSE, A. Differentiating criminal networks in the illegal wildlife trade: organized, corporate and disorganized crime, in Trends in Organized Crime 23 (2020). 350-366.

al jaguar, en específico un usuario de Facebook perfectamente reconocido e identificado con su nombre real, número telefónico e incluso dirección física, posiblemente se dedica a comerciar partes, productos y subproductos de ejemplares de vida silvestre de manera reiterada en diversas páginas de internet enfocándose en jaguares y pumas, el probable traficante es un taxidermista que cuenta con diversos talleres para realizar sus actividades —identificados por los denunciantes y señalados a la autoridad—, las partes de los jaguares y pumas que el traficante utiliza fueron extraídos del medio natural a través de pedidos solicitados a cazadores en la región de Guerrero, Oaxaca y Veracruz, México. Una vez concluida la transacción de compra-venta por vía electrónica con los cazadores, las piezas eran enviadas a través del servicio de paquetería convencional y al llegar a su destino eran confeccionadas por el taxidermista, el lavado se realiza cuando estas partes de felinos silvestres se confeccionan y legalizan con documentos y actos jurídicos sin contar con los elementos materiales que sustenten la legal procedencia —apócrifos—, el nexo vinculativo está en que el propio subdirector de Administración y Finanzas del Gobierno del Estado de México en un documento oficial le otorgaba al denunciado las partes del jaguar, el documento menciona: "otorga una piel de jaguar de una hembra adulta que se encuentra en el zoológico de Zacango autorizando la petición de C. X. X. X. por un pago de $8,000.00 ocho mil pesos", este zoológico ha sido miembro de la Asociación de Zoológicos, Criaderos y Acuarios de México (AZCARM) quien les ha otorgado premios y han creado eventos en conjunto en temas de bienestar animal. El mismo individuo señalado como X. X. X., y denunciado ante instituciones federales ambientales ha recibido con una simple nota de remisión de Fiesta Safari ubicada en Culiacán, Sinaloa, 4 cabezas de tigre y 2 de jaguar, entre otras cabezas de animales silvestres, por la cantidad de $0.00 cero pesos. Estas actividades comerciales que se asocian al jaguar no están permitidas por trasgredir el marco jurídico en sentido estricto asociado a la veda definitiva del jaguar, especie enlistada en la NOM-059-SEMARNAT-2010 y regulada por tratados internacionales[388]. La red de traficantes de jaguares y lavado de felinos es com-

---

[388] Pese a que la denuncia cumplía con todos los requerimientos administrativos y tuvo una admisión, así como estar adecuada con los datos probato-

pleja y está articulada desde estructuras de gobierno que blanquean a los jaguares de vida silvestre con permisos falsos que acreditan la legal procedencia del felino a fin de aumentar las ganancias de los traficantes. Bajo esta compleja red de traficantes, podemos aseverar que existen zoológicos en México y asociaciones de zoológicos y criadores que promueven el tráfico ilícito de jaguares, esto no limita que estas actividades se amplíen a centros de crianza y reproducción especializados, tiendas de mascotas, empresas comerciales de animales silvestres, zoológicos y las diversas modalidades de UMA's y PIMVS en México, con estos permisos pseudolegales incluso emitidos por gobiernos estatales, los productos de jaguar son fáciles de comerciar para el comprador final a precios exorbitantes, haciendo de estas prácticas una actividad fácil de realizar y rentable a corto plazo. El blanqueo de fauna no se limita a estos casos, se cree posible que las crías o ejemplares silvestres jóvenes capturados ilegalmente en la naturaleza sean llevados a centros legales para ser criados ahí y hacerlos pasar como nacidos en cautiverio y declararlos falsamente como criados en cautividad[389]. Los diversos mecanismos para realizar el lavado de animales son complejos y diversos, incluye el tráfico de especies en vida libre en todas las etapas de crecimiento de la fauna en una red compleja de captura y recolección, la transformación y blanqueamiento del ejemplar con permisos y autorizaciones ya sean alteradas, suplantadas, falsificación de notas, facturas o documentos, alterar el sistema de marcaje o suplantar especies silvestres con la in-

---

rios idóneos y presentados conforme a derecho, con vinculación real a los hechos, esto incluía entre otras pruebas 18 fotografías, copias simples de los oficios públicos de comercio de jaguar y copias de las notas simples de remisión, ubicación del inmueble con los datos de ubicación y el lugar donde se realizó el comercio ilícito del jaguar en la oficina pública del gobierno del Estado de México, así como direcciones electrónicas del comercio, la Profepa no encontró el domicilio para continuar las investigaciones pese a estar incluso georeferenciadas, declarando por concluido el procedimiento administrativo. Vid. Expediente: PFPA/17.7/2C.28.2/00138-24.

389 Vid. VAN UHM, D. Wildlife Crime and Security, in REICHEL, P., RANDA, R. (Eds.). Transnational Crime and Global Security (USA 2018) 73-96.

tención de simular la legal procedencia[390], hasta la venta y posesión final.

El fenómeno de afectación a los jaguares en cautiverio es amplio y complejo. En materia administrativa federal en el periodo de 2009 al 2016 la Profepa aplicó el Programa Nacional de Inspección a Zoológicos, cuyo objetivo fue verificar mediante actos de inspección el cumplimiento de la normatividad ambiental vigente relativa al registro y operación de los zoológicos registrados ante Semarnat, De las visitas de inspección practicadas por esta Procuraduría a los zoológicos, resultan como principales irregularidades las siguientes: no acreditar la legal procedencia de ejemplares de fauna silvestre —con un eje importante en el tráfico de vida silvestre—, el incumplimiento al plan de manejo y faltas sobre trato digno y respetuoso a los animales, del 2015 al 2016 la inspección abarcó 95 zoológicos y se verificaron 20,739 ejemplares de vida silvestre, de los cuales 4,186 fueron asegurados por trasgredir la norma ambiental[391], esto representa más del 20% del total de animales inspeccionados, una cifra demasiado alta para ser instituciones que supuestamente realizan conservación, sustentabilidad y educación ambiental.

El jaguar era una especie recurrente en los espectáculos circenses en México que tenían en su dominio diversas especies de animales silvestres, en la legislación nacional se encontraban registrados como PIMVS. En un periodo entre 2010 y 2015 se documentó en la zona centro de México un total de 12 circos que tenían entre sus atracciones a jaguares[392], en estos espacios itinerantes los jaguares pre-

---

390 Vid. CASTRO, J., CARPIO, J. Criminología verde: Lavado de vida silvestre desde la legislación y las autoridades ambientales en México, en DIKE. Revista de investigación en Derecho, Criminología y Consultoría Jurídica 32 (2023) 225-250.

391 Vid. PROFEPA. Informe de Rendición de Cuentas de Conclusión de la Administración PROFEPA 2012-2018 (México 2017) 30. Disponible en: https://www.gob.mx/cms/uploads/attachment/file/413318/Informe_Rendicio_n_de_Cuentas_y_de_Conclusio_n_PROFEPA_compressed.pdf (última consulta, 10.10.2025).

392 Investigación y activismo realizado del 2010 hasta la publicación de la abolición de espectáculos circenses. BIOFUTURA. Archivo personal. Vid. Decreto por el que se reforman y adicionan diversas disposiciones de la Ley

sentaban múltiples afectaciones físicas y conductuales derivadas de su explotación en los espectáculos y exhibiciones, la explotación comercial no se limitaba al uso circense, incluso se vendían desde crías y ejemplares adultos al público que lo solicitara de manera confidencial. Dentro de los circos analizados, el Circo Barley llegó a tener 11 jaguares exhibidos los cuales presentaban diversos daños severos físicos y psicológicos (etológico-conductuales): amputaciones de garras, dientes —colmillos— y de su cola, desnutrición, heridas ocasionadas por golpes y contusiones derivados del condicionamiento y también por peleas entre ellos —algunas heridas incluso todavía con sangre visible en sus cuerpos—, infecciones, problemas oculares, y todos presentaban estereotipias y distrés[393]. La abolición de los espectáculos circenses donde la fauna silvestre era explotada como esclavos y exhibida como prisioneros en México tuvo importantes precedentes legislativos en diversas entidades federativas[394], hasta lograr la pro-

General del Equilibrio Ecológico y la Protección al Ambiente y de la Ley General de Vida Silvestre. DOF: 09-01-2015. Disponible en: https://www.dof.gob.mx/nota_detalle.php?codigo=5378251&fecha=09/01/2015#gsc.tab=0 (última consulta, 10.10.2025).

393 Estos daños a la fauna silvestre fueron señalados en las conclusiones de dos dictámenes periciales realizados por expertos en vida silvestre referente a la primer denuncia interpuesta por Biofutura contra un Circo en México por maltrato animal, sin embargo, para los peritos de la Profepa, pese a que en su análisis señalaron el daño físico a la fauna silvestre, concluyeron en sus dictámenes: "... la actividad realizada por el presunto infractor no se encuentra tipificada en el Código Penal Federal; ...los ejemplares desprovistos de garras o piezas dentales no es motivo para que los animales se encuentren en mal estado físico; ...es eminente el daño a la fauna silvestre, pero es importante señalar que por el tipo de giro y actividad que realizan los ejemplares esta fue previamente autorizada". Los dictámenes periciales de Profepa reflejan que su personal no está capacitado en lo mínimo requerido en materia de vida silvestre, la negligencia, ignorancia y corrupción de la Profepa quedó establecida en las actuaciones ministeriales. Vid. AP/PGR/HGO/PACH2-II/411/2011.

394 Vid. MONTERO, E. Comentario respecto la prohibición de circos con animales en México: debate social y propuestas legales, en DA Derecho Animal (Forum of Animal Law Studies) 5 (2014) 1-17.

hibición del uso de ejemplares de vida silvestre en los circos a nivel nacional en 2015[395].

A fin de conocer la problemática más a fondo de la cautividad de jaguares en México y su relación con el fenómeno ilícito en un ámbito administrativo federal, se solicitó a la Procuraduría Federal de Protección al Ambiente[396] información sobre el aseguramiento de ejemplares de vida silvestre de 2010 al 22 de abril de 2015 donde en relación con la especie *Panthera onca* analizamos que en total hubo 117 aseguramientos de jaguar de un total de 84,394 especies silvestres en 10,226 aseguramientos y en los operativos al combate al tráfico de vida silvestre se aseguraron 20 ejemplares a la misma fecha de un total de 26,831 especies de vida silvestre en 2,745 operativos. Para el 12 de abril de 2016 se le aumenta a la cifra de asegurados 32 ejemplares teniendo un total de 149 jaguares asegurados por la Profepa, siendo los estados de Sonora, Jalisco, Campeche, Veracruz, Quintana Roo, Campeche y Ciudad de México los que mayor incidencia ilícita ambiental tienen con relación al jaguar.

Dentro del rubro de acceso a la justicia ambiental administrativa, desde 2003 al 7 de abril de 2016 se iniciaron 14,962 denuncias en todo México por hechos que dañan a la vida silvestre con una media anual de 2,279.84 denuncias, en los actos denunciados asociados a la cacería ilegal, el jaguar es uno de los animales que más se denuncian junto aves canoras, venados, coyotes, jabalíes, venado cola blanca, armadillo, pavo ocelado y tepezcuintle. Al analizar la efectividad de las instituciones ambientales administrativas es importante resaltar que del 2004 al 7 de abril de 2016 existieron 160 irregularidades a la Ley General de Vida Silvestre en materia de daño o destrucción de la vida silvestre o su hábitat, de las cuales 64 tuvieron un aseguramiento precautorio, 96 no, de estas irregularidades solo se dio vista al Ministerio Público de la Federación a 28 individuos por la probable comisión de delitos contra la biodiversidad lo que representa el 17.5% de denuncias ante el Ministerio

395 Artículo 78 de la LGVS. Reforma publicada en el DOF: 09-01-2015. Disponible en: https://www.dof.gob.mx/nota_detalle.php?codigo=5378251&fecha=09/01/2015#gsc.tab=0 (última consulta, 10.10.2025).

396 Vid. INFOMEX. Número de folio 1613100030115. 2015.

Público. Asímismo, esta autoridad da informe que de los años 2001 al 2006 no se remitió ante el Agente del Ministerio Público de la Federación a ningún individuo.

En relación a las sanciones impuestas, la Profepa en 2010 sancionó por daños a la vida silvestre a 704 personas, en 2011 a 746, en 2012 a 561, en 2013 a 485, en 2014 a 445 y en 2015 a 284, y puso a disposición del Ministerio Público Federal en 2010 a 80 personas, 2011 a 165, 2012 a 84, 2013 a 68, 2014 a 90 y en 2015 a 47, lo que representa que la Profepa solo remitió al 16.55% de las personas sancionadas al Agente del Ministerio Público de la Federación, siendo importante aclarar que no todos los individuos que remite a esta autoridad los sanciona la Profepa[397]. Si bien el artículo 182 de la Ley General del Equilibrio Ecológico y Protección al Ambiente "LGEEPA" da una obligatoriedad a la Semarnat —incluye a la Profepa— de formular la denuncia correspondiente ante el Ministerio Público por la probable comisión de delitos contra la biodiversidad, sin embargo, en la práctica no se realiza esta obligatoriedad por parte de las instituciones ambientales administrativas. En años posteriores, los datos de las personas sancionadas con relación a ilícitos en vida silvestre fueron los siguientes: en 2015, 801 personas, 2016, 641 personas, 2017, 711 personas, 2018, 625 personas, 2019, 553 personas, 2020, 384 personas, 2021, 949 personas y en 2022, 474 personas.

Enfocado en el jaguar, los ilícitos ambientales en materia ambiental federal del año 2000 al 2022 en todo México son un total de 335 denuncias populares las cuales 91 se concluyeron por emitirse una resolución administrativa derivada del procedimiento de inspección, y en solo 33 casos existe una sanción, esto representa el 9.8 % de sanciones del total de denuncias en materia de ilícitos ambientales asociados al jaguar. Los datos son los siguientes[398] «Tabla 1»:

---

397 Vid. INFOMEX. Número de Folio 1613100006116. 2016.

398 Vid. PLATAFORMA NACIONAL DE TRANSPARENCIA (PNT) folio 330024423000027. 2023

Estado	Denuncias	Resolución del procedimiento de inspección
Aguascalientes	3	1
Baja California	2	0
Baja California Sur	3	1
Campeche	16	5
Chiapas	15	2
Chihuahua	5	2
Ciudad de México	30	9
Colima	1	0
Estado de México	33	12
Guanajuato	7	2
Guerrero	2	0
Hidalgo	4	2
Jalisco	24	6
Morelos	4	2
Nayarit	9	1
Nuevo León	8	3
Oaxaca	6	3
Puebla	10	1
Querétaro	2	0
Quintana Roo	67	16
San Luís Potosí	1	0
Sinaloa	9	2
Sonora	9	3
Tabasco	1	0
Tamaulipas	7	2
Tlaxcala	1	0
Yucatán	71	15
Zacatecas	5	1
Total	355	91

Tabla 1. Relación de denuncias populares en materia ambiental asociado a ilícitos que afectan al jaguar.

Las entidades federativas con mayor índice de ilícitos asociados al jaguar son Yucatán, Quintana Roo, Estado de México, Ciudad de México y Jalisco, en un nivel medio se encuentran los estados de Chiapas, Campeche, Puebla, Sinaloa, Sonora, Nayarit y Guanajuato, y en un nivel menor se encuentran los estados de Nuevo León, Tamaulipas, Oaxaca, Chihuahua, Aguascalientes, Baja California, Baja California Sur, Colima, Guerrero, Hidalgo, Morelos, Querétaro, San Luís Potosí, Tabasco, Tlaxcala y Zacatecas. Las sanciones impuestas conforme a la resolución administrativa consistieron en 3 amonestaciones simples, 3 amonestaciones con decomiso, 2 decomisos simples, 12 multas con decomiso y 13 multas. Las sanciones consistentes en multas oscilan desde los $2,182.50 (dos mil ciento ochenta y dos pesos mexicanos con cincuenta centavos), hasta $946,350.00 (novecientos cuarenta y seis mil trescientos cincuenta pesos mexicanos). Las autoridades ambientales administrativas federales han tenido una efectividad deficiente en comparación con el fenómeno ilícito ambiental que afecta al jaguar, sus presas y su hábitat, lo que imposibilita que actualmente la justicia ambiental sea una herramienta viable para la conservación y protección de la biodiversidad mexicana. La tasa de efectividad es desproporcional, asimismo, es importante mencionar que a esta baja respuesta de la autoridad ambiental hace falta sumar la cifra negra de impunidad, lo que dejaría en niveles alarmantes la vigilancia ambiental del jaguar en México.

El fracaso de las instituciones ambientales para la conservación del jaguar no es exclusividad del sistema jurídico administrativo, en materia penal, el sistema en un ámbito federal no se ha configurado como una herramienta de conservación del jaguar, pese a que los ilícitos ambientales representan uno de los ilícitos más cometidos a nivel nacional e internacional superados solamente por el tráfico de drogas y de armas[399], esto hace que el combate efectivo de los delitos ambientales sea una ilusión en México. En relación a los delitos ambientales, las averiguaciones previas y carpetas de investigación iniciadas por la probable comisión de hechos constitutivos de delitos

---

399 Vid. MORALES, D. MORALES, J. Combate efectivo de los delitos contra la biodiversidad en México como una herramienta de conservación de la biodiversidad, en Nómadas. Revista Crítica de Ciencias Sociales y Jurídicas 51 (2017).

contra la biodiversidad previstos en el Código Penal Federal en un periodo comprendido entre 2006 y 2022, comprende los siguientes datos «Tabla 2 y Tabla 3»[400]:

Averiguaciones previas	
Año	**Total**
2006	1,203
2007	1,413
2008	1,613
2009	1,396
2010	1,384
2011	1,560
2012	1,320
2013	1,425
2014	1,386
2015	1,191
2016	307
Total general	14,220

«Tabla 2» Averiguaciones previas. Materia penal ambiental.

400 Adicionalmente se informa, que respecto a carpetas de investigación, se proporciona información desde el 2014, toda vez que a partir de ese año se llevó a cabo la implementación del Sistema de Justicia Penal Acusatorio (SJPA) en México, de acuerdo a que el 18 de junio de 2008, se publicó en el Diario Oficial de la Federación (DOF), el Decreto por el que se reforman y adicionan diversas disposiciones de la CPEUM, estableciéndose el SJPA, donde señala que el proceso penal debía ser acusatorio y oral, bajo los principios de inmediación, contradicción, continuidad, concentración y publicidad; concatenando lo anterior, el 5 de marzo de 2014 se publicó en el DOF el Decreto por el que se expide el Código Nacional de Procedimientos Penales y que en su Artículo Segundo Transitorio establece: "...Este Código entrará en vigor a nivel federal gradualmente en los términos previstos en la Declaratoria que al efecto emita el Congreso de la Unión previa solicitud conjunta del Poder Judicial de la Federación, la Secretaría de Gobernación y de la Procuraduría General de la República, sin que pueda exceder del 18 de junio de 2016...". Disponible en: https://www.dof.gob.mx/nota_detalle.php?codigo=5334903&fecha=05/03/2014#gsc.tab=0 (última consulta, 10.10.2025).

Carpetas de investigación	
Año	**Total**
2014 Nov-Dic	1,203
2015	1,413
2016	1,613
2017	1,396
2018	1,384
2019	1,560
2020	1,320
2021	1,425
2022 Ene-Nov	1,386
Total general	7,108

«Tabla 3» Carpetas de investigación. Materia penal ambiental.

En atención a estas denuncias, el Agente del Ministerio Público de la Federación solicitó a un juez federal el ejercicio de la acción penal por la probable comisión de delitos contra la biodiversidad en el período comprendido de 2006 a noviembre de 2022 a un total de 10,552 personas, los datos se muestran a continuación «Tabla 4 y Tabla 5»:

Personas a las que se les ejerció acción penal en averiguaciones previas	
Año	**Total**
2006	280
2007	387
2008	515
2009	501
2010	534
2011	640
2012	557
2013	545

Personas a las que se les ejerció acción penal en averiguaciones previas	
Año	**Total**
2014	531
2015	426
2016	84
Total general	5,000

«Tabla 4» Averiguaciones previas con ejercicio de acción penal en materia de vida silvestre.

Personas a las que se les ejerció acción penal en carpetas de investigación	
Año	**Total**
2014 Nov-Dic	0
2015	106
2016	489
2017	893
2018	898
2019	952
2020	726
2021	688
2022 Ene-Nov	770
Total general	5,522

«Tabla 5» Carpetas de investigación con ejercicio de acción penal en materia de vida silvestre.

Referente a los delitos contra la vida silvestre, el jaguar es uno de los animales más recurrentes en las conductas delictivas ambientales en México. Debido a la especificidad de la materia penal ambiental de la federación, en México existió una Unidad Especializada en Investigación de Delitos contra el Ambiente y Previstos en Leyes Especiales, adscrita a la Subprocuraduría de Investigación Especializada en Delitos Federales[401], desde el año 2006 al 2022, esta unidad inició 1,318 expedientes por delitos contra la biodiversidad y solicitó a un juez federal el ejercicio de la acción penal contra 411 personas «Tabla 6 y Tabla 7».

Expedientes iniciados			
Averiguaciones previas		Carpetas de investigación	
Año	UEIDAPLE	Año	UEIDAPLE
2006	12	2014 nov-dic	0
2007	38	2015	0
2008	115	2016	50
2009	83	2017	64
2010	84	2018	67
2011	121	2019	83
2012	100	2020	78
2013	93	2021	88
2014	86	2022 ene-nov	67
2015	75	Total general	497
2016	14		
2017	0		
Total general	821		

«Tabla 6» Expedientes iniciados UEIDAPLE.

401 Conforme al Acuerdo A/001/2023, la Unidad Especializada en Investigación de Delitos contra el Ambiente y Previstos en Leyes Especiales se eliminó y se creó la Fiscalía Especial en Investigación de Tráfico de Menores, Personas y Órganos, y Contra la Biodiversidad. DOF: 09-10-2023. Disponible en: https://sidof.segob.gob.mx/notas/5704316 (última consulta, 11.10.2025).

Personas a las que se les ejerció la acción penal			
Averiguaciones previas		Carpetas de investigación	
Año	UEIDAPLE	Año	UEIDAPLE
2006	1	2014 nov-dic	0
2007	14	2015	0
2008	30	2016	18
2009	20	2017	21
2010	36	2018	29
2011	40	2019	37
2012	37	2020	29
2013	48	2021	6
2014	24	2022 ene-nov	1
2015	18	Total general	141
2016	2		
Total general	270		

«Tabla 7» Expedientes iniciados con ejercicio de acción penal UEIDAPLE.

La relación entre las denuncias que iniciaron una averiguación previa entre los años 2006 y 2016 en la Unidad Especializada en Investigación de Delitos contra el Ambiente y Previstos en Leyes Especiales fue de un total de 821, en relación al ejercicio de la acción penal ante un juez federal se presentaron 270, lo que configura un 32.88 % del total de averiguaciones previas que dieron inicio a la denuncia. Referente a las carpetas de investigación del año 2014 al 2022 se iniciaron 497 carpetas, de las cuales se ejerció la acción penal contra 141, lo que configura un 28.37 % del total de denuncias. En conjunto se realizaron en esta unidad 1,318 denuncias, lo que incluyen averiguaciones previas y carpetas de investigación, en conjunto se ejerció la acción penal contra 411 individuos, lo que constituye un 41.18 %.

Dentro del procedimiento penal es importante analizar cuantas personas compurgaron una sanción por delitos contra la biodiversidad en toda la historia moderna hasta mayo del 2025, y así, analizar la efectividad de las instituciones ambientales del orden penal federal, en total fueron las siguientes «Tabla 8»[402]:

Personas que compurgaron una sanción penal por ilícitos en materia de vida silvestre en México	
Entidad	**Personas**
Ciudad de México	18
Jalisco	0
Tlaxcala	0
Zacatecas	0
Tabasco	0
Aguascalientes	3
Baja California	47
Baja California Sur	11
Campeche	22
Coahuila	0
Colima	18
Chiapas	0
Chihuahua	0
México	5
Durango	0
Guanajuato	0
Guerrero	51
Hidalgo	0
Michoacán	0
Morelos	17
Nayarit	0
Nuevo León	12

402 BIOFUTURA. Archivo personal. Información obtenida a través 45 solicitudes, quejas y medios judiciales a entidades gubernamentales por medio de la Plataforma Nacional de Transparencia en ejercicio del derecho de petición y del derecho a la información pública.

Personas que compurgaron una sanción penal por ilícitos en materia de vida silvestre en México	
Entidad	**Personas**
Oaxaca	0
Puebla	3
Querétaro	0
Quintana Roo	41
Sinaloa	0
Sonora	28
Tamaulipas	43
Veracruz	2
Yucatán	10
Centros Federales de Readaptación Social	30
Total	361

«Tabla 8» Compurgación de pena por delitos contra la vida silvestre en México.

En todos los centros de readaptación social de México, incluyendo los federales, solamente han compurgado una pena por la realización de conductas que afectan a la vida silvestre 361 personas, y ninguna está registrada por ilícitos contra el jaguar. De manera optimista, los delitos en México en materia de biodiversidad que se denuncian representan el 6.6 %, lo que corresponde a 21,328 denuncias, a esta cifra se consigna por parte del Ministerio Público de la Federación poniendo a disposición de un Juez Federal el 49.33 % en relación a las denuncias presentadas, y representa en relación a la compurgación de penas por delitos contra la biodiversidad el 1.69 %, en este sistema los delitos contra la biodiversidad de manera amplia son sancionados en el 0.11 % y en el caso de ilícitos cuyo objeto material se asocia al jaguar es del 0 %. Pese a que del 2000 al 2015 se aseguraron 10 jaguares por parte de la Procuraduría General de la República, actualmente Fiscalía General de la República, en la Ciudad de México, Estado de México, Oaxaca y Sinaloa, y aunque en los datos de esta autoridad federal el jaguar es una de las especies más recurrentes en los delitos contra la biodiversidad en México[403], no existen personas que estén compurgando una sanción penal ambiental asociado al jaguar, lo que refleja que la impunidad ambiental es la regla. En los delitos contra la biodiversidad asociado a la fauna silvestre, los casos de efectividad de la aplicación de la ley penal para la protección de la biodiversidad se han dado principalmente con especies en veda, como los pericos mexicanos, esto se debe principalmente a que en estas especies silvestres no puede existir un aprovechamiento legal, ni es permitido por las autoridades, la ley es tajante con las vedas de estas especies que están fuera del comercio, son vedas definitivas. En el caso del jaguar pese a que existe una veda definitiva, existe un alto nivel de comercio pseudolegal y por lo tanto altos niveles de comercio ilegal, esto se debe a la legalización del jaguar-mercancía, en México el comercio pseudolegal del jaguar y la impunidad han fomentado y exponenciado a niveles críticos el comercio ilegal. Las tasas de impunidad reflejan la condición grave que atraviesa el sistema penal ambiental en México donde la justicia que otorga una protección efectiva a la biodiversidad y al jaguar es simplemente una fantasía.

La corrupción, ineficacia e impunidad gubernamental que afectan al jaguar no se limitan a los sistemas jurisdiccionales, sus autores e instituciones. El poder ejecutivo tiene una gran responsabilidad y deuda histórica con la conservación del jaguar en múltiples horizontes; desde basureros ilegales que permiten las autoridades municipales en zonas prioritarias para el jaguar, permisos y autorizaciones otorgadas sin el sustento legal para aprovechar al felino e incluso destruir su hábitat, hasta la designación de recursos económicos para realizar proyectos y actividades por parte de la autoridad gubernamental para conservar al jaguar que no se ejecutan correctamente y son designados a través de la corrupción y el beneficio mutuo. La afectación al jaguar es múltiple desde los diversos sistemas gubernamentales, lo que hace que este mamífero silvestre atraviese grandes obstáculos en México. En este último rubro los datos de un caso de probable beneficio mutuo entre servidores

---

[403] PGR. Oficio SJAI/DGAJ/02754/2016 y FGR. Oficio No. FGR/UTAG/DG/000903/2023. Archivo de Biofutura A. C.

públicos y organizaciones civiles es claro y permite visibilizar la corrupción ambiental de México asociado a la protección del jaguar. El 31 de marzo de 2014, Luis Fueyo Mac Donald, anterior Comisionado Nacional de la Conanp, publicó los lineamientos para otorgar apoyos y ejecutar actividades del Programa de Conservación de Especies en Riesgo (PROCER) ejercicio fiscal 2014, este programa público en su anexo 1 denominado términos de referencia de los conceptos de apoyo, estableció el siguiente rubro: 0.3 Reducción de conflictos entre actividades pecuarias y de conservación de jaguares en México, por una cantidad para ejecutar la actividad de $2,500,000.00 (dos millones quinientos mil pesos mexicanos), en este sentido, la organización civil Conservación de Vida Silvestre y Desarrollo Comunitario Covidec A.C., obtuvo este proyecto junto con otros por parte de la Conanp en el 2014, obteniendo en total de recursos públicos $4,910,000.00 (Cuatro millones novecientos diez mil pesos mexicanos)[404]. Dentro de las actividades de esta organización civil, relacionado con el concepto de apoyo "0.3 Reducción de conflictos entre actividades pecuarias y de conservación de jaguares en México" en el apartado de actividades se menciona la creación de la "Guía de convivencia para la prevención de conflictos entre animales domésticos y carnívoros silvestres", en esta guía, entre los autores colectivos que realizaron la obra aparecen los nombres de dos servidores públicos que en ese momento desempeñaban actividades laborales dentro de la Conanp, y como se demuestra por la guía, realizaron actividades por un concepto de apoyo económico gubernamental federal designado a una organización civil. Realizar actividades específicas donde se recibe un apoyo económico gubernamental federal a través de un programa público y ser servidor público es un acto ilícito que refleja la corrupción de las instituciones que se encargan de conservar a la fauna silvestre en México, en este caso en específico, el que dos servidores públicos de la Conanp sean autores de una obra resultado de un apoyo económico gubernamental que recibió una organización civil para realizar esa acción

---

[404] Vid. Programa de Conservación de Especies en Riesgo (PROCER) 2014. Disponible en: https://www.gob.mx/conanp/acciones-y-programas/programa-de-recuperacion-y-repoblacion-de-especies-en-peligro-de-extincion-u025-2014?state=published (última consulta, 11.10.2025).

puede considerarse un beneficio mutuo entre los servidores públicos y la organización beneficiada[405], el beneficio mutuo es el bien, utilidad o provecho provenientes de apoyos y estímulos públicos que reciben, de manera conjunta, los miembros de una o varias organizaciones y los funcionarios públicos responsables y que deriven de la existencia o actividad de la misma[406]. Los servidores públicos de la Conanp están imposibilitados jurídicamente de ser autores de una obra o actividad que fue designada por la propia Conanp para que se realizara por una organización civil que recibió recursos públicos para esa acción, incluso esta actividad trasgrede los principios de austeridad, disciplina, legalidad, objetividad, profesionalismo, honradez, lealtad, imparcialidad, integridad, rendición de cuentas, eficacia, eficiencia y racionalidad en el uso de los recursos públicos, mismos que rigen el servicio público, estos principios están claramente señalados en la legislación nacional[407]. La negligencia de los funcionarios públicos junto con la corrupción son el perfecto dúo para la impunidad ambiental que afecta al jaguar. Desde enfoques judiciales, legislativos y ejecutivos, el estado mexicano presenta graves deficiencias para conservar efectivamente al jaguar en todos los niveles de gobierno.

---

405 Estos actos probables de corrupción fueron denunciados, sin embargo, las autoridades gubernamentales concluyeron la investigación por no encontrar en las cuentas bancarias de los denunciados ingresos asociados a las cantidades del programa público, La deficiencia de las investigaciones del órgano de control y la corrupción reflejan la crisis que atraviesa el sector público ambiental. Vid. Órgano Interno de Control en la Secretaría de Medio Ambiente y Recursos Naturales. Número exp: 23047/2016/DGDI/SEMARNAT/DE406.

406 Vid. Art. 1. Ley Federal de Fomento a las Actividades Realizadas por Organizaciones de la Sociedad Civil. DOF: 9-02-2004. Disponible en: https://www.diputados.gob.mx/LeyesBiblio/pdf/LFFAOSC.pdf (última consulta, 11.10.2025).

407 Vid. Art. 7. Ley General de Responsabilidades Administrativas. DOF: 18-07-2016. Disponible en: https://www.diputados.gob.mx/LeyesBiblio/pdf/LGRA.pdf (última consulta, 11.10.2025).

12. NEGACIÓN Y AFIRMACIÓN

El centro de la política de dominación del jaguar es el ego especista dominador, imperial, soberano, guerrero-cazador, conquistador y represor, que encierra en la totalidad al mundo, donde los animales jaguares se posicionan en la periferia como medios para los fines del humano, en esta ontología dialéctica especista el ser humano se constituye —conforme al pensamiento derridiano[408]— en contradicción del no humano; los animales, las bestias, es el pensante-divino ante el no pensante, el ser ante el no-ser. Conforme al pensamiento escatológico especista, los jaguares al igual que todos los animales no humanos están como medios para los fines y en el destino último humano traen aparejada la eterna y sagrada dominación sobre ellos. El sistema político especista es una expresión mítica del fundamento ontológico de dominación del mismo-sistema que ordena servirse de los animales y cuya existencia es de mediación para los fines humanos, asimismo, conforme la simbólica del mal en la modernidad desde el periodo colonial el jaguar es posicionado como aquello a vencer, dominar y aniquilar, es el que afecta a las sociedades rurales, el que arrebata y roba los bienes ganaderos por lo que es necesario aniquilarlo junto a toda su prole. La política especista como totalidad es un sistema que comprende en el centro del mundo al "yo", el ser racional-pensante que es el formador de mundo, igualmente se constituye como único en el mundo y posiciona a los animales como cosas en una dialéctica de dominadores y dominados, alcanzando una supremacía imperial global en el siglo XXI, este despliegue dialéctico posiciona al jaguar-animal como lo otro y sus esclavizadores-asoladores-aniquiladores son los héroes de la civilización moderna que en sí son los asesinos del otro —jaguaridad— en un movimiento expansivo colonial de lo mismo. La política especista tiene un hito en la conquista europea en América que conforma un orden de dominación imperial con un bastión en la cristiandad de dominación que se determinó a sí mismo como el nuevo proyecto ontológico que el *ego cogito sum* europeo despliega en la modernidad refundiendo al jaguar y a todos los animales como

---

408 Vid. DERRIDA, J. El animal que luego estoy si(gui)endo (España 2008) 15-69.

mediación para crear una riqueza —o protegerla en el caso de los grandes carnívoros por la depredación al ganado— como fundamento de la acumulación y una praxis opresora donde el felino que atenta contra el capital: *caput*, cabeza, materializado en el ganado europeo será el enemigo a asesinar, en esta práctica de dominación quedaron silenciados para siempre los jaguares, eliminando el cara a cara con ellos y sustituyendo un sistema donde se reducen a un objeto-cosa y se posicionan en una cercanía instrumental racional especista como medio para los fines humanos y de manera proporcional en una lejanía zoo-ética.

La totalización política del especismo comprende las mediaciones políticas, las instituciones y los momentos estructurales. Se trata del momento en que "el ser es"; y el ser es el fundamento ontológico del "sistema" político que ejerce el poder[409], en este caso la política es guerra, en este estado de guerra se suspende la moral y se impone como el ejercicio mismo de la razón que aliena en la totalización-sistema-mundo especista, que desde una conjunción aristotélica-hegeliana dicta "lo racional es lo real, y lo real es lo racional". Las conductas antrópicas del especismo de dominación del jaguar son resultado de la guerra milenaria del humano contra los demás animales y de la conquista de la naturaleza para conformar una dialéctica entre la cultura como elemento delimitado a la racionalidad humana y lo demás como parte de la naturaleza, tratando de encubrir que el humano es naturaleza y un animal, que los jaguares, tapires, los animales invertebrados... están en un horizonte emparentados unos con otros, incluso desde la cercanía genética cuenta con primos-hermanos, sin embargo, su gran familia es negada. Esta guerra es un acto e instrumento político, una continuación de la actividad política, una realización de la misma por otros medios[410] que elimina cualquier proximidad en alteridad zooética con el jaguar. El sistema político de dominación del jaguar en México ha sido constituido por la institucionalización imperial-colonialista desde fuera en un pacto colonial; Europa y Estados Unidos como centro de la geopolítica de la conservación-aprovechamiento del

---

409 Vid. DUSSEL, E. Filosofía de la liberación (México 2018).

410 Vid. CLAUSEWITZ, K. De la guerra. Tomo I. (Venezuela 2017) 51.

jaguar, las estrategias de conservación-aprovechamiento son traídas desde fuera y se adaptan a la realidad social en un proceso de alienación en una política especista neocolonial donde se dicta lo que es, conformando un estado marginal-periférico del estado del centro. Esta voluntad de dominio en la política especista del jaguar se revela desde un logos imperial-colonialista con diversos momentos dentro de la sociedad en México que cimienta a la razón en el horizonte del absoluto: una conservación-aprovechamiento racional del capital natural que se manifiesta en dirección de la comprensión del ser, una cierta ontología política que se racionaliza en la mediación instrumental del jaguar, esta razón subjetiva se autodefine como lo que es —en este racionalismo ambiental-capitalista-especista perseguir y cazar con permisos de las instituciones es un aprovechamiento racional sustentable; utilizar botas de la piel de animales en riesgo es un mecanismo indispensable para salvarlos; mutilar y encerrar aves para el ornato es parte del aprovechamiento sustentable, del patrimonio biocultural y el saber ambiental tradicional de la comunidades[411]; en el caso del jaguar, utilizarlo como mascota o comer su carne para satisfacer la voracidad de las sociedades de consumo es una vertiente de la conservación, o su uso de pieles, huesos y dientes en espectáculos es parte de la salvaguarda del patrimonio cultural...—. La miseria de los animales es el punto de partida ontológico de la dominación desde donde surge una metafísica que permite construir una zoopolítica de liberación del jaguar —*Le malheur des temps a causé son erreur, mais la force de son âme l´en a fait sortir avec gloire*[412]—.

La fetichización del especismo, incluso bajo la figura del aprovechamiento sustentable del jaguar está tan encubierta que implica una esclavitud-asolación-aniquilación sin configurarse la escla-

---

411 Vid. ROLDÁN-CLARÀ, B., ESPEJEL, I., El oficio de pajareros, una práctica biocultural viva de México, en Letras Verdes, en Revista Latinoamericana de Estudios Socioambientales (2022); ROLDÁN-CLARÀ, B., TOLEDO, V., ESPEJEL, I. The use of birds as pets in Mexico, in Journal of Ethnobiology and Ethnomedicine 13 (2017) 1-18.

412 La desgracia de los tiempos causó su error, pero la fuerza de su alma lo hizo salir de ahí con gloria. Corresponde la verdad al humano; al tiempo, el error. Vid. GOETHE, J. Obras completas I (México 1991) 349.

vitud-asolación-aniquilación, este dominio reduce al jaguar a una mediación instrumental para pertenecer a otro, no a sí mismo, su naturaleza así es, e incluso al incorporarse dentro del *imperium* del especismo, es beneficioso y justo debido a las modalidades del racionalismo especista de la conservación, se pretende hacer un favor a sus víctimas al dominarlas, esta ideología trata de justificarse a si misma desde una multiplicidad de plataformas: temporales-históricas, míticas, racionales..., e incluso, como parte de la paz y el bien común, por lo tanto se conforma en uno de los últimos horizontes de la política del estado que establece dentro de sus pilares sociales la libertad y la propiedad privada donde el jaguar es un instrumento de mediación instrumental para los fines del soberano, este es uno de los despliegues de los momentos de su política, donde el ser como la totalidad de la subjetividad moderna se presenta como el que configura mundo en relación práctica con el mundo y sus objetos-cosas que son objeto de posesión posible, esta acción implica colocar la voluntad en el mundo y permite exteriorizar su voluntad, en la posesión de la cosa se determina al jaguar y por lo tanto se lleva a la propiedad, por lo que la cosa deviene mía, y recibe como su ser substancial, que no tiene ella misma, a mi voluntad, como su determinación y fundamento.

La ontología política especista de dominación en Latinoamérica se estructura como una totalidad del sistema político de dominación que se conforma desde el "yo" colonial-imperialista dominador-conquistador donde el animal jaguar es un ser por naturaleza susceptible de apropiación y por lo tanto de pertenecer a alguien en ejercicio del poder del humano y la libertad que cada persona tiene de usar su propio poder para someter a su voluntad, siendo el dueño de su vida, legitimando la esclavitud-asolación-aniquilación del jaguar en una política de dominación que niega su ser, conformándose colectiva y políticamente en una totalidad insuperable de la teoría del estado especista-dominador, desplegando la opresión en los momentos de su política como seres en sí con voluntad libre desde un horizonte ontológico del "yo" racional dominador, conquistador e imperial que se manifiesta en el mundo como un ser-ahí que configura mundo ante los "pobres de mundo" como los encierra Heidegger[413] con los aportes de Jakob von Uexküll; cosas susceptibles de posesión donde se manifiesta la voluntad del "yo" sobre esa cosa, la posesión del animal-jaguar es una determinación del dominador ante el jaguar, este despojo por apropiación del animal lleva a la propiedad de la cosa, ya sea propiedad de la nación, propiedad privada, o la cosa sin dueño susceptible de apropiación.

En la relación humano dominador-jaguar, el ego especista constituye en un momento de su mundo al jaguar dominado como un ente circunscripto a los objetos-cosas que están en el mundo, la materialización del dominio tiene como primer momento la posesión en un acto corporal del despliegue de la fuerza en un poder-hacer; este acto comienza por asir la cosa y someterla conforme a la voluntad del dominador-soberano en ejercicio de un derecho de libertad y propiedad —derecho del más fuerte— en relación a la mediación instrumental —esclavitud-asolación-aniquilación— que trae aparejado el despojo del animal-jaguar, lo que representa la base para la autodeterminación, formalización y legitimación de las sociedades especistas de consumo modernas; se consuma en su reproducción e inclusión en los sistemas industriales como un producto-mercancía donde el jaguar se objetiva en razón del sistema para las sociedades de consumo «Imagen 2.2».

---

413 Vid. HEIDEGGER, M. Los conceptos fundamentales de la metafísica. Mundo, finitud, soledad (España 2024) 225-227.

«Imagen 2.2» La caída de Ocelotl. Despojado de las estrellas. Elaboración propia.

El especismo está consolidado dentro de la moral formal de las sociedades de consumo modernas, conforma un *statu quo* y tiene pretensiones de universalidad a través de su implantación histórica que se fortalece exponencialmente con el capitalismo, estableciendo como criterio de validez la intersubjetividad efectiva o la consensualidad argumentativa real. En esta ideología, la moralidad del acto especista es afirmación del proyecto de dominación del centro que tiene un eje en la propiedad privada; elemento vital de las sociedades modernas cuyo marco normativo se sustenta en proteger la propiedad privada a través de la coacción gubernamental que es el proyecto del dominador que se impone a la totalidad de la sociedad y que controla el orden, sustentándose los estados especistas de derecho que se erigen como un poder absoluto contra el jaguar y los demás animales. La objetividad del derecho en su esencia, el derecho de propiedad, obliga a los demás sujetos a respetar el valor particular y se configura en un habito que se enraíza en el *ethos* de las sociedades de consumo. En relación al bloque histórico conforme al especismo de masas en el siglo XXI, la relación de dominación con el jaguar se torna hacia horizontes de la sustentabilidad, economía verde y un laxo bienestarismo sin modificar en sí el campo de dominación, sino sus elementos a través de una conservación especista, si bien a corto plazo en algunos espacios ha ayudado a mantener a algunas poblaciones de este felino, no es, ni será suficiente para enfrentar a largo plazo la extinción y la miseria de sus individuos ya que esta conservación mantiene en su centro a la dominación, conformando un vértice de la infraestructura, estructura y superestructura que oprimen al jaguar de manera sistematizada y lo transforman en capital natural con un valor que reduce su ser al ámbito mercantil donde los intereses económicos de mayor peso se asocian a su esclavitud-asolación-aniquilación que se encubren a través de la sustentabilidad, el aprovechamiento racional sustentable y la conservación especista. Esta violencia especista en la multiplicidad de espacios —v.g. industriales, científicos y técnicos— no podrá soportarse por demasiado tiempo, de hecho o de derecho, la miseria de los jaguares será cada vez más desacreditada y visibilizada por el movimiento en defensa de los derechos de los animales y la protección de la naturaleza, las relaciones entre los humanos y los animales deberán cambiar, la violencia infligida a los animales no dejará de tener repercusiones profundas (conscientes e inconscientes) sobre la imagen que se hacen los humanos de sí mismos. Esta violencia, será cada vez menos soportable[414].

El pensamiento crítico que cuestiona el sistema político de dominación —que somete al jaguar— desde un centro en la alteridad zooética como proyecto de liberación y desobediencia civil permite pensar en utopía la construcción del nuevo orden por medio de la práctica contrahegemónica y de construcción de una zoopolítica concreta como proyecto liberador del jaguar donde el cara a cara y la horizontalidad adquieren una significación ante el ego especista de dominación que se manifiesta en niveles políticos con una fuerza soberana, imperial, guerrera, cazadora, alienadora y conquistadora de dominación que se establece en un *logos*, *ethos* y *pathos* como lo que es —el jaguar es una cosa en mediación para acumular riqueza, ya sea aniquilándolo para proteger el ganado o viviendo de su miseria—, teniendo expresiones míticas como parte del fundamento ontológico de dominación que descienden de éste ámbito al histórico. La práctica de la liberación se realiza desde un nivel de reflexión metafísico en superación del horizonte ontológico del sistema que permite posicionar las expresiones simbólicas por medio de una analéctica zooética que descubre la exterioridad del jaguar en su positividad como otro, lo que conforma una crítica al sistema y la desobediencia civil ante la totalización injusta, denunciando al dominador y posicionándose en empatía con el animal-dominado como objeto-cosa en mediación instrumental.

El especismo está enraizado profundamente en las sociedades modernas y se impone como lo inevitable, sin embargo, está ante un colapso civilizatorio que se ha posicionado como uno de los principales retos que enfrenta la humanidad en el siglo XXI; la crisis ambiental, que tiene en uno de sus principales vertientes a la extinción masiva de especies. Esta encrucijada coloca a las sociedades humanas al borde de un proceso que está llegando a un punto crítico. Si bien ante esta catástrofe global el sistema-totalización en su dinamismo establece mecanismos adaptativos desde el ecologismo-ambientalismo e incluso del animalismo, estos esfuerzos están condenados al fraca-

---

414 Vid. DERRIDA, J., ROUDINESCO, E. Y mañana, qué... (México, 2009) 75-76.

so por partir desde el racionalismo capitalista-especista que tiene su centro en el ego especista y la execrable sed de la ganancia eterna. La mayoría de personas que realizan conservación del jaguar desarrollan una conservación basada en el especismo, ante este panorama, se plantea un giro de liberación, lo que implica tener como centro a los otros más otros: los animales, y en práctica a través de la singularidad, el jaguar se pueda convertir en un punto de inclusión y apertura a la alteridad animal. En este movimiento se tiene como eje de la crítica material a la biología y la etología —profunda—, donde se inicia una crítica en alteridad que reconoce como elementos pluriversales la justicia que supera los límites de especie. Esto implica cambiar en un giro todo, es el giro animalista, que en la singularidad posicionamos como centro la vida del jaguar para iniciar un proceso hacia el reconocimiento y dignificación de su ser en el mundo que permita la apertura a otros —más otros—, este cambio implica los modos de vida en la cotidianidad, es una comprensión de sentir y pensar la realidad del jaguar como el otro y dirigirlo al centro a través de una educación que permita criticar para transformar. Ante este fenómeno, el capitalismo-especista no puede responder, el empuje contrahegemónico del giro de liberación animalista del jaguar implica una redefinición de la modernidad donde su vida sea más posible y no todo se reduzca a la ganancia a partir de su miseria, es un perder capital, derechos especistas y beneficios de la dominación para dignificar y diseñar mecanismos de conservación desde un centro basado en la otredad —jaguaridad—, es un movimiento del "yo" al "tú", conjugándose en un nos-otros, esto implica pensar otro sistema distinto. Ante este panorama, la educación se convierte en un baluarte en el giro animalista del jaguar que en sí es antiespecista, decolonial y de liberación que piensa al especismo desde la periferia en un movimiento transformador y revolucionario cultural para eliminar la enseñanza cultural especista y repensar nuestra cultura en liberación de los otros, es dignificarla al dignificar al jaguar en apertura de la alteridad zooética y compartir en un horizonte de la relación educador-educando una utopía que permita criticar para transformar, es eliminar la alienación del especismo como dominación y permitir la apertura al otro.

El progreso en la conservación del jaguar implica contar con instrumentos de acción que incidan en la conciencia colectiva, al liberar al jaguar, los individuos alienados se liberan a sí mismos de la ideología especista-capitalista como objeto de la política de dominación, el proceso hacia la autonomía del pensamiento se convierte en un asunto de educación zoopolítica contrahegemónica que busque en el aprendizaje y conocimiento un punto crítico para transformar en colectividad. La conservación debe eliminar la alienación del especismo en su devenir y revolucionarse para dignificar su práctica que es y ha sido perniciosa a través de una educación como práctica de la libertad que se convierta en un mecanismo encaminado en la desalienación y descolonización para la liberación: desalienación de las formas representativas de dominación especista como proceso para generar la consciencia de sí y del otro en un encuentro de proximidad —cercanía con su prójimo— para concebir nuevas formas de estar en el mundo y en una descolonización para dejar de replicar la cultura especista impuesta que se considera propia, pero que no es así aunque se afirme y construir una visión propia. La práctica implica poner fin a situaciones de dependencia de la que se deriva también la incomprensión a través de la cual se ha ido expresando el pensamiento analéctico-zooético de liberación; instrumento de desenajenación que supera la dominación. Bajo estos preceptos que fortalecen una educación para la liberación animal en la singularidad del jaguar se erigen como principios de la educación para la liberación —pedagogía y filosofía latinoamericana de liberación— la crítica, la creatividad, la cooperación y la transformación para posicionar a los humanos en una realidad proximal con el jaguar: su prójimo.

La interpretación del mundo especista donde está sumergido el jaguar permite configurar una crítica para transformar; desde esta dimensión propuesta por Marx en la XI tesis sobre Feuerbach[415], se propone desde la utopía, descubrir en praxis un centro basado en los otros, donde se encuentran los jaguares al igual que todas las especies de animales que son oprimidos, este punto de apoyo subversivo se posiciona ante la política de dominación especista del jaguar como una anti-política, que, en alteridad zooética, configura la praxis de liberación en un cara a cara con los oprimidos-negados, lo

---

415 Vid. MARX, C. Y ENGELS, F. Obras escogidas (Moscú 1975) 26.

que conforma su discurso político a partir de la miseria y la violencia sistematizada que perpetúa el sufrimiento y el dolor de los jaguares quienes gritan-ruguen en una profunda miseria que se transforma en un signo que es el testimonio biográfico del misterio del otro que se revela y que irrumpe en el mundo, es una voz que revoca la pretensión del especismo absoluto y que se encamina a la apertura de la otredad del jaguar; la conciencia zooética en alteridad —metafísica que supera la ontología especista— es el crisol que sabe escuchar la voz —sentir y pensar— del otro. El momento esencial para la apertura de la jaguaridad desde la otredad es el encuentro entre la voz silenciada del otro —analéctica dusseliana— y quienes tienen un oído abierto para escuchar debido al sí al otro en una afirmación basada en la justicia que irrumpe en el otro, la conciencia zooética es oír la voz del otro, esta voz exige justicia. Por el contrario, no tener conciencia ética significa haber matado al otro, que es lo mismo que decir que el otro guarda silencio —consideración que se sostiene desde la filosofía aristotélica con los animales—, el silencio del otro no es sino la mordaza con la que se tapa la boca ajena, ellos no guardan silencio, se los han impuesto[416] y son designados como cosas silenciosas en un estado de opresión sistémica e invisible de la propia identidad bajo la alienación. En la alteridad como praxis receptual es escuchado el lamento en un estruendo que permite la puesta en acción de un sistema zoopolítico que parte de un proyecto de liberación del jaguar para destruir a través de una destotalización al especismo y que permita conformar un nuevo orden de construcción zoo-política concreta que comprenda la animalidad-jaguaridad y sus pueblos oprimidos en una superación analéctica zooética que descubra la exterioridad del jaguar en su positividad y la injusticia de la totalización especista conforme al dominio, así como la posición periférica y miserable del jaguar como cosa, cosa-sentido, producto, recurso, capital natural, mercancía; una mediación, y dar pauta a pensar-respetar al jaguar como otro en alteridad zooética. El núcleo simbólico de la liberación del jaguar se encuentra en la dignificación de su otredad, en la proximidad se descubre al jaguar como un oprimido, un miserable que está en un proceso de liberación donde se

[416] Vid. DUSSEL, E. Para una ética de la liberación latinoamericana. Tomo II (México 2017) 57.

constituye como otro —prójimo—. La liberación del jaguar implica el descubrimiento de su otredad, lo que permite un cara a cara ante él; el alienado en el sistema-totalización-mundo que se reduce a considerarse un objeto de mediación y así, en un dinamismo del giro animalista de liberación considerarlo alguien, no algo, lo que implica la transformación hacia una política horizontal en un cara a cara como eje que conforme lo zoopolítico como el ámbito del ejercicio del poder dentro del orden establecido, vigente, el del sistema.

El especismo en la modernidad ha condicionado a las sociedades a despreciar cualquier acción de conservación del jaguar que implique la recuperación afirmativa de su dignidad-autonomía-libertad y a venerar la conservación perniciosa que tiene como centro el ego que conforma el sistema-totalización de dominación en su modelo capitalista de ganar-ganar, el giro hacia una alteridad zooética en una jaguaridad implica una revolución cultural; los pueblos deberían ser educados en un sistema pedagógico que reconozca al jaguar en otredad y no como un recurso del capital natural que supere al especismo en todas sus ramas del saber, la educación es un baluarte en la liberación del jaguar, esta debe ser una educación basada en principios zooéticos normativos que permita descubrir en proximidad al jaguar en alteridad y que permita la solidaridad con él por ser de los más necesitados, son víctimas del actual sistema-totalización-mundo, el otro que es tan otro que ni otredad posee, el pobre entre los pobres, y así, buscar solidaridad con ellos por ser víctimas de las instituciones humanas que deben transformarse a través de una zoopolítica que sitúe primero en su servicio a los miserables, los últimos.

La conformación de la zoo-política integra al jaguar en una relación afirmativa horizontal, es un cara a cara para su comprensión y praxis de liberación, tiene entre sus cimientos los esquemas bioculturales de los pueblos y comunidades indígenas en México que compaginan con su liberación y que forman parte del *ethos* mesoamericano, asimismo, el pensar latinoamericano tiene incontables precursores en la defensa de los animales y la naturaleza —v.g. los poetas e intelectuales del grupo de los cien, o los defensores ambientales que incluso han dado su vida por defender a los demás— que directa o indirectamente moldean la zoo-política de liberación del jaguar que busca eliminar la relación imperial-colonialista que dialécticamente conjuga al opresor y al oprimido —vertical—, esta ideología opresora constituye la totalidad ontológica dialéctica especista cuya política tiene un ámbito de ejercer el poder para dominar en un sistema vigente cerrado que ha conformado y globalizado las mediaciones y estructuras políticas que, en un orden hegemónico, dicta "el ser es", donde este ser se conforma como el fundamento ontológico del sistema político que ejerce el poder para reducir a los jaguares y a todos los animales en un racionalismo instrumental de mediación.

La esclavitud-asolación-aniquilación del jaguar oculta una afirmación: el especismo es, esta afirmación crea una muralla que centra al humano dominador-soberano y al capital, por lo que de manera excluyente se niega al otro, se niega su vida y su libertad. Negar la vida y la libertad del jaguar es afirmar la totalidad como lo universal. El especismo como sistema-totalización-mundo debe ser negado y superado desde la afirmación del jaguar que tiene como crisol la alteridad zooética que centra al jaguar como el otro en un momento de apertura en un pasaje analéctico en una crítica para transformar al todo a través de una fuerza dinámica dirigida al otro oprimido para que viva y sea libre, superándose el horizonte especista. La praxis de liberación implica una transformación contra el orden, el sistema de valores, la cotidianidad, el saber y la verdad; es un acto de denunciar y combatir la injusticia de la justicia especista que se consolida como lo que es, lo justo, lo jurídicamente vigente y legal, con tecnólogos, científicos y sabios subordinados al pensamiento especista —acríticos—, por ello, el reconocimiento de la liberación del jaguar no se puede fundar en la razón, el logos ni en los sistemas políticos, jurídicos, ni en la intuición o comprensión de la totalización especista, sino en la afirmación de su otredad como primer momento de la analética zooética desde el mismo otro como otro que se erige como semejante pero no igual-idéntico; es el prójimo en una cercanía zooética pero nunca el mismo. La negatividad del especismo de dominación —afirmación de la zooética de alteridad— es una noción de potencia acentuado no en lo que ya es, sino en lo que puede ser, ya que se encuentra bajo una fuerza óntica dialéctica de dominación necesaria en una posición encubridora que sistematiza al ente con respecto al fundamento que queda relegado al horizonte especista, la afirmación del jaguar en su otredad es descubrimiento, pero su descubrimiento es la no verdad del ser como fundamento conforme al discurso especista. La afirmación del sistema-totalidad-mundo especista en sí misma es la negación del jaguar; el jaguar no-es, porque no está en el horizonte de lo que se manifiesta del ser; simplemente se conceptualiza conforme a su mediación instrumental. La negación de la esclavitud-asolación-aniquilación como momentos de la dominación del jaguar es la afirmación de sí como el otro; la negación de la totalidad es la afirmación del jaguar; negatividad que se enfrenta a la totalidad y que en su impulso de superación del mundo afirma al otro como otro, lo que es un sí al otro como bien supremo en una eticidad zooética positiva que es desconocida por la totalidad. En el devenir de la alteridad zooética del jaguar se configura una rebelión que se opone a toda moral especista heroica y triunfante del dominio de la cultura sobre el jaguar en una afirmación de sí misma, la alteridad zooética es necesariamente una transformación, no de los que dominan; ya que en términos morales, los imperios siempre se han justificado a sí mismos[417], sino de los dominados y —desde una concepción freiriana—, a quienes, descubriéndose en ellos, con ellos sufren y con ellos luchan.

Los jaguares en el sistema-totalización-mundo vigente son esclavos —encubiertos— instrumentalizados, y los que están libres se encuentran en un asedio progresivo y bajo una aniquilación sistematizada soportada en una ideología que los cosifica en atención a la mediación instrumental que dictan las sociedades de consumo —dialéctica de dominación especista—. El dominio del jaguar es sistemático porque implica conductas reiteradas, coordinadas y previsibles en un determinado orden dentro de una intencionalidad operativa bien estructurada que se delimita por la racionalización económico-especista que normaliza, invisibiliza, encubre y minimiza prácticas que son altamente dañinas al jaguar. Los procedimientos estructurados, las rutinas y los ejercicios dentro de la cotidianidad son producto de una lógica especista-capitalista de mercado y de un sistema de incentivos económicos que convierten al maltrato y la crueldad contra el jaguar en una conducta esperada, normalizada y recompensada. El sistema de dominación implica una cadena económica que en cada

---

417 Vid. HOBSBAWM, E. Guerra y paz en el siglo XXI (México 2007).

eslabón genera actos lesivos a la integridad y vida del jaguar, y de manera asimétrica genera una ganancia al dominador: el sistema produce por interés económico el maltrato y la crueldad constante. Es estructural, porque en todos los campos sociales se encuentra esta dominación, desde la infraestructura, la estructura y la superestructura social tienen un soporte entretejido en el dominio, la crueldad y el maltrato por una cuestión funcional sociocultural, en la estructura narrativa, ideológica y fáctica de las sociedades opresoras se impone como directriz la mediación instrumental del jaguar para los fines del dominador con una gran indiferencia al dolor y al sufrimiento. El dominio se institucionaliza y replica en diversas instancias hasta constituirse en una parte importante del funcionamiento y organización social, incluso llega a constituirse como parte de la historia e identidad de las sociedades. El dominio especista que somete al jaguar es generalizado por que afecta a la mayoría de los jaguares en México, ya sea que los félidos estén en vida libre o en cautiverio, es un fenómeno prevalente, ubicuo, con alto grado de dispersión que no representa un incidente aislado o particular, sino que abarca todo el espacio del sistema social y se conforma como la regla, no la excepción: aniquilar-asolar-esclavizar al jaguar es la regla, su liberación y compasión, la excepción.

La liberación del jaguar —analéctica zooética en un momento metafísico— implica su conversión en el otro y así, individualizar su dignidad-autonomía-libertad; es un proceso, es abrirse al otro, lo que implica una transformación, es la testificación biográfica del otro, este proceso de liberación permite que el rostro del jaguar emerja desde la miseria en un abismal espacio, al sentir y pensar en él se enuncia y amplia la construcción social de la justicia como concepto no unívoco ni cerrado, sino abierto y plural, el humano con conciencia zooética en alteridad puede percibir y comprender al jaguar como su prójimo —saber oír al otro— que está oprimido en una cultura especista, ante esta dimensión del mundo, el devenir de la liberación implica conducir a la totalidad hacia nuevas posibilidades en una obra zoopolítica que incida en el poder y la responsabilidad colectiva donde se incluya al otro como parte del bien común que es el bien en sí al otro en la praxis de liberación, que avance hacia el otro para servirle en la justicia e instaurar un nuevo todo; la construcción efectiva y practica de un nuevo horizonte por medio de una praxis de liberación es el político que supera la universalidad del ser, es un ir más allá del logos se establece la justicia. La libertad del jaguar como futuro está más allá de lo óntico-ontológico del especismo y se afirma como algo que supera todo logos, es la afirmación del jaguar que trasciende a toda ontología negativa; redimensiona de manera inclusiva el espectro ético en un horizonte que posiciona al mal es la negación de la otredad del jaguar y al bien en su afirmación; el bien es el otro, el que es esclavizado-asolado-aniquilado. La afirmación de la vida y libertad del jaguar permite abrir el discurso histórico del proceso de liberación donde una etapa imprevisible se apertura; la de aquellos que afirman la otredad del jaguar y propician la época en un cambio analéctico como motor de la historia, en la práctica abre la totalidad a lo que le es exterior: el otro, que está integrado en la totalización como mediación instrumental y se encuentra reducido conforme a la dialéctica ontológica especista, con el dinamismo de la liberación del jaguar, se posiciona en una proximidad en alteridad —no instrumental de mediación— que devuelve el ser al otro, deja de ser enemigo o un objeto-cosa y adquiere una individualidad y dignidad, ahora se respeta su vida y libertad, es el prójimo con una esencia y comprensión que se manifiesta como un misterio en la alteridad, es una nota suprema fuera del conocer o saber especista, es la experimentación del otro en alteridad como ser libre donde el fetichismo de la totalidad especista queda definitivamente superado.

La apertura hacia el jaguar y su otredad como ser con mundo, en un momento de irrupción del otro en el sí mismo, implica la revelación de su miseria, este movimiento implica sentir y pensar la jaguaridad y comprender su reclamo más allá de la potencia —dialéctica— y el eterno retorno del especismo, esta apertura permite el nacimiento de la conciencia zooética para oír la voz en lamento del jaguar, lo que implica guardar silencio y escuchar desde su posición en el mundo como ente u objeto alienado y cosificado para avanzar hacia el acto libre que aparece en una creación mas allá del horizonte especista que subleva al sistema-totalización-mundo. Al encontrarse en un cara a cara con el jaguar, el actor social realiza actos que se encaminan hacia su liberación, esta fuerza se levanta ante el todo con el optimismo de la voluntad en defensa de otro ser igualmente libre —fuerza que en sí misma es violenta por irrumpir—, este optimismo trae aparejada una comprensión del jaguar y su otredad como eje de la justicia que imposibilita realizar actos de esclavitud-asolación-aniquilación, constituye en sí principios inalienables de vida, libertad y justicia, por lo que direcciona sus actos hacia una reestructuración social con mecanismos políticos, pedagógicos, económicos... y así, constituir mecanismos encaminados al bien en un sentido supremo y en alteridad con el jaguar; vivir con dignidad desde un enfoque de justicia y benevolencia desde el otro, lo que configura el acto supremo donde el jaguar como otro permite instaurar y posibilitar la instauración de un sistema en alteridad posible, un sistema zoopolítico en apertura y liberación del jaguar en su otredad.

13. SENDAS HACIA LA LIBERACIÓN DEL JAGUAR

Esta teoría se despliega para analizar las relaciones entre especismo, capitalismo, fetichización y alienación como fenómenos de dominación donde el jaguar como sujeto zooético es despojado de su propio ser y esencia, convirtiéndose y conceptualizándose en un objeto-cosa bajo la racionalidad instrumental de mediación y concluye que la verdad de este sistema de eticidad vigente, en cuanto causa de la negación de las víctimas, deviene en no verdad: el jaguar no es una cosa. A través de la alteridad zooética y el pensamiento crítico se puede afirmar que el especismo-capitalismo es enajenante, injusto, victimario, sacrifical, perverso, violento y sanguinario, en esta estructura histórica se niega la vida del jaguar para afirmar su opresión, desrealización, empobrecimiento y asesinato, el momento crítico permite negar la negación del jaguar y revelar la miseria del felino como propiedad —pública y privada—, que es la expresión material y sensible de la vida animal enajenada y despojada para la acumulación.

La crítica del especismo-capitalismo como sistema vigente parte desde la negatividad de las víctimas en una zooética de la vida que afirma al jaguar, de esta contradicción emerge la lucha por la liberación como práctica de libertad —*L´amour est un vrai recommencement*[418]—. La negación del jaguar como punto de inicio consagra la dominación en una relación de poder que somete y redimensiona el ser y la esencia del felino en un concepto que se limita a la racionalidad instrumental del especismo-capitalismo: se niega al individuo como ser en sí mismo con dignidad y se cosifica en atención a los intereses del dominador, esta fuerza es proporcional a la miseria de los jaguares-víctimas, cautivos-esclavizados y asolados-aniquilados que sufren en su corporalidad-mentalidad. La toma de conciencia de esta negatividad especista parte de la negatividad originaria empírica como un hecho natural ante el que no se tiene conciencia ética crítica alguna ya que es encubierta en el sistema-totalización-mundo, esta posición de no conciencia es ingenua, cotidiana y establecida en la sociedad como "lo que es", el movimiento que pasa de este momento hacia la conciencia zooética y crítica: giro animalista, parte de un hecho empírico de contenido material asociado a la corporalidad-mentalidad del jaguar como ser en sí mismo con mundo en una dimensión de una ética material, lo que permite visibilizar la intrínseca relación entre la afirmación de los valores del especismo-capitalismo como sistema establecido para beneficio de los dominadores y que de manera interrelacionada es la negación y miseria de los dominados, esta develación permite la reflexión ética para juzgar negativamente lo que produce la miseria de los jaguares como excluidos. La verdad del especismo como "lo que es", es ahora negada desde la imposibilidad de vida de los jaguares-víctimas, se niega la verdad de la norma, actos, instituciones y en sí al sistema de eticidad del especismo-capitalismo como totalidad. La zooética que comprende al jaguar es lo que permite el cara a cara con el felino para sentir y pensar su mundo, lo que conforma un criterio y principio material que construye el deber zooético de la vida del sujeto-jaguar, presuponiendo como proyecto su vida en condiciones objetivas de justicia; último termino de toda la animalidad en alteridad.

La positividad del jaguar se sostiene materialmente en un criterio de verdad etológico-biológico como afirmación constitutiva del

---

418 El amor es un verdadero nuevo comienzo. Vid. GOETHE, J. Obras completas I (México 1991) 363.

individuo que es un ser con mundo, esto permite que emerja el principio zooético en negatividad de la miseria del jaguar, cobrando un sentido ético en su otredad como conciencia crítica trascendental al sistema vigente, a la verdad, validez y factibilidad dictadas desde el especismo-capitalismo, este sentido crítico adopta como propia la alteridad de las víctimas[419] frente a los dominadores; es la exterioridad de los excluidos en posición crítica próxima y deconstructiva de la hegemonía del sistema, lo que permite vislumbrar hacia el otro extremo de la relación asimétrica al dominador en su núcleo social conformado por la dualidad de injusticia: especismo-capitalismo. En la alteridad con los jaguares-víctimas se descubre como injusto y perverso al sistema material de los valores, la cultura de dominación, el contenido del bien, lo correcto, lo justo y lo que "es" como un principio de opresión en contra de la afirmación del deseo de vivir y luchar por la vida de los jaguares al descubrir así a las víctimas del sistema que deben ser afirmadas en su dignidad y negadas en su negación —especista-capitalista—. El jaguar bajo el sometimiento de la dualidad especista-capitalista es una víctima, su liberación implica la disolución de este sistema bajo la crítica del orden establecido que proclama su ruptura como un imperativo de necesidad, convirtiéndose en el juicio zooético crítico negativo por excelencia del sistema como totalidad, el impulso zooético eleva la dignificación como individuo al jaguar y la defensa de sus derechos que emergen ante el mundo del mismo derecho y la justicia en conceptos abiertos y plurales. La articulación del pensamiento reflexivo dentro de un horizonte zooético-crítico permite la transformación a través de la práctica de liberación con una acción disruptiva que incide diversos horizontes, es lo que se propone la razón zooética-crítica que adopta la posición de las víctima y ha sido lanzada a la acción por la conciencia del otro, este compromiso con los oprimidos en su negatividad de vida es una cuestión necesaria del horizonte positivo de su afirmación, la negación materializada en la pobreza y miseria del animal es el origen de la conciencia crítica que siente, piensa y actúa por el jaguar.

---

[419] Vid. DUSSEL, E. Ética de la liberación. En la edad de la globalización y de la exclusión (Madrid 2009).

Esta dinámica avanza en un primer momento positivo descriptivo del criterio material del jaguar al momento crítico negativo que reconoce el incumplimiento —momento de negación—, el crítico en la alteridad con la víctima juzga desde la zooética negativamente la negación del sistema especista-capitalista para así afirmar al jaguar, es el giro animalista que supera la negación de la vida de cada sujeto jaguar y visibiliza al especismo y al capitalismo como injusto, que alienan, fetichizan y en su dinámica niegan la vida del jaguar como sujeto animal, lo desrealiza y de manera simétrica afirma la realización del especismo-capitalismo como sistema bajo una mediación instrumental para la acumulación del capital a través de la miseria del felino y su desrealización hasta llegar a su muerte. Los dominadores despojan la vida del jaguar en una mediación instrumental donde el felino no la puede recuperar, al contrario, al transformarlo en cosa-objeto se vuelve una ganancia para el dominador donde el jaguar sufre su existencia. La apropiación de la vida aparece como enajenación y despojo, la vida propia del felino pasa a ser del dominador: la vitalidad del jaguar es sacrificada por la vida del especismo-capitalismo.

La comprensión del jaguar crea una corresponsabilidad por la interpelación de las víctimas que se convierte en una conciencia zooético-crítica que es la base para una práctica de transformación y liberación del jaguar que busca colaborar en el proceso creativo de producción imaginativa y racional de alternativas futuras al especismo-capitalismo que se construyan sobre la afirmación y reconocimiento originario de la dignidad del jaguar con una esperanza utópica de coexistir en una sociedad más justa. La miseria de las víctimas es el punto de partida[420], no se puede descubrir al jaguar como víctima —miseria— sin su afirmación individual material corporal-cognitiva y voluntad de vida como referencia necesaria de contenido, un segundo momento inicia con la crítica del sistema de dominación para vislumbrar los mecanismos de dominación de los cuales hay que emancipar al felino y a las sociedades alienadas cuya meta es la transformación del orden. El especismo es el paradigma formal que ha negado desde el comienzo la materialidad de la vida del jaguar

---

420 Vid. DUSSEL, E. Las metáforas teológicas de Marx (Ciudad de México 2017).

como criterio de verdad a través del encubrimiento en una relación asimétrica sujeto-cosa basada en un error dogmático especista unidimensional que mantiene una opresión dominante y masificante de la totalidad especista vigente que es descubierta por una racionalidad zooética en alteridad, crítica y material donde emerge la víctima y con ella la reflexión sobre su afirmación, conformando una teoría crítica que se articula con las víctimas, quienes experimentan la dialéctica especista en su corporalidad. Esta zooética visibiliza la colisión del especismo-capitalismo como lo existente, y, por otro lado, lo que puede ser y debería de ser, cuyo eje es disminuir y eliminar el dolor, la miseria e injusticia y dar paso hacia la transformación y liberación del jaguar como nuevo sujeto social que surge a través de nuevos derechos que enfrentan los derechos vigentes pero ilegítimos para construir una coexistencia desde las víctimas-vencidos.

Sentir y pensar al jaguar como primer momento de la conciencia sobre la víctima es romper con el eterno retorno del especismo o la historia repetitiva de lo mismo, es reestructurar un vínculo ancestral con el felino que es el prójimo para accionar desde la práctica de liberación mecanismos que transformen la historia y el orden vigente patológico, fetichista y necrófilo del especismo que reduce toda su razón a la mediación instrumental como justificación de la barbarie. Esta práctica de alteridad con el jaguar permite descubrir a las víctimas desde su corporalidad material donde el dolor y miseria no debe ser, debe cambiar, suprimirse y aliviarse, el jaguar en agonía y dolor es la gran acusación contra la civilización bárbara del especismo, la alteridad con el jaguar conforma un principio de vida, la voluntad de vivir y el descubrimiento de la realidad del sufriente como ente sensoperceptible del mundo y que en la experiencia del cara a cara con él se transforma en mi prójimo[421], conformando una corresponsabilidad ante su mirada que expresa e impone en mi mundo un llamado desde su miseria sin que pueda dejar de sentir o pensar en él. Este cara a cara que permite sentir y pensar el rostro del miserable es posible una vez superado el horizonte del especismo, lo que accede a una nueva comprensión del ser y esencia del felino como sensibilidad en

---

421 Vid. DUSSEL, E. Apel, Ricoeur, Rorty y la filosofía de la liberación con respuestas de Karl-Otto Apel y Paul Ricoeur (México 1993).

alteridad, la corporalidad sensible previa a la razón como comprensión de la alteridad con el felino tienen a la compasión, benevolencia y bondad —no como fines en sí mismos, sino como un medio para alcanzar un sosiego de ánimo— en el centro del elemento sensible perceptivo que compone posteriormente la idea de la razón que conformará la idea de la alteridad con el jaguar como prójimo. En este momento el "yo" se abre e irrumpe de manera inmediata el jaguar como otro desde su trascendentalidad, su aparición no es una mera manifestación sino una revelación de alguien, no algo, que proviene desde los límites de mi mundo, desde abajo, generando una ruptura en la idea de nuestro mundo y en ese momento se entra en redención con él.

La miseria y dolor del jaguar es parte de la existencia del sacrificio impuesto desde el especismo como elemento indispensable del engranaje social, convirtiéndose en una violencia necesaria, viable, buena para la paz social, y por lo tanto, permisible. Este dolor en los "sin mundo" es el comienzo de la alteridad con los felinos, su re-descubrimiento en la proximidad zooética no instrumental de mediación permite el contacto con él como prójimo sufriente, generando una corresponsabilidad irrecusable, esta alteridad zooética con el jaguar comprende, siente y piensa su abandono, su desnudo estado, su marginalidad y pobreza con las llagas que se encarnan en su corporalidad que dicen: todo será igual, encerrándose en "lo mismo", esta revelación del prójimo permite transitar de los enunciados de hecho, a los imperativos bajo un principio crítico material o zooético en defensa del jaguar que ahora es el otro que se reconoce en cercanía ética —yo, tú, en un nosotros— y étnica, transformándose en el prójimo con tintes ancestrales por la bioculturalidad positiva entablada entre el felino y los pueblos y comunidades indígenas.

El reconocimiento del jaguar como otro en alteridad que se encuentra en una posición de vulnerabilidad dentro del sistema que lo causa y la corresponsabilidad por ayudarlo como prójimo en un estado de necesidad es el punto de partida de la crítica zooética hacia una práctica de transformación-liberación, los juicios empíricos de hecho enuncian descriptivamente con pretensión de verdad la alteridad con el jaguar, exigen un nuevo tipo de validez e involucran un juicio de factibilidad, el enunciado indica la captación del felino en la conciencia de la negación especista originaria, el ejercicio crítico de la razón zoo-ética supera la reproducción y conservación del sistema vigente, al detectar al jaguar como víctima se constatan las negatividades y presiones a las que se encuentra sometido; miseria, sufrimiento, pobreza, hambre, dolor, y muchas dimensiones negativas de la razón especista. La impresión empírica capta el contenido y efectúa un juicio sobre las contradicciones; en una sociedad justa, con bondad y benevolencia se evita la miseria, el dolor, la esclavitud, la aniquilación y la asolación de los individuos, la víctima es su contradicción absoluta e insuperable ya que es fruto de esta institución. La pulsión de alteridad[422] con el jaguar implica trascender esta contradicción y posicionarlo como prójimo en el centro de la idea del mundo, la afirmación y reconocimiento del felino en el pensamiento crítico como sujeto autónomo, independiente, individual, libre y distinto es un momento analéctico sin el cual es imposible criticar al sistema existente, la condición de posibilidad de la crítica es el reconocimiento del jaguar como prójimo en alteridad, un sujeto con dignidad en una dimensión específica biológica y cultural; un ser viviente con mundo, desde su posición como víctima del sistema-totalización-mundo es un animal viviente con exigencias propias no cumplidas en la reproducción de la vida y que forma un vínculo étnico cultural con pueblos y comunidades originarias que constituye una parte elemental del núcleo duro social mesoamericano de largo alcance.

El criterio de hecho bajo preceptos biológicos y etológicos en un juicio descriptivo del jaguar como ser con mundo; un viviente que configura su mundo desde el pensamiento-cognición, emotividad-sintiencia y voluntad, permite fundamentar el principio analéctico dentro del parámetro zooético crítico para visibilizar al jaguar en la mediación instrumental especista que no le permiten ser y estar en el mundo, solo se encuentra en lo universal instrumental de mediación del especismo, que le niega al mismo tiempo su dignidad como sujeto, excluyendo al felino de cualquier discurso ético, este fenómeno instrumental causa la victimización pero es ocultado en un proceso de fetichización, el encubrimiento del felino se funda-

---

422 Vid. DUSSEL, E. Filosofía de la liberación. Una antología (México 2021).

menta en su mediación instrumental que lo conceptualiza en su dimensión funcional conforme al sistema que se autodiviniza. La crítica al fetichismo es el descubrimiento de la no verdad del sistema desde las víctimas, develar este fundamento es la manifestación del ser, es la labor de la crítica como un momento de la lucha por la vida del jaguar como sujeto autónomo en corporalidad sufriente posicionado en la periferia, esto implica la solidaridad desde su posición sufriente entablando un vínculo de empatía, compasión y responsabilidad en un mandato de cumplir con el deber zooético de asumir a la víctima a su cuidado en corresponsabilidad, es un deber de cuidar al vulnerable de la injusticia para que deje de ser víctima en un futuro que configure un tiempo de esperanza para enfrentar al especismo y estar mejor, porque en el presente sufre la negación, donde es imposible vivir.

Esta zooética que piensa y siente al jaguar es una ética de la vida que construye un criterio de validez discursivo que posiciona al jaguar en el centro para crear una crítica de razón enfocada en su liberación, esta crítica en alteridad emerge desde la experiencia latinoamericana en la ruralidad mexicana hombro a hombro con pueblos y comunidades indígenas con quienes se ha construido un diálogo comunitario para la comprensión de la jaguaridad y luchar por el reconocimiento político y jurídico de los derechos de los jaguares como sujetos con mundo, y se fortalece con los estudios críticos y académicos de los derechos de los animales en diversos puntos hemisféricos, lo que permite crear desde la imaginación y comprensión del jaguar las alternativas utópicas y posibles para transformar en un giro animalista la situación del jaguar y que puedan vivir, las sendas se analizan desde el enfoque emancipatorio transformador para la liberación desde un enfoque incluyente en apertura a otros individuos ante la progresión del círculo de la compasión con los oprimidos por el sistema, los afectados y excluidos en una dinámica encaminada a la justicia como proceso de liberación.

El epecismo como cultura de dominación se ha impregnado en todos los espacios sociales, se renueva y revitaliza a través de una pedagogía de alienación, domesticación y masificación que dicta "lo que es". La conciencia crítica se enfrenta a este sistema-totalización-mundo como parte del proceso de liberación que se desarrolla principalmente en lo colectivo, convirtiendo a la educación en una herramienta para lograr este fin. El educador aporta al educando el descubrimiento de su condición social y la de sus prójimos en comunidad —biocultural— desde una enseñanza crítica que permite interpretar la realidad objetiva, esta experiencia pedagógica de reconocerse y tener conciencia a través del diálogo y la denuncia de las víctimas y oprimidos que buscan dejar de serlo en comunidad proximal, implica el reconocimiento de los sujetos conforme a los hechos materiales que sustentan la dignidad del otro como sujeto real, entre estos sujetos emerge el jaguar como sujeto zooético y zooétnico enraizado en la bioculturalidad positiva del núcleo duro mesoamericano que fue negado desde los procesos colonialistas de la dominación, esto permite el reconocimiento del jaguar como prójimo, quien ahora es alguien con quien se coexiste en el mundo, iniciando así un proceso de liberación colectivo y ambiental a través del descubrimiento de la invalidez de los consensos del sistema especista-capitalista que los han excluido a ellos mismos y a sus prójimos, posicionándolos en una línea antagónica de combate donde el jaguar es el enemigo a vencer, en el felino se estructura la simbólica del mal; es la cosa mala que afecta a la comunidad en una fantasmagórica tensión entre los contrarios. La pedagogía de liberación permite descubrir y construir una nueva comunidad de los excluidos en diálogo en concientización zoo-ético-étnico crítico donde aparece la verdad del sistema dominante como la no verdad; el diálogo podrá visibilizar que el jaguar nunca fue el enemigo a vencer, ni es el opresor-dominador, él, al igual que los oprimidos, es una víctima que sufre, y ahora es el prójimo, en un cara a cara al sentir y pensar en él y mirar sus ojos, el oprimido podrá verse reflejado en ellos, conjugando la jaguaridad en la comunidad, se trata de una conciencia zoo-ética-étnica crítica en sentido pleno descolonial desde la ruralidad como toma de conciencia de la exclusión y así reivindicar al "tigre" o a la "cosa mala" en Ocelotl y Tepeyóllotl, es transitar desde lo impuesto colonial hacia las raíces bioculturales de los pueblos y comunidades indígenas. Como principio zooético, crítico y comunitario de validez se formula un principio normativo como deber ser en el que se obra la obligación deóntica de responsabilidad participativa siendo víctima, perjudicado, o aliado proximal en alteridad en una comunidad que reconoce al jaguar como sujeto ético y étnico comunitario en un diálogo permanente que permite el consenso, alcanzando validez intersubjetiva crítica que permite en uno de sus horizontes desarrollar las alternativas en la utopía de los proyectos posibles con una razón utópica que sea la esperanza de las sociedades oprimidas hacia un futuro alternativo ante la directriz trazada.

Hablar de la liberación del jaguar en tiempos del triunfo del especismo-capitalismo, de la racionalidad sustentable del especismo, de los miles de millones de animales asesinados por el especismo, de la pérdida de espacios naturales, de la guerra interna que inunda de violencia cada rincón del país, con el crimen organizado que teje sus redes en instituciones públicas y con instituciones corruptas, con la militarización del país en una lógica de guerra y destrucción a favor de la acumulación, con una ruptura del tejido social rural en marginación con altos índices de violencia, con el poder armamentístico militar en máximos niveles registrados de los grupos criminales, con miles de madres y familiares que buscan los restos de sus hijos entre basura, escombro y fosas clandestinas que se suman a las grandes cifras de personas desaparecidas en México es complejo e inunda con el pesimismo de la inteligencia cualquier acción, sin embargo, pese a la pesadez social y crisis socioambiental necrófila que atraviesa México, el optimismo de la zooética que emerge desde los jaguares víctimas se erige conforme la voluntad heroica que en su comprensión el sujeto en alteridad realiza la práctica de liberación desde la irrupción de los oprimidos y las víctimas, es una alternativa de paz ante el abismo especista-capitalista y el estado de dominación y violencia «Imagen 2.3».

«Imagen 2.3» Jaguar sin estrellas. Elaboración propia.

El pulso de alteridad con el jaguar busca reivindicar la vida, una vida con necesidades fundamentales es la esencia concreta del jaguar en plenitud, lo que conforma el eje de la lucha real. La vida del felino como objeto político se formula en luchas políticas a través de afirmaciones de derecho, el derecho a la vida, la libertad, la satisfacción de necesidades en su horizonte de posibilidades..., estos elementos hasta ahora son incomprensibles para el sistema político-jurídico clásico que ha cimentado un derecho especista-capitalista como la ley del fuerte a través del derecho de dominación. La liberación conjuntiva del jaguar como víctima y los oprimidos en espacios rurales implica una organización de la conciencia y depende del cumplimiento de condiciones de posibilidad en actos de transformación encaminados en la elección de fines, medios y métodos como una organización para la deconstrucción del diagrama de poder. El jaguar como sujeto zooético de la vida, individuo con cuerpo, mente y voluntad propia, un viviente, en el reconocimiento solidario de su otredad y de su relación comunitaria y rural positiva —bioculturalidad— desde un enfoque integral, es descubierto a través del criterio de verdad y validez insustituible de la zooética como un sujeto vivo que es encubierto en una negación como víctima dominada por el sistema y que es excluida, la subjetividad animal concreta, empírica, viviente, se revela, aparece como interpelación en última instancia, es el sujeto zooético que no puede vivir y ruge su dolor desde una vulnerabilidad de la corporalidad sufriente. Quien escucha el sufrimiento del que exclama y pide ayuda, piensa y siente al jaguar, convirtiéndose en un sujeto con corresponsabilidad donde la esperanza emerge y, al contrario, el silencio afirma su muerte. Al escuchar al jaguar en su otredad se percibe su sentir y pensar el mundo, y de manera conjunta, el diálogo comunitario de los oprimidos empieza a conjugarse y se armoniza para visibilizar las múltiples dimensiones sociales de la relación positiva humano-jaguar, de esta manera el jaguar como sujeto zooético es un sujeto étnico, y también un individuo rural, oprimido, pobre, indígena, habitante de tierras devastadas y espacios contaminados, familiar, compañero, amigo y prójimo. El felino tiene una relación intrínseca con pueblos y comunidades indígenas en horizontes positivos, esto hace que el jaguar como sujeto zooético también sea un sujeto étnico por una condición histórica que se mantiene en diversos espacios rurales en la actualidad, conformando una visión plural del felino en contra de la unificación formal específica del especismo-capitalismo que reduce al sujeto viviente concreto a una medicación en función del sistema. El criterio crítico reconoce estas relaciones positivas y busca reconectar el pasado zooético, modificar el presente y crear una alternativa en el futuro, el reconocimiento del jaguar como sujeto étnico y miembro de las comunidades rurales refleja el vínculo positivo biocultural donde el oprimido se une al prójimo-oprimido, entretejiendo el vínculo biocultural para conformar una comunidad de necesitados en una constitución de la realidad objetiva, que implica que la coexistencia se constituya por la empatía y compasión hacia el prójimo y así efectuar una crítica autoconsciente del sistema que causa las víctimas, la opresión y el dominio.

La práctica del sujeto en alteridad con el jaguar está delimitada por marcos y referencias históricas determinadas bajo lineamientos económicos, sustentables, sociales y culturales de dominación, en este campo el ambientalismo ha creado una tenue curva del dominio del felino, sin afectar la dirección de la dominación, en este sentido se han creado mecanismos políticos y jurídicos que regulan la capitalización ambiental del jaguar como acciones de reformas y puntos de bienestarismo y sustentabilidad de dominación con lineamientos establecidos dentro de los criterios y principios del sistema vigente formal actual dentro de un límite permisible “lo mismo”, estas reformas —de dominación— reflejan la adaptabilidad del especismo-capitalismo ante los fenómenos sociales y mantienen en su centro a la dominación, lo que confirma el sistema formal dominador. La liberación implica una transformación que considere el momento histórico y se direccione a la afirmación del jaguar en alteridad, en este rubro se encuentra un bienestarismo progresista de liberación que es gradual y se direcciona de manera paralela con el abolicionismo como segundo enfoque, posicionando a la transformación como parcial y total, pero en su centro se encuentra la alteridad con el jaguar teniendo los mismos principios y criterios que buscan el giro animalista y la liberación.

Los criterios y principios de corresponsabilidad obligan al sujeto en alteridad a participar en la trasformación a favor de la vida de las víctimas y oprimidos, exigen transformar el sistema-totalización-mundo en diversos niveles de complejidad. Transformar es cambiar el rumbo de una dirección con acciones en distinto nivel de complejidad; desde el contenido de una conducta, una norma, modificar una acción o institución posible, hasta un sistema completo. La transformación implica desarrollar un discurso que fundamente la transformación práctica y real del mundo, esta actividad crítico-práctica repercute en la estructura social y sigue una estrategia que busca la liberación del jaguar, en un momento político-jurídico central se debe conformar un derecho de liberación que cuente con los medios jurídicos e instrumentales suficientes bajo una legitimación social que permita reproducir y desarrollar la vida del jaguar como sujeto zooético en el ámbito sistémico y por ello institucional. La institución vigente debe de cimentar un derecho como la ley del débil en un sistema institucional que centre al jaguar como víctima que permita reproducir y desarrollar su vida como sujeto zooético en un ámbito sistémico e institucional.

La regulación racional instrumental para el aprovechamiento sustentable del jaguar en el sistema especista-capitalista no funciona para su protección, funciona para generar un enriquecimiento y acumulación del capital a costa de la miseria del felino, el pensamiento crítico zooético y el análisis jurídico visibilizan funcionalmente la ineficacia del sistema vigente de proteger y tutelar al jaguar en su propia racionalidad necrófilo-sustentable como parte del capital natural en una condición de cosas-sentido. En este sistema-totalización-mundo los jaguares no pueden vivir, han sido excluidos violenta y discursivamente del sistema, con una regulación ambiental-capital sustentable que no puede responder efectivamente ante la miseria del jaguar, en más de setenta y cinco años de regulación de la caza y en específico casi cuatro décadas —1987-2025— de protección del jaguar en México no existen sanciones efectivas del orden penal por dañar a los jaguares y en dimensiones administrativas las sanciones son ínfimas[423], el propio estado es permisible y fomenta la violencia contra el jaguar, incluso la legitíma y regula desde la sustentabilidad y el racionalismo capitalista, dejando a los particulares conforme a reglas laxas la posibilidad de aprovechar sustentablemente la escla-

---

[423] Vid. MORALES, D., MORALES, J. Justicia y vida silvestre: dos estudios de caso sobre ilícitos ambientales del orden federal asociados al jaguar en México, en dA. Derecho Animal. Forum of Animal Law Studies 9 (2018).

vitud-asolación-aniquilación del jaguar, lo que genera un abuso y violación de los derechos del felino. El conflicto implica una colisión entre los derechos ortodoxos de dominación del sujeto opresor contra los nuevos derechos de liberación del jaguar-víctima que se van manifestando histórica y progresivamente conforme al criterio de alteridad, la violencia legítima del dominador se transforma en estricta violencia, un uso de la fuerza contra el derecho del otro, sin validez ni consistencia objetiva, incluso sin un estado de necesidad, es una violencia destructora de la reproducción del sistema vigente colonial pero que se empieza a visibilizar como injusto gracias al sujeto en alteridad con el jaguar-víctima y los oprimidos quien lucha heroicamente por su reconocimiento como inocentes en una nueva eticidad basada en criterios zooéticos y sociales bioculturales, esta acción tendrá legitimidad crítica contra la legitimidad coactiva de las estructuras dominantes.

En este momento la legitimidad del orden dominante se torna ilegítimo frente al redescubrimiento de la víctima-jaguar que crea una nueva legitimidad basada en la liberación y la descolonización, transformándose en un nuevo sujeto emergente desde el propio pueblo del jaguar. El derecho de dominación es el derecho vigente, está investido de legalidad como hegemonía del poder al consolidarse como elemento del orden social, económico, cultural, político y jurídico. Asimismo, el especismo-capitalismo como orden político legal y legítimo tiene aceptabilidad social, se ha construido con validez intersubjetiva racional al establecerse paradigmáticamente desde la sustentabilidad como modelo ideal del desarrollo que supera a su sistema anterior, teniendo así eficacia en una directriz de valores verdes. La zooética de liberación del jaguar se enfrenta a un colosal sistema bien estructurado y consolidado, la irrupción desde la nada de los jaguares pone en crisis la legitimidad y legalidad del sistema, en este momento se produce una compleja situación de colisión cuyo eje de la alteridad con el jaguar direcciona el derecho legítimo del otro por ser sujeto de autonomía con derechos nuevos que modifica la estructura social y sistemas completos en una práctica de liberación como mecanismo posible que transforma la realidad, teniendo como referencia al jaguar como víctima y en su directriz circular a los oprimidos, manteniendo como eje la apertura del círculo de compasión hacia otros individuos que han sido excluidos por el sistema-totalización-mundo.

El principio de liberación impone un deber ser que obliga zooéticamente a realizar la transformación y empezar a fracturar al sistema desde sus flancos débiles a través de la fuerza crítica con capacidad actuante, esta razón estratégica analiza la factibilidad de la práctica de poder transformar la realidad contando con la posibilidad y las condiciones para efectuar el cambio, es un enfrentamiento entre el *statu quo* y la época; especismo contra animalismo; un movimiento social organizado con base en los jaguares-víctimas contra el sistema formal dominante especista con una racionalidad capitalista sustentable. La factibilidad de la liberación de los jaguares-víctimas comprende las relaciones de poder y los esquemas de transformación posibles conforme al momento histórico determinado, considerando el juicio empírico y estratégico de hecho sobre el ejercicio del poder hegemónico del especismo-capitalismo, la capacidad organizativa y las condiciones o coyunturas objetivas de factibilidad de las transformaciones —parciales o totales—. El sistema vigente entra en crisis con la denuncia y con la existencia de las víctimas, sus elementos sociales entran en contradicción y con la imposibilidad de perpetuarse indefinidamente por tener un límite absoluto insuperable, las contradicciones del sistema generan fisuras del poder dominante por donde la fuerza contrahegemónica de la comunidad liberadora podrá crear las condiciones de ruptura. La existencia de las víctimas muestra la necesidad de transformar para que sea posible el desarrollo de la vida del jaguar, el principio de esta acción señala que quien actúa zooética y críticamente está obligado desde la corresponsabilidad a liberar a la víctima como participante de la comunidad donde se encuentran las víctimas y oprimidos a través de la transformación posible en múltiples niveles donde se desarrolla el especismo-capitalismo, la práctica es una lucha para hacer posible la liberación, su fuerza abre el horizonte de la corresponsabilidad llevada a cabo por la razón de liberación bajo el pulso heroico de los que tienen una utopía de liberación, es el enfrentamiento de la vida contra la conservación de la dominación, la ruptura del sistema-totalización-mundo es un momento de la alteridad con el jaguar que permite desarrollar la vida del felino al exigir al sistema que se abran nuevos horizontes trascendentales que permitan construir una utopía posible de la coexistencia y que las víctimas y oprimidos dejen de serlo y puedan vivir bien con instituciones y entornos arquitectónicos que permitan un entorno de coexistencia «Imagen 2.4».

«Imagen 2.4» Alteridad. Yo, Tú: Nos-Otros. Elaboración propia.

14. JAGUAR, HACIA UNA APROXIMACIÓN BIOJURÍDICA

La negatividad del jaguar en el sistema-totalización-mundo lo ha conceptualizado en atención a su mediación instrumental en el especismo-capitalismo, positivizándose en las superestructuras sociales en función del dominador como cosa, cosa-sentido, mercancía, producto y capital natural conforme al esquema de economía verde de la sustentabilidad en la actualidad, en este sentido, la dimensión civil clásica lo posiciona como un bien mueble semoviente dentro de los derechos reales del sujeto-soberano como objeto-cosa[424], al ser uno de los grandes carnívoros es considerado un animal bravío o cerril que se torna perjuidicial en las actividades agropecuarias, y desde la conjunción civil y administrativa-ambiental el jaguar es un animal silvestre que puede tener un aprovechamiento sustentable[425], estos esquemas conjugan la negación del jaguar y afirman al especismo-capitalismo, lo que conforma un necroderecho que encubre la dominación, miseria y muerte del felino en un discurso de los derechos humanos —de dominación animal— que enuncian como principio: para garantizar las libertades, hay que eliminar las libertades de los demás. El necroderecho ha conformado un andamiaje que reafirma la dominación del jaguar-cosa en dimensiones regulativas permisivas donde el viviente sufre en una miseria, en este paradigma jurídico cerrado emerge el análisis crítico que profundiza el encubrimiento de una realidad que es palpable, lo que permite en una zooética analéctica la afirmación de la vida del jaguar-víctima que se estructura en un bioderecho como la ley del débil, lo que permite una dimensión positiva del jaguar y su vida en múltiples dimensiones políticas: en un enfoque ambiental es un ejemplar de vida silvestre focal indispensable en los procesos ecológicos con una relación directa e indirecta con diversos derechos humanos, en un ámbito biocultural es un miembro y elemento esencial cosmogónico en espacios étnicos comunitarios y familiares, en enfoques ecocentristas[426] es un sujeto de derecho por ser un elemento de los derechos de la naturaleza[427],

---

424 Vid. MORALES, D., MORALES, J. Bienestar animal y legislación; el reto de los animales destinados al consumo humano en México, en dA. Derecho animal (2017).

425 Vid. MORALES, D., MORALES, J. Justicia y vida silvestre: dos estudios de caso sobre ilícitos ambientales del orden federal asociados al jaguar en México, en dA. Derecho Animal (Forum of Animal Law Studies) 9/3 (2018) 94-97.

426 Vid. GARCÍA, J. Hacia un eco-sensocentrismo como postura ética para el derecho animal, en dA. Derecho Animal: Forum of Animal Law Studies 11 (2020).

427 Vid. ESTUPIÑÁN, L. Neoconstitucionalismo ambiental y derechos de la Naturaleza en el marco del nuevo constitucionalismo latinoamericano: El caso de Colombia, Revista de Estudios Jurídicos y Criminológicos (2020).

en una visión animalista de los derechos humanos es un animal sintiente dentro del garantismo constitucional[428] y en la utopía es un sujeto zooético de derechos en coextistencia que afirma su vida y dignidad, lo que configura un reconocimiento de su especial posición en el ordenamiento jurídico para una protección basada en la crítica material enfocándose en el respeto y reconocimiento de sus propios intereses.

En la actualidad, los esquemas políticos asociados al jaguar se direccionan unívocamente hacia una dimensión necrojurídica ambiental de sustentabilidad del especismo-capitalismo en una racionalización que lo encierra dentro del capital natural, donde se le despoja, lastima y daña para poder conservarlo, lo que impide que emerja la crítica zooética que cimienta un bioderecho donde se afirma el enfoque pluriversal del jaguar en dimensiones ambientales, sociales, bioculturales y animalistas del jaguar para reconocer y reposicionar la categoría de animal en enfoques incluyentes con el jaguar dentro del ordenamiento político y jurídico en todas las aristas que involucra, ampliando y superando su denominación negativa sustentable para un reconocimiento de su dignidad que implica un trato y respeto que merecen conforme a su naturaleza biológica, etológica y ecológica, sus intereses específicos y dignidad intrínseca[429]. Esta dimensión plural como aproximación biojurídica del jaguar enriquece su protección y defensa e indica de modo indubitable a quién se refiere y qué tratamiento jurídico se le aplica al mismo, superando la relación negativa jaguar-cosa de los derechos reales con protecciones y regulaciones inservibles a través de su inserción político-jurídica en la sociedad organizada en un estado de derecho que configure una ley del débil que tenga por objeto equilibrar el justo medio de los intereses con enfoques de justicia[430].

---

428 Vid. BAENA, T. Reconocimiento del bienestar animal en la Constitución federal. Cuestiones Constitucionales. Revista Mexicana de Derecho Constitucional (2025).

429 Vid. GIMÉNEZ-CANDELA, M. Dignidad, sentiencia, personalidad. Relación jurídica humano-animal, en dA. Derecho Animal 9/2 (2018).

430 Vid. GIMÉNEZ-CANDELA, M. Animal. Una aproximación biojurídica, en DALPS. Derecho Animal (Animal Legal and Policy Studies) 1 (2023).

La inclusión del jaguar en los sistemas políticos-jurídicos supera la visión antropocéntrica ya que reconstruyen el derecho y las políticas públicas para dar una protección a los más vulnerables y así, constituir una herramienta jurídica funcional que sea la ley del débil bajo lineamientos progresivos de las realidades que regulan, protegen y defienden bajo la pulsión de la crítica zooética y alteridad que transformen el mundo de los felinos-víctimas y los oprimidos en coexistencia, logrando un equilibrio en la protección de los intereses y la vida de los sujetos de derecho dentro de la relación animal humano-jaguar desde lo individual y colectivo hasta lo ambiental, en una conjunción multidisciplinaria que involucre diversas disciplinas, desde el derecho animal al derecho ambiental para unir esfuerzos y ofrecer recursos que preserven la biodiversidad[431] con un enfoque de justicia y alteridad. La relación biojurídica del jaguar como una afirmación de su vida parta del hecho empírico de contenido material asociado a la biología, etología y ecología del felino que afirma su corporalidad-mentalidad como ser en sí mismo con mundo que se encuentra negado y excluido en el sistema-totalización-mundo, esta conexión permite replantear las relaciones entre biología, etología, ecología, sociología, etnozoología, política y derecho, lo que en el ámbito del derecho animal, se traduce en reformular una perspectiva objetiva, real, material, crítica, étnica, biocultural y zooética del jaguar que permiten tener una relación de cercanía para sentir y pensar su mundo y desde ahí, protegerlo desde múltiples dimensiones donde se incluyan la norma jurídica, legal y jurisprudencial que redefinan biojurídicamente al jaguar como un sujeto con una vida tutelada por el estado, una noción creada para atribuir una protección social de un ser vulnerable. La relación afirmativa humano-jaguar tiene un enfoque biocultural sustentado en los pueblos y comunidades indígenas que reconocen al jaguar como un elemento positivo indispensable desde la cotidianidad a las hierofanías y cratofanías con puntos en común dentro de sus cosmogonías que hacen de este felino un elemento indispensable del núcleo duro mesoamericano que se expande hasta la actualidad principalmente en sociedades rurales de México, donde en algunos casos es considerado incluso miembro de las

[431] ABATE, R. S. What Can Animal Law Learn from Environmental Law? (Washington D.C. 2015).

comunidades rurales y de las unidades familiares. El jaguar desde estas perspectivas afirmativas ambientales, bioculturales, zooéticas y de biolegalidad como sujeto legal se confrontan ante el marco jurídico vigente que se enfoca negativamente en la figura del jaguar-cosa en las relaciones de derechos reales de las personas que adoptan un enfoque ambiental conservacionista basado en la racionalidad sustentable de su aprovechamiento donde se mantienen como animales en propiedad —pública y privada— bajo una reglamentación laxa que regula los usos y evita el dolor y sufrimiento innecesario en su aprovechamiento racional sustentable y que en la actualidad pese a que este sistema se ha consolidado en un derecho ambiental mexicano enfocado en el uso y aprovechamiento de la vida silvestre, este no ha tenido una efectividad en la protección del jaguar donde la impunidad es la regla. Ante esta inoperancia del sistema que tutela negativamente al jaguar, la opción que se plantea es la que afirma la biojuridicidad del jaguar con elementos positivos que se adicionan como el enfoque ambiental, biocultural y zooético para transitar de su figura de cosa al de sujeto en un proceso que inicia con la descosificación y que desde su singularidad biojurídica se extienda al jaguar como animal con dignidad. Este enfoque positivo en sus diversas aristas tiene importantes avances en los sistemas políticos y jurídicos, en Latinoamérica un movimiento para la protección de la naturaleza se ha enfocado en reconfigurar las relaciones jurídicas y éticas de los humanos con la tierra, teniendo una incidencia que ha conformado un constitucionalismo ecológico que se enmarca en la Constitución de Ecuador de 2008 y en la Constitución de Bolivia en 2009[432], en estos documentos se reconoce formalmente a la naturaleza y a los animales como sujeto de derechos, basándose en una tradición local sustentada en los pueblos y comunidades indígenas, lo que permite una defensa jurídica de la naturaleza y el territorio, consolidando una herramienta para la protección y conservación, de manera indirecta en Colombia se ha configurado una constitución política ecológica donde la Corte Constitucional ha reconocido

---

432 Vid. GIMÉNEZ-CANDELA, M. Animales y naturaleza: derechos emergentes en las constituciones latinoamericanas, en DALPS. Derecho Animal (Animal Legal and Policy Studies) 3 (2025).

a elementos de la naturaleza como sujeto de derechos[433]. En México, este movimiento ha consolidado a nivel local cambios significativos en reconocer los derechos de la naturaleza en sus constituciones, la primera de ellas fue la Constitución Política del Estado Libre y Soberano de Guerrero en 2014, que en sus disposiciones preliminares establece que el Estado deberá garantizar y proteger los derechos de la naturaleza[434], posteriormente se adecuaron los derechos de la naturaleza en la Constitución Política de la Ciudad de México en 2017[435], en la Constitución Política del Estado Libre y Soberano de Colima en 2019[436], en la Constitución Política del Estado Libre y Soberano de Oaxaca en 2021[437] y en la Constitución Política del Estado de México en 2024[438]. En estos marcos constitucionales locales de México se reconoce a la naturaleza como sujeto jurídico de protección bajo esquemas de coexistencia, dando pauta a que el jaguar, como parte de esta naturaleza tenga un reconocimiento como sujeto de derecho bajo la tutela del estado, si bien en América Latina se han producido avances significativos en la producción de leyes y decisiones judiciales que avanzan en el campo del derecho animal, estos cambios son en su mayoría simbólicos[439], los cambios en los sistemas jurídicos recientes que se enfocan en la protección afirmativa del bienestar animal, los derechos de la naturaleza y acciones de protección bio-

---

433 VARGAS-CHAVES, I., CUMBE-FIGUEROA, A. Los derechos de la naturaleza en Colombia, Ecuador y Bolivia: De la gramática constitucional y los procesos de reconocimiento, a una nueva interpretación, en Revista Catalana de Dret Ambiental 14 (2023).

434 Constitución Política del Estado Libre y Soberano de Guerrero, con reforma publicada en el Periódico Oficial del Estado de Guerrero el 29-04-2014.

435 Constitución Política de la Ciudad de México, publicada en la Gaceta Oficial de la Ciudad de México el 05-02-2017.

436 Constitución Política del Estado Libre y Soberano de Colima, reforma publicada en el Periódico Oficial el 03-08-2019.

437 Constitución Política del Estado Libre y Soberano de Oaxaca, reforma publicada en el Periódico Oficial el 22-05-2021.

438 Constitución Política del Estado de México, reforma publicada en el Periódico Oficial el 21/05/2024.

439 Vid. LOSTAL, M., SHANKER, A. & CALLEY, D. Un paso adelante, dos atrás: la búsqueda de 'derechos' en el proyecto de ley sobre derechos de los animales en Ecuador. DALPS (Derecho Animal-Animal Legal and Policy Studies) 2 (2024) 504-587.

cultural y biojurídica de los animales aún se encuentran en una fase inicial, carecen de mecanismos políticos y jurídicos eficaces para el correcto funcionamiento de estos preceptos jurídicos lo que los hace ineficientes, incompletos y vacíos.

El enfoque positivo del jaguar en los sistemas políticos y jurídicos debe enfocarse en su dignidad y subjetividad jurídica para que el derecho sea una herramienta de conservación, protección y defensa de los vulnerables para un justo medio. En la crisis del antropoceno en conjunción con la crisis jurídica ambiental de protección del jaguar en México con la impunidad como regla en tópicos asociados al jaguar el modelo necropolítico y necrojurídico que niegan al felino están siendo desafiados por la aparición biopolítica del jaguar que lo afirma desde un horizonte ambiental, biocultural, zooético en alteridad y crítico que reconocen al felino como sujeto de derechos, con dignidad y subjetividad jurídica que permitan una defensa adecuada ante el dominio y la opresión.

15. AVANCES Y RETROCESOS JURÍDICOS PARA LA PROTECCIÓN DEL JAGUAR

Pese a que la totalización del derecho en sí es especista de dominación, en los últimos años la fuerza contrahegemónica está teniendo avances que establecen una base jurídica para reivindicar y deconstruir al animal en un devenir de liberación, este enfoque se visibiliza en la modificación del subcampo jurídico desde dimensiones ejecutivas, legislativas y judiciales. En el ámbito legislativo se suman a esta directriz en los últimos años principalmente las siguientes adecuaciones: 1) constitucionalismo animalista de derechos humanos en un ámbito federal y local, 2) inclusión de protección jurídica administrativa y penal de animales distintos a los animales domésticos enfocados en perros y gatos. Asimismo, se incluyen (3) múltiples iniciativas a nivel federal para la creación de una Ley General de Bienestar Animal donde en algunas de ellas se refleja el trabajo de las organizaciones de la sociedad civil[440] e incluso 4) iniciativas para aumentar la penalidad de los delitos contra el ambiente y la gestión ambiental[441]. En un ámbito ejecutivo sobresalen las siguientes: 1) en diversos estados de la república se han creado fiscalías especializadas en atención a delitos contra los animales, 2) en un ámbito local, diversas entidades federativas de México han establecido una protección biocultural del jaguar para la tutela de sus derechos, acciones impulsadas por la sociedad civil, 3) en un ámbito municipal, por primera vez en la historia se ha logrado que el gobierno del Municipio de Pachuca, estado de Hidalgo, México, lograra crear un decreto para la protección de los derechos de las tuzas que han pasado de ser un mamífero considerado como una plaga, a un emblema de la conservación de la naturaleza y los derechos de los animales[442], lo que es conocido como el giro animalista. En un ámbito judicial, el Poder Judicial de la Federación ha tenido importantes avances en la materia en los últimos años, sobresalen para estudio los siguientes criterios y precedentes: 1) Amparo en Revisión 163/2018[443], donde se reconoció la constitucionalidad de la prohibición de las peleas de gallos, ante la aparente vulneración del derecho a la cultura, a la propiedad, la libertad de trabajo y el derecho a la igualdad y no dis-

---

440 Vid. INICIATIVA que expide la Ley General de Bienestar, Cuidado y Protección Animal y reforma y deroga diversas disposiciones de la Ley Federal de Sanidad Animal (2025). Disponible en: http://sil.gobernacion.gob.mx/Archivos/Documentos/2025/03/asun_4847261_20250304_1740592189.pdf (última consulta, 11.10.2025).

441 Vid. INICIATIVA que reforma diversas disposiciones del Código Penal Federal (2025). Disponible en: https://gaceta.diputados.gob.mx/PDF/66/2025/sep/20250930-II-3-1.pdf (última consulta, 11.10.2025).

442 POEH: 20-03-2023. Decreto referente a la "Protección, Salvaguardia y Declaración de las Expresiones Culturales Asociadas a la Tuza, Como Patrimonio Biocultural Municipal de Pachuca de Soto, Hidalgo". Todo el texto del documento fue elaborado por científicos y abogados de Biofutura para presentarse en el cabildo municipal de Pachuca, donde se aprobó integramente por unanimidad. Disponible en: https://datos.pachuca.gob.mx/sipot/1/PDFS/D38-Proteccion_Tuza-2023.pdf (última consulta, 11.10.2025).

443 SCJN. Primera Sala. Amparo en Revisión 163/2018. 31-10-2018. Disponible en: https://www2.scjn.gob.mx/ConsultaTematica/PaginasPub/DetallePub.aspx?AsuntoID=231361 (última consulta, 11.10.2025).

criminación que alegaban los quejosos, la Suprema Corte de Justicia de la Nación (SCJN) determinó que las peleas de gallos no encuentran cobertura en el derecho a participar en la vida cultural, cualquier práctica que suponga el maltrato y el sufrimiento innecesario de los animales no puede considerarse una expresión cultural amparada ni *prima facie* ni de manera definitiva por la Constitución, la SCJN afirmó que la protección de los animales es el objetivo de una sociedad libre y democrática, misma que limita derechos fundamentales humanos en bien de los animales no humanos, 2) Amparo en Revisión 639/2016[444], donde la Primera Sala de la SCJN afirmó la legalidad de la prohibición de mamíferos marinos en espectáculos itinerantes a fin de mejorar su calidad de vida y conservación. En este sentido, expresó que la protección de estas especies en riesgo constituye una medida que protege el medio ambiente sano, ya que su aprovechamiento y explotación se tradujo en riesgos para su conservación. En el caso concreto, puntualizó que tal prohibición no vulneró la libertad de comercio de la empresa accionante porque atiende a la finalidad constitucional de preservar el medio ambiente, en particular las especies en riesgo, 3) Tesis Aislada: I.11o.A.23 A (11a.)[445] donde se reconoce la familia multiespecie o interespecie, integrada por personas y animales domésticos, quienes ya pasaron de ser considerados por la ley como cosas a concebirse como seres sintientes. Incluso, dichos animales son parte integrante de la familia en la que desempeñan un papel de protección, apoyo, compañía, cariño y cuidado hacia los humanos, 4) Tesis Aislada: I.10o.A.54 A (10a.)[446] señala que la protección de la vida debe hacerse extensiva a los animales, en términos del artículo 1o. constitucional, 5) Tesis Aislada I.10o.A.52

---

444 SCJN. Primera Sala. Amparo en Revisión 639/2016. 15-11-2015. Disponible en: https://desc.scjn.gob.mx/sites/default/files/2021-09/MÉX44-Sentencia.pdf (última consulta, 11.10.2025).

445 Vid. Gaceta del Semanario Judicial de la Federación. Tesis: I.11o.A.23 A (11a.) 26-06-2023. Disponible en: https://sjf2.scjn.gob.mx/detalle/tesis/2026709 (última consulta, 11.10.2025).

446 Vid. Gaceta del Semanario Judicial de la Federación. Tesis: I.10o.A.54 A (10a.) 24-11-2017. Disponible en: https://sjf2.scjn.gob.mx/detalle/tesis/2015662 (última consulta, 11.10.2025).

A (10a.)[447] establece un criterio de reconocimiento de la especie humana del derecho a la existencia de los animales el cual es el fundamento de la coexistencia entre las especies en el mundo y todo acto que implica la muerte de un "ser vivo" no puede escapar de la máxima protección del estado, y de manera actual 6) Tesis de Jurisprudencia: 1a./J. 28/2025 (11a.)[448] que señala como criterio jurídico lo siguiente: cuando se impone una sanción más severa en los delitos cometidos en contra de los animales si se realizan con la agravante de utilizar métodos crueles, no se actualiza la prohibición de sancionar dos veces la misma conducta penal —principio *non bis idem*—. Esto debido a que los métodos crueles constituyen circunstancias a través de las cuales se ejecuta el delito básico y revelan un mayor grado de desprecio y desvalor del bien jurídico tutelado que es el bienestar de los animales. La agravante constituye una circunstancia independiente al tipo básico e implica el empleo de un mecanismo que incremente el daño físico y psíquico del animal, lo que afecta de manera adicional el bienestar del animal y desvaloriza en mayor medida el respeto a su dignidad, lo cual termina por impactar la percepción de la sociedad en cuanto a la importancia del respeto, el reconocimiento y las relaciones con los demás seres vivos[449], que en específico se relacionó con la muerte por envenenamiento de dos perros rescatistas llamados Tango y Athos[450] y daño por lesiones a un tercero llamado Balam[451], 6) Tesis de Jurisprudencia 1a./J. 46/2025 (11a.)[452], establece como criterio jurídico que los delitos señalados en los artículos

---

447 Vid. Gaceta del Semanario Judicial de la Federación. Tesis: I.10o.A.52 A (10a.) 24-11-2017. Disponible en: https://sjf2.scjn.gob.mx/detalle/tesis/2015660 (última consulta, 11.10.2025).

448 Vid. Semanario Judicial de la Federación. Disponible en: https://sjf2.scjn.gob.mx/detalle/tesis/2030237 (última consulta, 11.10.2025).

449 Vid. Amparo Directo en Revisión 2716/2024. 30 de octubre de 2024. Disponible en: https://www.scjn.gob.mx/sites/default/files/listas/documento_dos/2024-10/241024-ADR-2716-2024.pdf (última consulta, 11.10.2025).

450 Vid. BAENA, M. Elementos éticos para un trato respetuoso en perros callejeros, en DALPS. Derecho Animal (Animal Legal and Policy Studies) 2 (2024) 38-42.

451 Vid. LARA, F. Prevención y control penal en el maltrato de animales domésticos en el estado de México (México 2025) 62-66.

452 Vid. Semanario Judicial de la Federación. Disponible en: https://sjf2.scjn.gob.mx/detalle/tesis/2030338 (última consulta, 11.10.2025).

350 Bis y 350 Ter del Código Penal para el Distrito Federal (hoy Ciudad de México), no violan el principio de legalidad en su vertiente de taxatividad, si bien existe una remisión a la ley local vigente en materia de protección y bienestar de los animales para determinar qué debe entenderse por maltrato y crueldad, esto no los constituye en normas penales en blanco, la accesoriedad de la Ley de Protección a los Animales de la Ciudad de México como ley en sentido formal y material frente al ámbito normativo penal consolida el principio de taxatividad; este principio es una exigencia de un contenido concreto y unívoco en la labor de tipificación de las conductas señaladas como delitos en la norma penal, esto quiere decir que la descripción típica no debe ser obscura, vaga, imprecisa, abierta o amplia, al grado de permitir la arbitrariedad en su aplicación, pues para garantizar el principio de plenitud hermética en cuanto a la prohibición de analogía o mayoría de razón en la aplicación de la ley penal, ésta debe ser exacta, y no sólo porque a la infracción corresponda una sanción, pues sucede que las normas penales deben cumplir una función motivadora en contra de la realización de delitos, para lo que resulta imprescindible que las conductas punibles estén descritas con exactitud y claridad, pues no se puede evitar aquello que no se tiene posibilidad de conocer con certeza. El criterio es claro, los delitos contra los animales no violan el principio de exacta aplicación de la norma penal al remitir a una normatividad no penal en materia de protección animal, ya que no genera indeterminación o inseguridad jurídica, si bien remite a disposiciones no penales, esto no impide que se entienda perfectamente la conducta tipificada enfocada en la prohibición de realizar actividades antrópicas que afecten a ciertas especies, ya que las condiciones de aplicación del citado numeral que constituyen un elemento normativo de valoración no integra el núcleo de la prohibición, teniendo así una reserva relativa del tipo penal, ya que en esta intervención del derecho en materia de protección animal no penal se legitima un espacio de intervención limitado al Poder Ejecutivo que se deriva de una complementación, estos elementos normativos no penales no trasgreden el orden constitucional y por ende no viola el principio de reserva de ley. En los delitos contra los animales, los términos "crueldad y "maltrato" constituyen elementos de valoración jurídica, así, la persona juzgadora debe acudir a la Ley de Protección a los animales en el ámbito local a efecto de

constatar que la conducta imputada actualizó el contenido de dichos conceptos de manera complementaria en razón de dar una tutela efectiva al bien jurídicamente tutelado por el tipo penal que es proteger la vida y la integridad de los animales. 7) Amparo en Revisión 365/2024, en esta decisión judicial la Primera Sala del Alto Tribunal estableció la constitucionalidad de los delitos contra los animales establecidos en los artículos 350 Bis y 350 Ter del Código Penal para el Distrito Federal, hoy Ciudad de México, concluyendo con una tesis de jurisprudencia[453] y por otra parte, la Sala dirimió que las normas penales analizadas no son discriminatorias por razón de religión en sentido estricto asociado a las prácticas religiosas de santería cubana o religión tradicionalista ifá-orisha que conllevan a la inmolación de animales, puesto que, la voluntad del legislador local fue garantizar el bienestar animal en cumplimiento del mandato constitucional, en donde se reconoce a los animales como seres sintientes e impone una obligación jurídica de respetar la vida e integridad de cualquier especie animal a toda persona, ello, con el fin de salvaguardar la vida y dignidad de los animales, sin importar el ámbito en el que se encuentren o si son o no instrumentales a la práctica de una religión. Los tipos penales en estudio se refieren a la generalidad de personas dentro del territorio competencial, asociado a realizar conductas tipificadas en contra de los animales, sin distinguir algún ámbito específico como lo es el de los creyentes de alguna religión determinada. Con la emisión de las normas, la intención específica de los legisladores no fue prohibir un acto en específico como la inmolación de un animal en la práctica religiosa, sino disuadir el ejercicio de cualquier conducta, perteneciente o no a la manifestación de una religión, en la cual se realice de manera dolosa, actos cuyo fin sea lesionar, dañar o alterar la salud de cualquier especie animal o bien, se dé muerte de manera dolosa a cualquier especie animal a través de actos de crueldad o maltrato. Las normas penales reclamadas no impiden el ejercicio a la libertad de culto, puesto que, ese derecho no es absoluto, sino que está sometido a ciertos límites que la Constitución impone: el imperio del orden jurídico, los derechos de los demás, la prevalencia del interés público y los propios derechos fundamentales de la persona frente a un ejercicio abusivo de los mismos. Por lo tanto, el

---

[453] *Íbidem.*

ejercicio de culto público, la libertad de religión no ampara la comisión de delitos bajo el supuesto de que estos son una representación material de la creencia religiosa. Las normas impugnadas no castigan el uso instrumental de animales en la religión, sino aquellas prácticas intencionales cuyo fin sea lesionar, dañar, alterar la salud, o dar muerte a un animal mediante actos de crueldad o maltrato. En ese sentido, las normas tampoco son discriminatorias pues no se dirigen a prohibir prácticas religiosas, sino que sancionan el maltrato y crueldad animal en cualquier ámbito[454]. De manera reciente, el Poder Judicial de la Federación ha sentado importantes avances en la protección animal, se destacan los siguientes: 8) Tesis Aislada: I.20o.A.100 A (11a.)[455], este criterio acotado a la legislación de la Ciudad de México consagra la perspectiva sensible al bienestar animal, donde el órgano jurisdiccional al estudiar un asunto relacionado con los derechos de seres sintientes debe profundizar en las características distintivas, la forma de vida particular de cada animal, sus necesidades específicas, sus condiciones ideales, sus preferencias y aspiraciones más allá de su inclinación natural a huir del dolor o el sufrimiento e incluso, la libertad de ejercer su comportamiento natural, estos son factores que determinan lo que puede configurar en su perjuicio un maltrato o una crueldad, un sufrimiento o un daño. A fin de dilucidar si respecto de los derechos o intereses de un conjunto de animales se ha cumplido las obligaciones de protección, cuidado y trato digno, los órganos jurisdiccionales deben aplicar la perspectiva sensible al bienestar animal para: a) conocer esos factores, articular cada derecho reconocido a su favor en obligaciones correlativas y desagregar éstas, a su vez, en conductas concretas y exigibles en relación con ellos, según su especie; b) ponderar esas características distintivas, forma de vida particular e intereses contra el contexto que vivan o les haya sido impuesto; y c) a partir de su bienestar o malestar, definir si han sido respetados o no. El respaldo metodológico o marco analíti-

---

454 Vid. SCJN. Primera Sala. Amparo Directo en Revisión 2716/2024. Disponible en: https://www.scjn.gob.mx/sites/default/files/listas/documento_dos/2024-10/241024-ADR-2716-2024.pdf (última consulta, 11.10.2025).

455 Vid. Gaceta del Semanario Judicial de la Federación. Tesis Aislada: I.20o.A.100 A (11a.) 21-11-2025. Disponible en: https://sjf2.scjn.gob.mx/detalle/tesis/2031502 (última consulta, 01.12.2025).

co se realiza conforme a la lógica que rige las obligaciones generales sobre derechos humanos, siempre calibrada o modulada a derechos no humanos de seres sintientes, como el desarrollo de principios propios que guíen la mejor forma de aproximarse (entender y resolver) un caso que los involucre, con la idea de promover, respetar, proteger y garantizar sus derechos. 9) Tesis Aislada: I.20o.A.104 A (11a.)[456], este criterio acotado a la legislación de la Ciudad de México, establece que la perspectiva sensible al bienestar animal se debe aplicar para dimensionar las afectaciones provocadas a los animales vivos. Su justificación delimita que los animales son seres complejos con capacidad de sentir y que algunos tienen la capacidad de crearse una representación mental propia sobre el mundo que los rodea, con capacidad de imaginar, proyectar deseos, experimentar sentimientos, soñar, construyen una personalidad y en el rango emocional son capaces de desplegar múltiples sentimientos como el desarrollo del sentido del humor, la risa y el juego, aunque también el duelo, el lamento y la tristeza, pueden sufrir afectaciones generales y específicas igualmente complejas y diversas, debido a la pluralidad de especies animales con una enorme complejidad y diversidad, no todos expresan necesariamente daños o sufrimientos en forma audible o visible. Bajo este paradigma, la perspectiva sensible al bienestar animal es necesaria para ponderar todos los daños y sufrimientos fisiológicos, comportamentales y psicológicos que puede causar su confinamiento, además, existen afectaciones invisibles o sin reflejos audibles que a pesar de su poca o nula notoriedad son altamente perniciosas, la aproximación al caso con base en un enfoque debidamente calibrado que permita entender los factores que inciden en su bienestar, tomará en cuenta la relevancia pública de su bienestar y evaluar acciones y omisiones que los pongan en peligro. 10) Tesis Aislada: I.20o.A.102 A (11a.)[457], el criterio jurídico delimitado a la Ciudad de México establece que los seres sintientes en un contexto propiciado

---

[456] Vid. Gaceta del Semanario Judicial de la Federación. Tesis Aislada: I.20o.A.104 A (11a.) 21-11-25. Disponible en: https://sjf2.scjn.gob.mx/detalle/tesis/2031503 (última consulta, 01.12.2025).

[457] Vid. Gaceta del Semanario Judicial de la Federación. Tesis Aislada: I.20o.A.102 A (11a.) 14-08-25. Disponible en: https://sjf2.scjn.gob.mx/detalle/tesis/2031506 (última consulta, 01.12.2025).

por la venta irregular y clandestina, vulnera sus derechos y se desconocen los principios mínimos de justicia para seres sintientes, y estos son: a) no maltrato, b) no crueldad, c) no dolor ni sufrimiento innecesarios, d) no angustia, y e) no muerte; esto es, no desamparo. 11) Tesis Aislada: I.20o.A.103 A (11a.)[458] y Tesis Aislada: I.20o.A.105 A (11a.), en estos criterios jurídicos delimitados a la legislación de la Ciudad de México, se establece que la perspectiva sensible al bienestar animal implica la obligación de promover en todas las instancias la importancia ética, ecológica y cultural que representa la protección a los seres sintientes. Se señala que la venta de animales vivos en lugares que cumplan con la normativa no es extensiva a los mercados públicos ya que estos espacios han sido por años símbolo de su maltrato, crueldad, dolor y sufrimiento. La venta irregular o clandestina de animales vivos en mercados públicos genera actos de maltrato y crueldad en perjuicio de seres sintientes, así como externalidades negativas que afectan el medio ambiente en perjuicio de la salud de las personas que habitan su entorno adyacente, incluso la subsistencia de estas prácticas afectan el medio ambiente sano, la conservación de la biodiversidad, así como la posibilidad de vivir en armonía con la naturaleza, preservar especies y recursos naturales para generaciones presentes y futuras y, particularmente, la posibilidad de vivir en un entorno libre de cualquier violencia y degradación ambiental. 12) Tesis Aislada: I.20o.A.101 A (11a.)[459], el criterio jurídico establece que el reconocimiento de los animales como seres sintientes en la normativa de la Ciudad de México genera un parámetro de regularidad constitucional local que debe aplicarse para evaluar las acciones y omisiones de la autoridad que puedan lesionar sus derechos e intereses enfocados en su bienestar animal y el reconocimiento de derechos de protección, cuidado, trato digno, bienestar, integridad, vida y tutela colectiva o responsabilidad común, entre otros. El marco de referencia jurídica permite que en la Ciudad de México los animales

---

458 Vid. Gaceta del Semanario Judicial de la Federación. Tesis Aislada: I.20o.A.103 A (11a.) 21-11-25. Disponible en: https://sjf2.scjn.gob.mx/detalle/tesis/2031507 (última consulta, 01.12.2025).

459 Vid. Gaceta del Semanario Judicial de la Federación. Tesis Aislada: I.20o.A.101 A (11a.) 21-11-25. Disponible en: https://sjf2.scjn.gob.mx/detalle/tesis/2031508 (última consulta, 01.12.2025).

tengan derechos reconocidos que pueden ser judicializados. 13) Tesis Aislada XVII.2o.P.A.10 P (11a.)[460], este criterio refuerza la idea de la apertura de defensa de los animales ante ilícitos que los afectan, y se establece como víctima indirecta a quien denuncia un hecho que la ley señala como delito de maltrato animal, al ser el denunciante se le asigna un carácter distinto al de la sociedad en general que puede resultar afectada por ese delito (en el contexto del derecho humano a un medio ambiente sano y libre de violencia contra los animales), teniendo una posición especial frente al acto reclamado. Los animales objeto de maltrato son los directamente afectados, negar el carácter de víctima indirecta al denunciante implicaría que ningún integrante de la sociedad podría tenerlo en concreto y, con ello, intervenir activamente como parte dentro de la investigación, lo que conlleva a dejar en estado de indefensión a los bienes jurídicamente tutelados. 14) Tesis Aislada: 2a. IV/2025 (11a.)[461], el criterio señala que las autoridades federales en materia ambiental están obligadas a garantizar la efectividad de la protección y bienestar animal en los zoológicos. En materia de protección y bienestar animal en zoológicos, existe un régimen de competencias concurrentes que otorga facultades y obliga a las autoridades federales en materia ambiental a garantizar su efectividad. Derivado del mandato constitucional que prohíbe el maltrato animal, el Estado Mexicano debe garantizar la protección, el trato adecuado, la conservación y el cuidado de los animales. En este sentido, las autoridades cuentan con facultades en la materia, y están vinculadas a prevenir, advertir, controlar y vigilar las acciones que se tornan dentro de los zoológicos, a fin de proteger y garantizar el bienestar animal. Asimismo, podemos incluir los avances en materia ambiental enfocado al acceso a la justicia, estos criterios de la SCJN permiten la defensa de una gran cantidad de animales silvestres y marcan un parteaguas para la justicia ambiental-animal y son los siguientes: Amparo en Revisión 582/2010, 815/2010,

---

460 Vid. Gaceta del Semanario Judicial de la Federación. Tesis Aislada: XVII.2o.P.A.10 P (11a.) 10-10-25. Disponible en: https://sjf2.scjn.gob.mx/detalle/tesis/2031333 (última consulta, 01.12.2025).

461 Vid. Gaceta del Semanario Judicial de la Federación. Tesis Aislada: 2a. IV/2025 (11a.) 08-08-25. Disponible en: https://sjf2.scjn.gob.mx/detalle/tesis/2030861 (última consulta, 01.12.2025).

828/2010, 2938/2010, 455/2011, 643/2011 y 500/2012 que soportan la Tesis 1a/J 21/2012(9a), Tesis 1a./J 22/2012 (9a), Tesis 1a./J. 23/2012 (9a), Tesis 1a. XXIX/2012 (9a). Tesis 1a. XXVII/2012 (9a), Tesis 1a. XXVIII/2012 (9a) emitidas en la décima época[462] donde se establece el criterio de considerar los delitos contra la biodiversidad como delitos que no trasgreden derechos humanos asociados a la certeza jurídica y de seguridad jurídica[463]. Pese a que el acceso a la justicia ambiental es ínfimo, estos criterios han apoyado a que los defensores ambientales y defensores de la vida silvestre tengan herramientas para la defensa de la naturaleza. Si bien los avances son importantes, también existe una gran cantidad de retrocesos desde dimensiones jurisdiccionales por parte del Poder Judicial de la Federación, un ejemplo es la Tesis Aislada XIII.P.A.1 P (10ª.) que sostiene que la posesión de ejemplares disecados o en taxidermia de especies protegidas no configuran el delito contra la biodiversidad establecido en el Código Penal Federal, a través de la argumentación y la lógica jurídica se concluye que este criterio es irracional por establecerse en falacias y errores crasos[464]. Es importante referir que, en un ámbito local, en diversos estados de la república existen personas que tienen sentencias por la realización de conductas ilícitas asociadas a la tipificación del maltrato y crueldad animal principalmente contra perros. Si bien existen avances importantes en ámbitos de derechos de los animales, derechos humanos DESCA, constitucionalismo animalista de los derechos humanos y acceso a la justicia, el jaguar sigue siendo un animal que está desprotegido por el estado mexicano, el enfoque simple ambientalista de protección del felino silvestre ha sido insuficiente para que el jaguar sea un animal con protección en la práctica, ya que en México no existe ninguna sentencia en materia penal asociada a ilícitos que afectan al jaguar pese

---

462 Vid. Semanario Judicial de la Federación. Disponible en: https://sjf2.scjn.gob.mx (última consulta, 11.10.2025).

463 Vid. MORALES, D. & MORALES, J. Combate efectivo de los delitos contra la biodiversidad en México como una herramienta de conservación de la biodiversidad, en Nómadas. Revista Crítica de Ciencias Sociales y Jurídicas 51 (2017).

464 Vid. Vid. MORALES, D., MORALES J. & CÓRDOVA, M. Derecho ambiental, biodiversidad y fauna silvestre: análisis de la Tesis Aislada XIII.P.A.1 P (10ª.), en dA. Derecho Animal (Forum of Animal Law Studies) 10 (2019).

a ser una práctica común. Los esquemas de conservación perniciosa y perversa implican actos de maltrato y crueldad animal los cuales necesitan ser adecuados a las exigencias jurídicas en materia de bioderecho.

Es importante analizar que los cambios en la superestructura social sin tener sólidas bases en la estructura e infraestructura social se convierten en lo mismo. Por lo que se considera vital accionar los diversos mecanismos de reivindicación de los derechos de los animales, conocer el momento histórico y enfrentar al especismo. Los sistemas actuales jurídicos para la defensa de los animales no humanos en México en la práctica son deficientes aunado de que la impunidad de los ilícitos contra los animales es gigantesca; en el caso de los ilícitos asociados a los animales no humanos silvestres, la impunidad en materia penal-ambiental asociado a ilícitos contra la vida silvestre es atroz, los delitos contra la biodiversidad —flora, hongos y fauna— son sancionados en el 0.11 % y en el caso de ilícitos cuyo objeto material se asocia al jaguar es de 0 %, esta cifra refleja la impunidad en la protección del jaguar del gobierno mexicano, donde la impunidad es la regla y la justicia la excepción.

16. HACIA UN BIODERECHO DE LIBERACIÓN DEL JAGUAR

La regulación ambiental desde el paradigma del aprovechamiento sustentable del jaguar bajo el racionalismo especista-capitalista que lo niega es deficiente e inoperante, incluso dentro de los lineamientos del propio sistema político-jurídico de dominación la impunidad es la regla, esto debido a que su función no está centrada en la protección del felino sino en el enriquecimiento a través de la mediación instrumental del jaguar-cosa, lo que provoca su miseria. La crítica del sistema vigente desde la negatividad de los jaguares-víctimas en una zooética de la vida que afirma al jaguar y lo comprende, crea una corresponsabilidad que en su dinamismo se convierte en una práctica de transformación y liberación que busca colaborar en el proceso creativo de producción imaginativa y racional de alternativas futuras al especismo-capitalismo que se construyan sobre la afirmación y reconocimiento originario de la dignidad del jaguar con una esperanza utópica de coexistir en una sociedad más justa. La alteridad posiciona la afirmación del jaguar, donde se conjuga con imperativos zooéticos, bioculturales, biológicos, etológicos, ecológicos, ambientales, políticos y sociales principalmente para conjugar un bioderecho que sea una herramienta para la transformación-liberación.

La directriz trazada en el especismo sustentable que regula al jaguar en la dualidad aprovechamiento-conservación se encamina a su miseria en una línea recta, la curva tenue que puede modificar el rumbo hacia otro horizonte posible en la liberación y la coexistencia se encuentra en un punto crítico con dos opciones, la primera es tener una laxa curvatura sin modificar el destino en la miseria del felino mediante reformas y acciones desde la misma esencia del especismo y el capital, y la otra es impulsar la práctica sobre este terreno y rebasar el punto crítico de la curvatura para dar el giro animalista que permita nuevos enfoques utópicos hacia la liberación, estas acciones germinadas en lo local-comunitario desde la sociedad organizada se materializan en un plan estratégico político-jurídico integral que busca incidir en el poder gubernamental en sus tres ordenes: ejecutivo, legislativo y judicial para dictar un bioderecho que sea una herramienta funcional para la transformación-liberación del jaguar bajo principios y derechos fundamentales sustantivos y adjetivos principalmente en materia jurídica animal y ambiental.

En una dimensión legislativa es necesario fortalecer el marco legal en los siguientes sistemas de derecho:

1) Adecuaciones en materia Civil. Ámbito sustantivo. Reconocer a los animales con un estatus biojurídico integral que logre descosificar su conceptualización como cosas-bienes muebles[465], transformar y modificar el apartado de la apropiación de los animales para eliminar la mediación instrumental de los animales y el derecho de destrucción de los animales bravíos o cerriles. Reconocer al jaguar en los espacios donde habita

---

465 Vid. GIMÉNEZ-CANDELA, M. Descosificación de los animales en el Cc. español, en dA. Derecho Animal (Forum of Animal Law Studies) 9 (2018).

como cohabitante y que tenga derechos de territorio en coexistencia; modificar la figura jurídica de copropiedad y que se reconozca a los animales silvestres el derecho pro-indiviso sobre los espacios naturales y bienes donde interactúan con humanos en coexistencia positiva iniciando gradualmente con áreas naturales protegidas, corredores biológicos, corredores bioculturales, hábitat crítico, áreas de refugio[466] y zonas de importancia ecológica para la fauna silvestre. Ámbito adjetivo. Ampliar y fortalecer las acciones colectivas para una protección efectiva del jaguar en sus múltiples dimensiones políticas-jurídicas con una legitimación activa amplia para la defensa y protección de derechos e intereses colectivos con especial énfasis en figuras particulares.

2) Adecuaciones en materia Ambiental. Ámbito sustantivo. Reconocer a los animales silvestres con un estatus biojurídico que logre descosificar su conceptualización como cosas-bienes muebles susceptibles de aprovechamiento. Eliminar la conservación perniciosa y perversa del jaguar y establecer a la conservación de liberación y protección de los animales como nociones del orden público e interés social. Transformar, modificar y reforzar las modalidades de la propiedad de predios naturales conforme a los principios de función ecológica de la propiedad y *propter rem*[467] para una coexistencia. Reestructurar la veda del jaguar[468] bajo principios animalistas y ambientales —v.g. no regresión— con enfoques bioculturales, zooéticos y ecológicos[469]. Transformar el marco normativo ambiental bajo

---

466 LGVS. DOF: 03-07-2000.

467 Vid. RABASA, A., CAMAÑO, D., CARRILLO, J., MEDINA, R. Contenido y alcance del derecho humano a un medio ambiente sano (México, 2022) 85-97.

468 Vid. INICIATIVA que adiciona el artículo 60 BIS 3 a la Ley General de Vida Silvestre, a cargo de la Dip. Erika Araceli Rodríguez Hernández (2016). Iniciativa realizada por científicos y abogados de Biofutura A. C. e impulsada por Erika Rodríguez. Disponible en: http://sil.gobernacion.gob.mx/Archivos/Documentos/2016/12/asun_3471445_20161216_1479320130.pdf (última consulta, 11.10.2025).

469 Vid. MORALES, D. Reestructuración de la veda de jaguar en México como opción para su conservación, en WCEL-IUCN (2018).

los principios constitucionales de protección, trato adecuado, conservación y cuidado de los animales, prohibiendo el maltrato del jaguar en todos los ámbitos de interacción con el humano —v.g. en la investigación y conocimiento del jaguar con el uso de trampas, cepos y lazos que le causan daño—. Consolidar un sistema estricto y tasado de la legal procedencia de la fauna silvestre[470]. Fortalecer la figura del defensor de la fauna silvestre con mayores herramientas para la defensa del jaguar y fortalecer la participación social a través de consejos consultivos nacionales, regionales, estatales y municipales con una participación plural de la sociedad mexicana. Transformar y adecuar la normatividad cultural y biocultural para que las prácticas culturales sean compatibles con la conservación y protección del jaguar[471] donde se establezcan limitantes de las prácticas en atención a los derechos humanos y los derechos de los animales. Prohibir el uso de venenos. Establecer la obligatoriedad de mecanismos de mitigación por infraestructura en toda el área potencial de distribución del jaguar adecuado a cada espacio —v.g. en carreteras dentro de espacios potenciales de distribución del jaguar realizar un programa de protección del jaguar que incluya entre otras cosas límites de velocidad, pasos de fauna y señaléticas—. Transformar y adecuar la normatividad cultural y biocultural para que el Estado pueda crear mecanismos de protección y salvaguarda del patrimonio cultural material e inmaterial asociado al jaguar. Definir y fortalecer en la legislación la figura de corredor biológico y corredor biocultural bajo un esquema de protección dual

---

470 Vid. MORALES, D., MORALES, J. Justicia y vida silvestre: dos estudios de caso sobre ilícitos ambientales del orden federal asociados al jaguar en México, en dA. Derecho Animal (Forum of Animal Law Studies) 9/3 (2018) 96.

471 Vid. INICIATIVA con proyecto de decreto, por el que se declara el 23 de abril como Día Nacional para la Conservación del Jaguar y se adicionan los artículos 32 BIS y 41 BIS de la Ley Orgánica de la Administración Pública Federal, a cargo de la Dip. Érika Rodríguez Hernández (2017). Iniciativa realizada por científicos y abogados de Biofutura A. C. e impulsada por Érika Rodríguez. Disponible en: http://sil.gobernacion.gob.mx/Archivos/Documentos/2017/12/asun_3649534_20171213_1512506768.pdf (última consulta, 11.10.2025).

prohibitivo-regulativo, como un tipo de área natural-cultural protegida donde se fomente la coexistencia o como otras medidas efectivas de conservación basadas en áreas[472]. Ámbito adjetivo. Fortalecer a la parte denunciante con una legitimación activa en el procedimiento administrativo ambiental en todas sus etapas de manera completa y no parcialmente en una sola etapa como se realiza arbitrariamente en la actualidad lo que genera brechas en el acceso a la justicia en el procedimiento al limitar al denunciante al rubro de la denuncia popular, excluyéndolo en el procedimiento administrativo, lo que viola diversos derechos. Fortalecer la figura del tercero en materia ambiental. Eliminar los obstáculos procesales para que cualquier persona, física o moral tenga el derecho y el interés legítimo amplio para ejercer acción y demandar judicialmente la responsabilidad ambiental, la reparación y compensación de los daños ocasionados al ambiente y los animales, el pago de la sanción económica y las prestaciones[473], y desde el ámbito gubernamental se amplíe con esta legitimidad a las comisiones de derechos humanos en nivel local y nacional. Crear la figura de caso urgente en la legislación para que en determinados casos en específico y por excepción se tenga una respuesta inmediata y primordial al daño de la fauna silvestre.

3) Adecuaciones en materia Penal. Ámbito sustantivo. Estructurar los tipos penales ambientales y de bienestar animal conforme a los lineamientos básicos jurídicos a fin de evitar lagunas y vacíos legales[474]. Tipificar el lavado de vida silvestre. Aperturar como bienes jurídicamente tutelados en los delitos contra

---

472 Vid. GRUPO DE TRABAJO DE LA UICN-CMAP SOBRE OMEC. Reconocimiento y reporte de otras medidas efectivas de conservación basadas en áreas (Gland 2021).

473 Vid. Ley Federal de Responsabilidad Ambiental (LFRA). DOF: 07-06-2013.

474 Vid. INICIATIVA que reforma los artículos 420 del Código Penal Federal, y 3o. y 56 de la Ley General de Vida Silvestre, a cargo de la Dip. Erika Araceli Rodríguez Hernández. (2017). Iniciativa realizada por científicos y abogados de Biofutura A. C. e impulsada por Érika Rodríguez. Disponible en: http://sil.gobernacion.gob.mx/Archivos/Documentos/2017/04/asun_3534213_20170427_1487203526.pdf (última consulta, 11.10.2025).

el bienestar animal a los animales silvestres. Ámbito adjetivo. Establecer una obligación, legitimación y derecho a cualquier persona en la salvaguarda de la naturaleza y defensa de los animales desde un enfoque integral e inclusivo para eliminar obstáculos normativos procesales y garantizar el acceso a la justicia a la víctima y a su defensor.

4) Adecuaciones en materia Constitucional. Ámbito sustantivo. En una dimensión jurídica constitucional es importante adecuar al marco jurídico los siguientes principios: sentiencia y consideración de intereses; dignidad y valor inherente; no discriminación y *pro animal*. Asimismo, se deben consagrar los deberes del estado y corresponsabilidad de los particulares en la protección animal y ambiental. Es necesario fortalecer los derechos de los animales fundamentales asociados al derecho de existencia, vida, libertad y bienestar en dimensiones individuales, colectivas y ambientales. En un ámbito adjetivo es necesario adecuar derechos o garantías procesales que sean funcionales para la protección de los derechos de los animales[475], así como mecanismos enfocados en la persecución de oficio y daño propio por responsabilidad, por la especial naturaleza del derecho animal-ambiental la legitimación activa y la representación legal (*Tutor ad Litem*), los animales deben considerarse con capacidad procesal, la defensa y representación de sus intereses debe ser ejercida por acreditar un interés, incluso simple bajo una legitimación activa amplia de manera integral para que cualquier persona pueda actuar como *tutor ad litem* para la defensa de sus derechos. Es necesario agregar la figura del principio *Indubio Pro Animal* para que ante cualquier conflicto, o en caso de duda en un asunto político y jurídico, se aplique este principio para que se priorice entre los iguales la mejor solución que garantice los derechos de los animales[476]. Agregar en la legislación la figura *amicus curiae* o amigos de

---

475 Vid. WISE, S. Sacudiendo la jaula. Hacia los Derechos de los animales (Valencia 2018).

476 Vid. DECLARACIÓN RIOPLATENSE DE DERECHOS DE LOS ANIMALES (2024); ENMIENDA A LA DECLARACIÓN RIOPLATENSE DE DERECHOS DE LOS ANIMALES (2025). Disponibles en: https://www.

la corte[477], enfocándose en tópicos ambientales y de derecho y bienestar animal, refiriéndose a personas ajenas al litigio, como terceros cuya opinión técnica, científica o social resulta conveniente para que sea del conocimiento de los juzgadores que resolverán un asunto, pues doctrinalmente representan el interés público, de la comunidad o de la sociedad civil, pero no tienen injerencia directa en el asunto. Si bien la Primera Sala de la SCJN ha determinado en una tesis de jurisprudencia la procedencia de la admisión del *amicus curiae* en juicios de amparo y sus respectivos recursos cuando sean de trascendencia social o en los que se pretenda defender derechos humanos, es importante que bajo esta directriz se reforme la ley en la materia para conformar el *amicus curiae* y ampliar la protección de derechos en sus múltiples dimensiones[478]. Reconocer política y jurídicamente la dignidad, autonomía y libertad de los jaguares y considerarlos sujetos con derechos básicos. Fortalecer los derechos de la naturaleza y los animales. Ámbito adjetivo. Es necesario ampliar en un ámbito dual sustantivo-adjetivo los mecanismos constitucionales en materia ambiental y animal para que cualquier individuo tenga la capacidad y personería en el amparo para proteger a la naturaleza y los animales frente a normas, actos u omisiones por parte de los poderes públicos o de particulares en casos específicos señalados en la legislación desde un enfoque integral e inclusivo para eliminar obstáculos normativos procesales y garantizar el acceso a la justicia. Es imperante que en materia constitucional se establezcan en todo el ámbito adjetivo-procesal los mecanismos especiales necesarios para instaurar la protección de la naturaleza, el medio ambiente y los animales de manera efectiva. Dentro del enfoque constitucional se debe adecuar

---

declaracionrioplatensedederechosdelosanimales.com (última consulta, 11.10.2025).

477 Vid. SERNA, J. Participación ciudadana y función judicial: hacia la regulación del *amicus curiae* en México, en Cuestiones Constitucionales. Revista Mexicana de Derecho Constitucional (2024).

478 Vid. SCJN. Primera Sala. Gaceta del Semanario Judicial de la Federación. Tesis: 1a./J. 164/2024 (11a.). Disponible en: https://sjf2.scjn.gob.mx/detalle/tesis/2029642 (última consulta, 11.10.2025).

desde un orden constitucional ambiental, biocultural, animal y de derechos de la naturaleza los mecanismos de defensa y protección ante la Comisión Nacional de Derechos Humanos y las Comisiones Estatales de Derechos Humanos. La protección efectiva del jaguar se puede trazar desde dimensiones político-jurídicas internacionales con acuerdos y tratados en escala internacional y regional, desde modelos nuevos e inclusive desde la reestructuración de los sistemas actuales[479].

En una dimensión ejecutiva es necesario implementar las acciones y mecanismos siguientes:

Realizar un acuerdo presidencial donde se instruya a las dependencias y entidades de la administración pública a realizar acciones de conservación y protección del jaguar que incluya los elementos materiales e inmateriales necesarios para que tenga una vida digna en coexistencia por ser considerado de interés público y seguridad nacional, así como prioritarios y estratégicos para el desarrollo nacional. Realizar un decreto presidencial donde se reestructure la veda del jaguar bajo principios constitucionales animalistas y ambientales —v.g. no regresión— con enfoques bioculturales, zooéticos y ecológicos donde se reconozca al jaguar como prójimo, así como un ser valioso en la sociedad, cuya presencia y coexistencia han determinado la vida colectiva, cultural y ambiental de México. Realizar una estrategia nacional, regional, estatal y municipal para la conservación del jaguar con enfoques bioculturales, zooéticos y ecológicos y que existan programas asociados a la coexistencia primate-felino. Realizar un decreto que declare al jaguar como emblema nacional para la conservación de la naturaleza y de los diversos estados donde se distribuye. Reconocer las prácticas culturales asociadas al jaguar compatibles con su conservación y dignidad como patrimonio biocultural a nivel nacional, regional, estatal e incluso municipal. Generar una política pública de rescate, promoción y salvaguarda del patrimonio cultural inmaterial y material asociado al jaguar que compatible con

479 Vid. MORALES, D. & MORALES, J. Justicia y vida silvestre: dos estudios de caso sobre ilícitos ambientales del orden federal asociados al jaguar en México, en dA. Derecho Animal (Forum of Animal Law Studies) 9/3 (2018) 99.

su conservación y dignidad. Establecer a las instituciones culturales gubernamentales como las encargadas de la salvaguarda de las prácticas y expresiones culturales asociadas al jaguar que propicien la conservación, dignidad y los derechos de los individuos de esta especie. Declarar el día nacional y estatal para la conservación, empatía y liberación del jaguar para incluir en la cotidianidad la coexistencia, conservación y respeto con el jaguar. Instruir y crear políticas públicas para que las instituciones gubernamentales educativas y culturales fomenten la cultura asociada a la conservación del jaguar, así como su dignidad y derechos básicos e incorporar en los distintos planes y programas de estudio la importancia integral del jaguar desde una pedagogía de liberación[480]. Crear estrategias de pacificación y coexistencia con el jaguar con municipios y estados amigables con el jaguar que tengan mecanismos políticos y de educación basados en una pedagogía de liberación del jaguar. Decretar la reglamentación asociada a la metrología y normalización que demuestre la legal procedencia de los ejemplares, partes y derivados del jaguar bajo un control estricto. Crear un programa nacional de protección y bienestar del jaguar que incluya el combate a ilícitos y delitos que afectan al jaguar con especial énfasis en el combate al tráfico de vida silvestre. Crear dentro de la Fiscalía General de la República una unidad especializada en investigación de delitos contra el ambiente y que en cada sede regional se tengan a servidores públicos especializados y capacitados en la materia penal-ambiental-animal. Realizar un programa cultural nacional que transforme las prácticas culturales que afectan al jaguar y se adecúen al marco normativo de protección ambiental-animal, modificando todas las prácticas que usen partes y derivados del jaguar a través del remplazo material con elementos sintéticos e imitaciones. Diseñar e implementar una política de paz que sea de interés público y seguridad nacional, así como una acción prioritaria y estratégica para el desarrollo nacional para reducir y eliminar la violencia en el país con un punto focalizado en espacios rurales donde comunidades coexisten con el jaguar, la estrategia debe enfocarse en la reducción y eliminación del uso de armas, fomentar el diálo-

---

[480] Vid. MORALES, J., MORALES, D., CEBALLOS, G., GIMÉNEZ-CANDELA, M. Tepeyóllotl: corazón de la montaña. El jaguar en Hidalgo (México 2024) 66-71.

go, la educación, el deporte, las artes, la ciencia, la agroecología, la bioculturalidad, la descolonización y una cultura de paz que incluya la atención de las comunidades de los servicios básicos —v.g. servicios de salud y educación— que brinda el estado. Transformar los zoológicos y espacios con fauna silvestre —públicos y privados— con prácticas de conservación perniciosa y perversa en espacios de rescate, rehabilitación, recuperación, conservación y liberación desde un enfoque integral.

Crear un programa nacional de capacitación a servidores públicos sectorizado en materia de derecho aplicado a la coexistencia con el jaguar. Crear un programa nacional enfocado en criminalística y criminología asociado al jaguar. Asegurar recursos económicos para la conservación del jaguar. Crear un programa de capacitación para combatir ilícitos y delitos que afectan al jaguar dirigido a servidores públicos y defensores del jaguar y la naturaleza. Crear protocolos y manuales de actuación de ilícitos y delitos asociados al jaguar enfocándose en el servidor público primer respondiente, cadena de custodia, investigación y actuaciones en las etapas del proceso en el sistema de justicia penal y dentro del procedimiento administrativo. Combatir la corrupción en proyectos, apoyos y financiamientos asociados al jaguar a través de una revisión y auditoría pública con participación ciudadana de todos los proyectos públicos con recursos económicos del estado y sancionar estrictamente a quienes se comprueben actividades ilícitas.

Establecer una política de estado de "cero deforestación" y eliminación inmediata de basureros ilícitos en la distribución del jaguar. Crear un programa nacional de mitigación por afectaciones al jaguar con especial énfasis en carreteras, caminos y vialidades donde se distribuye el jaguar. Adecuar la normatividad ambiental-animal para prohibir la cosificación, explotación, maltrato y crueldad permisiva del jaguar. Modificar reglamentos y normatividad para que las autoridades ambientales federales tengan personal de guardia 24/7 todos los días del año para atender casos urgentes, así como coadyuvar eficazmente con las autoridades en el combate a delitos ambientales. Crear un plan nacional de defensores ambientales-animales y crear medidas para prevenir ataques, amenazas e intimidaciones de los defensores. Realizar un programa multisectorial para atender el conflicto humano-jaguar en espacios rurales. Realizar un manual de estudios de campo y conservación del jaguar para eliminar la conservación perniciosa y perversa del jaguar, incluyendo métodos de captura riesgosos. Realizar una política de estado de "cero tolerancia" a delitos e ilícitos ambientales asociados al jaguar en México, con especial énfasis en las entidades federativas con mayores niveles de ilícitos que afectan al jaguar.

En una dimensión judicial es necesario implementar las acciones y mecanismos siguientes:

Realizar protocolos y manuales para juzgar casos con perspectiva de justicia ambiental[481] y animal asociados al jaguar. Capacitar a los servidores públicos del Poder Judicial de la Federación y entidades federativas en tópicos de justicia ambiental y animal. Ordenar que los ilícitos, delitos y asuntos ambientales-animales asociados al jaguar se tramiten con máxima celeridad, prioridad y eficacia para la protección del felino y crear un programa de "cero impunidad". Asimismo, dentro de esquemas de protección del felino en dimensiones internacionales es importante que los defensores del jaguar inicien una petición relativa a la aplicación de la legislación ambiental para la protección del jaguar y la efectividad de su veda contra el gobierno mexicano que ha trasgredido su propia legislación conforme al contenido del Acuerdo de Cooperación Ambiental de América del Norte[482].

La decadencia del sistema político-jurídico actual para la protección del jaguar es el reflejo de un sistema que prioriza el enriquecimiento sobre cualquiera, el sistema político y su subcampo jurídico no tendrán cambios más que de elementos superficiales a menos que se tenga una base de transformación en la estructura social, y así, incluir en el movimiento de los derechos de los animales al jaguar, teniendo un enfoque integral desde la ecología, los derechos humanos, derechos bioculturales, DESCA y los derechos de los animales,

---

481 Vid. VELASCO, A., CARRILLO, J., GARCÍA, I. Protocolo para juzgar casos que involucren derechos de acceso en materia ambiental: Acuerdo de Escazú (México 2023).

482 Vid. MORALES, D., MORALES, J. Justicia y vida silvestre: dos estudios de caso sobre ilícitos ambientales del orden federal asociados al jaguar en México, en dA. Derecho Animal (Forum of Animal Law Studies) 9/3 (2018) 99.

este acto de pensar y actuar por los derechos de los animales en un acto revolucionario que podrá dar esperanza a esta especie. Un punto clave para este giro animalista del jaguar son los espacios académicos, intelectuales y de participación ciudadana donde emergen las ideas y la práctica por la defensa de la vida, por lo que es vital que se desarrollen mecanismos para potenciar los esquemas de las sendas de liberación desde abajo y que tengan una efectividad en la conservación-liberación del jaguar.

Los cambios en el sistema estructural para transformar en un giro la protección del jaguar implica el reconocimiento del jaguar como "otro", con un rostro que emerge de la miseria; el injustamente tratado, el esclavo, el dominado, el aniquilado, el enemigo, el negado como sujeto zooético en las estructuras de poder en un asedio direccionado hacia su ocaso, su reconocimiento es el ejercicio primero de una razón zooética originaria. La estructura social formal especista no tiene la posibilidad de liberar al jaguar por que no lo incluye en la otredad en referencia material, es imposible descubrir esta contradicción en su paradigma universal del especismo-capitalismo como lo real que acontece, la moral especista no puede tener un criterio crítico suficiente sobre el nivel material que imposibilite su validez moral para detener la destrucción del jaguar o que posibilite develar la otredad del jaguar. La miseria del jaguar y su ocaso negado viene a ser el origen del proceso crítico analéctico-zooético de liberación.

El principio crítico que tiene su base en la analéctica zoo-ética se enuncia en las plataformas y obras de la dominación desde un enfoque práctico que presupone exigencias zooéticas de la existencia en su multiplicidad de horizontes de liberación, en el ganar-ganar —asociado al aumento de la tasa de ganancia— del uso-aprovechamiento sustentable del jaguar en la vida cultural —especista—, descubre la cosificación de mediación instrumental y la negación del jaguar, por lo que impone la no validez del orden y produce una crítica como herramienta de la transformación —criticar para transformar—, posicionando al crítico en la exterioridad del sistema al negar la aceptación de la legitimidad del orden hegemónico, esta posición posibilita adentrarse en la realidad —en un cara a cara— del ser con una corporalidad sufriente: el jaguar oprimido como otro, ahora es un sujeto zooético reconocido en su dignidad como otro que es negado por el sistema-totalización-mundo en el ideal especista sustentable. La conciencia crítica tiene en uno de sus pilares la negación de reducir a una mediación instrumental para los fines humanos al jaguar y la afirmación de su otredad en alteridad zooética.

El especismo, con su criterio fundamental para reducir en mediación instrumental al jaguar para los beneficios del humano se guía conforme al principio de actuar en criterio del aumento del beneficio y la tasa de ganancia como principios egoístas que se derivan de la mediación instrumental del jaguar, superposicionando esta razón instrumental especista fetichizada que no presenta obstáculos o límites para la obtención de su finalidad, simplemente se adapta regulativamente a un determinado momento histórico, sin cambiar en sí el campo de dominación, esta plasticidad como cualidad adaptativa en dualidad con el capitalismo ha conformado el racionalismo ambiental bienestarista con un eje en el paradigma sustentable, esto constituye una dialéctica —especista-capitalista— de la sustentabilidad y la insustentabilidad; bienestarismo-permisible con el maltrato-crueldad no permisible. Conforme al proceso crítico podemos develar que el aprovechamiento y las mediaciones del jaguar son un efecto y no la causa del problema, se materializan como una determinación del especismo y el capital, subsumidas en su proceso fetichista y destructor, la sustentabilidad es elegida y usada desde el criterio cosificador en mediación instrumental para la maximización del beneficio antrópico asociado al sistema económico para el aumento de la tasa de ganancia. Ante esta relación de dominación se presentan las acciones sustentables que regulan la relación de dominación a fin de contar con mecanismos para mantener renovablemente —perpetuidad de la dominación— los beneficios para los fines antrópicos a través de la conservación perniciosa que en sí misma se vuelve perversa al ser un momento de la determinación del especismo conformándose en un eterno retorno de la dominación subsumido en el proceso capitalista, fetichista y dominador. En la praxis, los científicos ambientalistas y conservacionistas ingenuos se vuelven contra las manifestaciones de la insustentabilidad e ilicitud del aprovechamiento-uso del jaguar por que se aparece como la causa de las afectaciones del jaguar, sin embargo, estas personas se enfrentan sólo contra una mera máscara del especismo, ignoran ingenuamente la causa que, por desconocerla, la dejan como no culpable, en la obscuridad, invisibles, en el ocultamiento[483]. El especismo fijo es potenciado por la adhesión del capital como proceso de valorización del valor por subsunción de la vida y existencia de jaguar conforme a su transformación como medio instrumental para operar a partir del criterio del aumento de la ganancia y beneficio del dominador donde se posiciona al jaguar como materia prima, recurso renovable sustentable, capital natural, un medio de producción, secularizado, explotable; una cosa de mediación instrumental. Su dignidad-individualidad-libertad es inexistente conforme a la razón instrumental especista, solamente se manifiesta su valor en sentido de la mediación vinculado al aumento de ganancia donde es consumido y acumulado, sus sobrantes, como aquellos elementos que no sirven —dignidad, vida, existencia, ser en sí, órganos internos...— se vuelven residuos, basura.

La revelación del jaguar y su existencia en el mundo conforma en quienes pueden y saben escuchar diversas exigencias zooéticas materiales unidireccionales, contrario a la moral del pensamiento especista que conforma un sistema de adaptación al marco de dominación que es reflejado en mayor o en menor grado, ya sea en las teorías contractualistas de Peter Carruthers o de John Rawls, el utilitarismo

483 Existen conservacionistas que centran sus esfuerzos en monitorear las poblaciones de jaguar y luchan contra la destrucción de su hábitat por la creación de mega granjas de camarones o de puercos esclavizados para consumo humano pero ellos mismos devoran a los camarones y a los cerdos en su cotidianidad. En el caso del conflicto del jaguar con el ganado; una gran cantidad de jaguares —así como otros medianos y grandes carnívoros— son asesinados para salvaguardar las "cabezas de ganado", pese a esta relación de aniquilación, una gran cantidad de conservacionistas devoran en su cotidianidad la carne vacuna que tiene sangre de los animales consumados y de una gran cantidad de jaguares asesinados para su degustación; al devorar a las reses también devoran a los jaguares que tratan de proteger. Incluso existen conservacionistas del jaguar que han devorado carne de felinos silvestres o que trabajan en el monitoreo de la fauna silvestre con cazadores sin un proceso educativo que los ayude en la comprensión de la alteridad, simplemente les importan sus registros para escribir artículos y cumplir con su cuota universitaria... El proceso de fetichización causa una disociación en la cotidianidad donde estos conservacionistas y animalistas no relacionan nada, esta incongruencia especista es uno de los reflejos del eterno retorno del especismo de dominación del jaguar y los procesos de alienación.

permisivo asociado a la sintiencia de Peter Singer, la postura discursiva de Jürgen Habermas o incluso el neokantismo en su multiplicidad de expresiones —especistas—... posturas que descartan una relación más allá de los deberes indirectos, la mediación instrumental o el bienestarismo de dominación; en este horizonte de dominación se mantienen a los jaguares en la miseria, pobreza y opresión. Ante el estruendo poderoso del especismo que dicta: el mundo es como es, la praxis de la zooética en alteridad implica recuperar la referencia material críticamente por contraste y analogía estableciendo como criterio positivo material la otredad del jaguar, dando paso a la conservación desde un criterio material del jaguar en alteridad zooética, esta conservación se encamina a la liberación del felino como utopía bajo principios zooéticos, ecológicos, bioculturales y sociales posibles bajo un acuerdo formal.

La analéctica-zooética en su singularización con el jaguar implica la problematización de la esclavitud-asolación-aniquilación del felino y articular mecanismos hacia una moral formal consensual que tenga como eje la jaguaridad en apertura a los demás animales y que estructure dentro de sus pilares la valorización de su otredad, incluyendo su vida, existencia y devenir en el mundo en libertad en un momento de negación de la dominación antrópica, este es el criterio fundamental de la zooética en alteridad con el jaguar e implica la comprensión de su ser en el mundo. La conservación-liberación del jaguar desde este horizonte implica abordar la conservación a partir de los negados por la totalidad; los sin derechos. En la práctica por la conservación-liberación del jaguar se posiciona a la zooética en alteridad como centro, lo que deviene en la defensa de su vida, dignidad y libertad, es abrirse en una condición de posibilidad absoluta del jaguar como ser viviente en el mundo con un horizonte amplio de estar, configurar y transformar en su devenir como viviente con cualidades emotivas-sintientes, *zoo-cogitans* y volición, lo que conforma un ser en sí con dignidad, autonomía e individualidad, esto permite la construcción fundamental de sus derechos en un devenir de liberación —zooética-analéctica—, para ellos su vida es condición absoluta de su existencia «Imagen 2.5».

«Imagen 2.5» El eterno retorno en alteridad. El jaguar, eternidad, unión del todo y de todos, el comienzo y el fin. Elaboración propia.

En esta posición de conservación-liberación aplicable a todos los jaguares, el diálogo, la discusión, la aplicación y la transformación frente a otras concepciones de conservación del jaguar —v.g. conservación perniciosa de dominación especista— se vuelven necesarias en la construcción de nuevos horizontes para dar esperanza a este felino, los ejes que se mantienen lejos de cualquier crítica y que no entran en discusión retroceden a una opinión dogmática-fundamentalista. La conservación necesita adecuarse en un enfoque sincrónico temporal en el siglo XXI en un encuentro con la biología, ecología y etología profunda que cimienta materialmente la otredad del jaguar que tenga como eje la alteridad zooética que deba ser el cumplimiento del reconocimiento zooético originario intersubjetivo del otro —jaguar— como otro, desde donde se abre la posibilidad de la comunicación y el ejercicio de la razón discursiva misma en una dimensión animalista asociada al jaguar definida desde lo material y formalmente en un plano social. Para una zooética ecológica y biocultural del jaguar, el principio moral formal aplica al caso concreto en el contexto como totalidad social e histórica desde el principio zooético material de su existencia y multiplicidad de horizontes fuera del especismo. La conservación actual perniciosa y perversa con enfoques utilitarios del jaguar en la dimensión ambiental han tenido un efecto negativo al mantener la dominación, sin embargo, también tiene un efecto positivo laxo en la conservación de la especie a corto plazo, estos mecanismos han creado una pequeña curvatura de la línea trazada hacia la miseria del felino, sin embargo, es temporal, si no se adecúan estos mecanismos ambientalistas como un paso hacia una conservación compasiva en alteridad con el jaguar, esta pequeña curvatura seguirá con su dirección hacia la muerte, el único camino viable para salvar al felino es que tenga un enfoque integral y se reconozca al jaguar en alteridad para conservarlo, protegerlo y cuidarlo por un acto de justicia en coexistencia que supera la visión utilitaria de la sustentabilidad capitalista actual, la manifestación de una conservación de liberación del jaguar es un paso que transita del extraño, el enemigo y la cosa hacia la cercanía del prójimo.

La fuerza motora que enfrenta al pesimismo especista estático es la voluntad consciente de la liberación del jaguar como finalidad, esta potencia se materializa en los medios para expresar la acción como una contrahegemonía en un anhelo de justicia en extrema paciencia para no desesperar ni ante los peores horrores, ni exaltarse ante cada tontería, con el pesimismo de la inteligencia y optimismo de la voluntad[484], el especismo es un elemento *hermético* en la totalización, destruirlo es muy difícil, ya que se trata de destruir relaciones invisibles, impalpables, aunque se oculten en las cosas materiales[485], los mecanismos en una acción utópica se develan en la filosofía de la práctica de la liberación animal, que permite conocer las condiciones objetivas y subjetivas para materializar la liberación-deconstrucción del jaguar en su otredad-jaguaridad, la acción de liberación confluye con el sujeto social colectivo humano a fin de transformar

---

484 Vid. GRAMSCI, A. Cuadernos de la cárcel. Tomo 1. (México 1981) 139.

485 Vid. FUSARO, D. Antonio Gramsci: La pasión de estar en el mundo (México 2018).

las instituciones y relaciones sociales del especismo en la reforma moral e intelectual contrahegemónica que enfrente al especismo que despoja al jaguar y que la voluntad de dominación mantiene su esclavitud-asolación-aniquilación, superposicionándose como un elemento cultural de dominación. La alteridad zooética del jaguar cimienta los mecanismos para que pueda emerger en práctica una fuerza contrahegemónica del especismo y así, dar pauta a un nuevo mundo, partiendo de la concepción crítica del mundo y la conciencia de su historicidad, esta fuerza se constituye como un derecho de resistencia de los oprimidos y a quienes en comprensión de su mundo, luchan con ellos, este postulado permite usar diversos medios si se ha demostrado la ineficacia de los mecanismos legales. La ley y el orden son siempre y en todas partes la ley y el orden que protegen a la jerarquía establecida; es absurdo apelar a la absoluta autoridad de esta ley y este orden frente a aquellos que sufren bajo ellos, y contra ellos luchan, en esta dialéctica de dominación, si aplican la violencia, no comienzan una nueva cadena de actos violentos, sino que rompen la establecida[486]. La conciencia crítica en el proceso pedagógico de liberación del jaguar es indispensable para enfrentar al especismo que se ha consolidado como una cultura del silencio no contradictoria que dicta lo que es, el impulso crítico se configura como una herramienta cuya finalidad es la reflexión-transformación en praxis revolucionaria como acto que revela la jaguaridad en un momento revolucionario de acción y reflexión en praxis para transformar el sistema-totalización-mundo, dando testimonio de la biografía de los jaguares para criticar el mundo y transformarlo en un encuentro para pronunciar la zooética en alteridad como acto develador y creador, pronunciar el mundo en alteridad zooética con el jaguar es un acto de creación y recreación que compromete al actor con la liberación de los oprimidos.

El diálogo se posiciona como una herramienta para encontrarse frente a frente para denunciar y combatir al especismo como una injusticia y encaminarse a la liberación del jaguar, este medio basado en la esperanza de instaurar la jaguaridad negada tiene un elemento sustentado en el humanismo —no especista— como ma-

---

486 MARCUSE, H. La tolerancia represiva..., *Op. Cit.* 74.

nifestación del animalismo y una comprensión abierta desde la analéctica zooética para permitir situarse en el proyecto de liberación del jaguar: el otro, con una incidencia en la realidad donde las masas populares en un diálogo continuo sobre el reflejo de la situación del mundo en el que se constituyen tengan elementos críticos para la comprensión de la totalidad, la concepción problematizadora del especismo y en la transformación; sin el diálogo con las sociedades no es posible la praxis cultural[487]. La pedagogía marca una senda para manifestar la teoría de la acción política transformadora que pueda comprender la realidad del jaguar ante el sistema-totalización-mundo como una realidad que debe ser transformada para la liberación como proceso continuo y permanente. La praxis de la alteridad zooética con el jaguar en un cara a cara implica sentir y pensar la jaguaridad así como la manifestación del acto solidario en la comprensión de su miseria existencial —oprimida y dominada— como fuerza para denunciar, combatir, y transformar en un acto solidario de justicia que busca liberar, este acto tiene un eje en la unión para la liberación, el acto de solidaridad implica rechazar los derechos y beneficios del especismo para adherirse a los oprimidos en un compromiso real ante la condición de dominación-opresión y así crear una acción pedagógica para transformar al mundo de manera colaborativa para la liberación de los jaguares en su condición de seres con dignidad, autonomía y como fines en sí mismos en un horizonte amplio de posibilidades de estar en el mundo, no como objetos. Esta praxis pedagógica cultural es una forma de acción que incide en la estructura política social para transformar analécticamente la dominación en liberación, toda revolución auténtica es una revolución cultural.

Los mecanismos que afirman la otredad del jaguar conforme a la alteridad deben partir de una transformación como práctica de liberación con enfoques integrales adecuados al momento histórico, desde lo simple a lo complejo, con múltiples ejes, desde un bienestarismo progresista de liberación, que es gradual y se direcciona de manera paralela al abolicionismo, o el abolicionismo como una transformación total revolucionaria para eliminar el especismo en las

---

487 Vid. FREIRE, P. Pedagogía del Oprimido (México 2005).

bases de la propiedad privada y la cosificación en mediación de los jaguares. La transformación debe ser integral, considerando la multiplicidad de enfoques existentes: sociales, zooéticos, ambientales, bioculturales, zooculturales, económicos, políticos y jurídicos que sean compatibles con la dignificación-autonomía-libertad del jaguar, esta transformación comprende la miseria del jaguar y se encamina a luchar a pequeños pasos que se interrelacionan transversalmente, desde mecanismos primarios-básicos como los secundarios-complementarios, ya que en sí tienen la aspiración de alcanzar la gran transformación utópica: la conservación-liberación del jaguar como una unidad. Por ellos, desde una dimensión de liberación del 'yo' al 'tú' en un nosotros, los jaguares como pueblo olvidado, quienes sufren en la periferia y el abandono, los miserables del mundo, denunciamos y combatimos la injusticia; las posibilidades reales de libertad del jaguar están relacionadas con el grado alcanzado de comprensión de la alteridad zooética colectiva, mantiene una relación con los elementos intelectuales y materiales que se enfrentan ante la hegemonía del especismo en las sociedades cerradas, la fuerza emanada de la rebelión contrahegemónica rompe la continuidad histórica de la injusticia, la crueldad, la miseria y el silencio durante un momento, breve pero explosivo para visibilizar la liberación y la justicia en un futuro próximo que logre el progreso de la civilización en alteridad «Imagen 2.6». Es necesario enfrentar a los dominadores necrófilos-especistas aferrados con una gran voracidad a sus posesiones y necroderechos a través de un acto de amar el mundo que se exprese en la liberación del jaguar cuyo movimiento esté dirigido siempre por el rugido del otro «Imagen 2.7» —sentir y pensar al jaguar— y el amor al prójimo. Creamos en nuestros sueños en una desesperada pasión de estar en el mundo[488] con el pesimismo del intelecto, con el optimismo de la voluntad.

---

[488] PASOLINI, P. Las cenizas de Gramsci (España 2009).

«Imagen 2.6» Mirada de jaguar. Puntos, líneas y trazos en el universo. Lo he visto también, se fue en el crepúsculo. Eso es fantasía, una fantasía exacta, una planta nace sobre la tierra, tú jaguar, naciste en las estrellas. Elaboración propia.

«Imagen 2.7» El jaguar con estrellas. Elaboración propia.

Bibliografía

ABATE, R. S. What Can Animal Law Learn from Environmental Law? (Washington D.C. 2015).

ANCJ. Tercer censo nacional del jaguar. Resultados y perspectivas (México 2025).

ANCJ. Tercer Censo Nacional del Jaguar. Resultados y Perspectivas (México 2024).

ARIAS, M. El comercio ilegal de jaguar (Panthera onca) (CITES 2021).

AZUARA, D., MANTEROLA, C., PALLARES, E., SOLER, A., RIVERA, A., CASAIGNE, I., WOOLRICH, D., NUÑEZ, R., CASO, A., CARVAJAL, S., GUTIÉRREZ, J., FALLER, J., ACOSTA, E., CALLEJA, M., SANTAMARÍA, A., CRUZ, E., MOCTEZUMA, O., CARREÓN, G., BRAVO; J., LOPÉZ, C., BROUSSET, D., SARACHO, E., ROSAS, O., ARANDA, M. REMOLINA, F., CORTES, F., OROPEZA, P., MANRIQUEZ. R. Protocolo de atención a conflictos con felinos silvestres por depredación de ganado (México 2007).

BACHELOT, B. Libre determinación y megaproyectos: El Consejo Regional Indígena y Popular de Xpujil (CRIPX) frente al Tren Maya, en Nuestra praxis. Revista de Investigación Interdisciplinaria y Crítica jurídica 7 (2020).

BAENA, M. Elementos éticos para un trato respetuoso en perros callejeros, en DALPS. Derecho Animal (Animal Legal and Policy Studies) 2 (2024).

BAENA, M., HALFTER, G. 10. Extinción de especies, en SARUKHÁN, J. (Coord.) Capital Natural de México. Vol. I. Conocimiento actual de la biodiversidad (México 2008).

BAENA, T. Reconocimiento del bienestar animal en la Constitución federal. Cuestiones Constitucionales. Revista Mexicana de Derecho Constitucional (2025).

BAKER, R., VILLA, B. Distribución geográfica y población actuales del lobo gris en México, en Anales del Instituto de Biología 30 (1959).

BARRERA-BASOLS, N. Los orígenes de la ganadería en México, en Ciencias 44 (1996).

BARTRA, A. Sobre las clases sociales en el campo mexicano, en Cuadernos Agrarios 1 (1976).

BATTCOCK, C. La conformación de la última "Triple Alianza" en la Cuenca de México: problemas, interrogantes y propuestas, en Dimensión Antropológica 52 (2011).

BEAUREGARD, G., URIBE, R., LÓPEZ, J. Danza del Pochó. Comunión y memoria festiva (México 2023).

BOURDIEU, P. El sentido social del gusto. Elementos para una sociología de la cultura (México 2017).

BOURDIEU, P. Poder, derecho y clases sociales (España 2001).

BRAÑES, R. Manual de derecho ambiental mexicano (México 2018).

BROWN. D. The Wolf in the Southwest: the making of an endangered species (USA 1983).

CARABIAS, J., SARUKHÁN, J., DE LA MAZA, J., GALINDO, C. (Coords.). Patrimonio Natural de México. Cien casos de éxito (México 2010).

CARRANCÁ, R. Martínez de Castro y el Código Penal de 1871, en Revista de la Escuela nacional de jurisprudencia 32 (1942).

CARSON, R. Primavera Silenciosa (México 2010).

CASTILLO, O., ZAVALA, LÓPEZ, D., ALMEIDA, C. El bosque mesófilo de montaña, en CRUZ, A., CRUZ, J., VALERO, J., RODRÍGUEZ, F., MELGAREJO, E., MATA, E., PALMA, D. (Coords.). La biodiversidad en Tabasco. Estudio de Estado Vol. II (México 2019).

CASTRO, J., CARPIO, J. Criminología verde: Lavado de vida silvestre desde la legislación y las autoridades ambientales en México, en DIKE. Revista de investigación en Derecho, Criminología y Consultoría Jurídica 32 (2023).

CEBALLOS, G. & MÁRQUEZ, L. Las aves de México en peligro de extinción (México 2000).

CEBALLOS, G., CERECEDO-PALACIOS, G., ZARZA, H., BERNAL, J., BROUSSET, D., CASSAIGNE, I., LAZCANO, M., TOWNS, V., CRUZ, E., MOCTEZUMA, O., NÚÑEZ, R., ORTIZ, S., REMOLINA, F., ROSAS, V. (Cols.). Protocolo de atención a jaguares silvestres en México. Captura y reubicación (México 2018).

CEBALLOS, G., EHRLICH, P. Mammal population losses and the extintion crisis, in science 296 (2002).

CEBALLOS, G., OLIVA, G. Los mamíferos silvestres de México (México 2005).

CHÁVEZ, C., ARANDA, M., CEBALLOS, G. Jaguar, Tigre, en CEBALLOS, G. & OLIVA, G. (Coords.). Los Mamíferos Silvestres de México (México 2005).

CLAUSEWITZ, K. De la guerra. Tomo I. (Venezuela 2017).

COELLO, J. Las corridas de toros entre independencias y revoluciones (México 2012).

COLMENARES, I., GALLO, M., GONZÁLEZ, F., HERNÁNDEZ, L. Cien años de lucha de clases (1876-1976) (México 1985).

COOKE, S. Animal Rights, Moral Motivation, and the Experience of Wonder, in Journal of Applied Philosophy (2025).

CRUZ, A., CRUZ, J., VALERO, J., RODRÍGUEZ, F., MELGAREJO, E., MATA, E., PALMA, D. (Coords.). La biodiversidad en Tabasco. Estudio de Estado Vol. III (México 2019).

CRUZ, O. La codificación (México 2006).

— de la TORRE, A., CEBALLOS, G., CHÁVEZ, C., ZARZA, H., MEDELLÍN, R. XIX. Prioridades y recomendaciones, en MEDELLÍN, R., de la TORRE, A., ZARZA, H., CHÁVEZ, C., CEBALLOS, G. (Coords.). El jaguar en el siglo XXI. La Perspectiva continental (México 2016).

— de la TORRE, A., GONZÁLEZ-MAYA, J., ZARZA, H., CEBALLOS, G., MEDELLÍN, R. The jaguar's spots are darker than they appear: assesing the globla conservation status of the jaguar *Panthera onca,* in Oryx (2017).

— de la TORRE, A., RUÍZ, F., AQUINO, A., HIDALGO, M., WOOLRICH, D., CRUZ, E., PALACIOS, G., MEDELLÍN, R. 2) Región Pacífico Sur-Golfo: Guerrero, Oaxaca, Chiapas y Tabasco, en MEDELLÍN, R., de la TORRE, A., ZARZA, H., CHÁVEZ, C., CEBALLOS, G. (Coords.). El jaguar en el siglo XXI. La Perspectiva continental (México 2016).

— de la TORRE, J., MEDELLÍN, R. Jaguars Panthera onca in the Greater Lacandona Ecosystem, Chiapas, Mexico: population estimates and future prospects, in Oryx 45 (2011).

DELEUZE, G. Foucault. (Barcelona 1987).

DERRIDA, J. El animal que luego estoy si(gui)endo (España 2008).

DERRIDA, J., ROUDINESCO, E. Y mañana, qué... (México, 2009).

DONAHOO, D. El control de Animales Depredadores en la Zona Fronteriza Meridional de Estados Unidos, en Boletín de la Oficina Sanitaria Panamericana 3 (1965).

DURAND, L. Naturalezas desiguales. Discursos sobre la conservación de la biodiversidad en México (México 2017).

DUSSEL, E. 16 tesis de economía política. Interpretación filosófica (México 2014).

DUSSEL, E. Apel, Ricoeur, Rorty y la filosofía de la liberación con respuestas de Karl-Otto Apel y Paul Ricoeur (México 1993).

DUSSEL, E. Ética de la liberación. En la edad de la globalización y de la exclusión (Madrid 2009).

DUSSEL, E. Filosofía de la liberación (México 2018).

DUSSEL, E. Filosofía de la liberación. Una antología (México 2021).

DUSSEL, E. Introducción a la Filosofía de la Liberación (Colombia 1991).

DUSSEL, E. Las metáforas teológicas de Marx (Ciudad de México 2017).

DUSSEL, E. Para una ética de la liberación latinoamericana. Tomo II (México 2017).

ENGELS, F. El origen de la familia, la propiedad privada y el Estado (España 2017).

ESTUPIÑÁN, L. Neoconstitucionalismo ambiental y derechos de la Naturaleza en el marco del nuevo constitucionalismo latinoamericano: El caso de Colombia, Revista de Estudios Jurídicos y Criminológicos (2020).

FERRAJOLI, L. Principia iuris. Teoría del derecho y de la democracia. 1. Teoría del derecho (España 2007).

FOUCAULT M. Defender la sociedad. Curso en el Collège de France (1975-1976) (México 2001).

FOUCAULT, M. Vigilar y castigar. Nacimiento de la prisión (México 2009).

FOUCAULT. M., Defender la sociedad. Curso en el Collège de France (1975-1976) (México 2001).

FRANKEL, O., & SOULÉ, M. Conservation and evolution (United Kingdom 1981).

FREIRE, P. Pedagogía del Oprimido (México 2005).

FROMM, E., CACCOBY, M. Sociopsicoanálisis del campesino mexicano (México 1987).

FUSARO, D. Antonio Gramsci: La pasión de estar en el mundo (México 2018).

GALINDO, J. Códice Mendoza (México 1980).

GALLINA, S., HERNÁNDEZ A., DELFÍN C., GONZÁLEZ A. Unidades para la conservación, manejo y aprovechamiento sustentable de la vida silvestre en México (UMA). Retos para su correcto funcionamiento, en Investigación ambiental Ciencia y política pública 1 (2009).

GARCÍA, J. Escritos infantiles (México 1978).

GARCÍA, J. Hacia un eco-sensocentrismo como postura ética para el derecho animal, en dA. Derecho Animal: Forum of Animal Law Studies 11 (2020).

GARCÍA, T. Derecho ambiental mexicano (Barcelona, 2013).

GIMÉNEZ-CANDELA, M. Animal. Una aproximación biojurídica, en DALPS. Derecho Animal (Animal Legal and Policy Studies) 1 (2023).

GIMÉNEZ-CANDELA, M. Animales y naturaleza: derechos emergentes en las constituciones latinoamericanas, en DALPS. Derecho Animal (Animal Legal and Policy Studies) 3 (2025).

GIMÉNEZ-CANDELA, M. Cultura y maltrato animal, en dA. Derecho Animal (Forum of Animal Law Studies) 10/3 (2019).

GIMÉNEZ-CANDELA, M. Descosificación de los animales en el Cc. español, en dA. Derecho Animal (Forum of Animal Law Studies) 9 (2018).

GIMÉNEZ-CANDELA, M. Dignidad, sentiencia, personalidad. Relación jurídica humano-animal, en dA. Derecho Animal 9/2 (2018).

GOETHE, J. Obras completas I (México 1991).

GÓMEZ, E. Tecuán (México 2023).

GONZÁLEZ, J. Tratado de derecho ambiental mexicano. Las instituciones fundamentales del derecho ambiental (México 2017).

GONZÁLEZ, J. Tratado de derecho ambiental mexicano. Propiedad, aprovechamiento sustentable y protección de los recursos naturales (México 2017).

GRAMSCI, A. Cuadernos de la cárcel. Tomo 1. (México 1981).

GRANADA, J., RODRÍGUEZ, D. Intoxicación por fluoroacetato de sodio, en Revista de la Facultad de Medicina 62 (2014).

GRUPO DE TRABAJO DE LA UICN-CMAP SOBRE OMEC. Reconocimiento y reporte de otras medidas efectivas de conservación basadas en áreas (Gland 2021).

GUERRA, M., CALMÉ, S., GALLINA, S., NARANJO, E. Uso y manejo de fauna silvestre en el norte de Mesoamérica (México 2010).

HEIDEGGER, M. Los conceptos fundamentales de la metafísica. Mundo, finitud, soledad (España 2024).

HERNÁNDEZ, R., CRUZ, E. ¿Independencia en tiempos del Tren Maya?: Continuum de violencias coloniales contra los indígenas en el México contemporáneo, en Mexican Studies/Estudios Mexicanos (2021).

HIDALGO-MIHART, M., CONTRERAS-MORENO, F., DE LA CRUZ, A., JUÁREZ-LÓPEZ, R., VALERA-AGUILAR, D., PÉREZ-SOLANO, L., HERNÁNDEZ-LARA, C. Registros recientes de jaguar en Tabasco, norte de

Chiapas y oeste de Campeche, México, en Revista Mexicana de Biodiversidad 86 (2015).

HOBSBAWM, E. Cómo cambiar al mundo (Barcelona 2011).

HOBSBAWM, E. Historia del siglo XX (Buenos Aires 1998).

HOBSBAWN, E. Guerra y Paz en el Siglo XXI (México 2019).

HUIZER, G. La lucha campesina en México (México 1970).

IZA, A., ROVERE, M. (Eds.). Gobernanza del agua en América del Sur: dimensión ambiental (Reino Unido 2006).

JAQUET, F. How to Define Speciesism, in Journal of Ethics 29 (2025).

JAQUET, F. Le pire des maux. Éthique et ontologie du spécisme (Paris 2024).

JOB, E. Cazando en México (México 1964).

JUÁREZ, C., RABASA, A. Manual sobre adjudicación de derechos fundamentales y medio ambiente (México 2022).

KIRKPATRICK, R., EMERTON, L. Killing Tigers to Save Them: Fallacies of the Farming Argument, in Conservation Biology (2010).

LARA, F. Prevención y control penal en el maltrato de animales domésticos en el estado de México (México 2025).

LE CLERCQ, J, & CEDILLO, C. Números de la injusticia ambiental: la medición de la impunidad en México, en Íconos. Revista de Ciencias Sociales 73 (2022).

LEAL, J., HUACUJA, M. Los problemas del campo mexicano, en Estudios Políticos, Revista del Centro de Estudios Políticos II (1976).

LEFF, E. Ecología y Capital. Racionalidad ambiental, democracia participativa y desarrollo sustentable (México 1994).

LEFF, E. Saber ambiental: sustentabilidad, racionalidad, complejidad, poder (México 1998).

LEOPOLD, A. Fauna Silvestre de México (México 2000).

LEOPOLD, A. Fauna Silvestre de México. Aves y Mamíferos de Caza (México 1965).

LOPEZ, B. Of wolves and men (New York 2004).

LOSTAL, M., SHANKER, A. & CALLEY, D. Un paso adelante, dos atrás: la búsqueda de 'derechos' en el proyecto de ley sobre derechos de los animales en Ecuador. DALPS (Derecho Animal-Animal Legal and Policy Studies) 2 (2024).

LOZANO, A. Código Civil del Distrito Federal y Territorios de Tepic y Baja California (México 1902).

MAGER, E. Kikapú (México 2006).

MARCUSE, H., La tolerancia represiva y otros ensayos (Madrid 2010).

MARTELETT, M. El pocho, cojoes, tigres y pochoveras, costumbres tradicionales de Tenosique, Tabasco, en Anales del Museo Nacional de México 4 (1926).

MARX, C. Y ENGELS, F. Obras escogidas (Moscú 1975).

MARX, K. El capital. I. Crítica de la economía política (México 2014).

MENDOZA, Z. De lo biomédico a lo popular. El proceso salud-enfermedad. Atención en San Juan Copala, Oaxaca (México 2011).

MILLER, B., DUGELBY, B., FOREMAN, D., MARTÍNEZ DEL RÍO, C., NOSS, R., PHILLIPS, M., SOULÉ, J., TERBORGH, J., WILLCOX, L. The importance of large carnivores to healthy ecosystems, in Endangered Species Update 18 (2001).

MILLER, B., READING, R., STRITTHOLT, J., CARROLL, C., NOSS, R., SOULÉ M., SÁNCHEZ, O., TERBORGH, J., BRIGHTSMITH, D., CHEESEMAN, T., FOREMAN, D. Using focal species in the design of nature reserve networks, in Wild Earth 11 (1999).

MONSIVÁIS, C. La cultura popular y urbana, en Revista Nexos 1 (1978).

MONTERO, E. Comentario respecto la prohibición de circos con animales en México: debate social y propuestas legales, en DA Derecho Animal (Forum of Animal Law Studies) 5 (2014).

MORALES, C., WACHER, M. (Coords.). Patrimonio inmaterial. Ámbitos y contradicciones (México 2012).

MORALES, D., MORALES, J., CÓRDOVA, M. Derecho ambiental, biodiversidad y fauna silvestre: análisis de la Tesis Aislada XIII.P.A.1 P (10ª.), en dA. Derecho Animal (Forum of Animal Law Studies) 10/1 (2019).

MORALES, D. & MORALES, J. Combate efectivo de los delitos contra la biodiversidad en México como una herramienta de conservación de la biodiversidad, en Nómadas. Revista Crítica de Ciencias Sociales y Jurídicas 51 (2017).

MORALES, D. & MORALES, J. Justicia y vida silvestre: dos estudios de caso sobre ilícitos ambientales del orden federal asociados al jaguar en México, en dA. Derecho Animal (Forum of Animal Law Studies) 9/3 (2018).

MORALES, D. Reestructuración de la veda de jaguar en México como opción para su conservación, en IUCN WCEL International, Regional and National Reports (2018).

MORALES, D. Tipificación del maltrato animal en el Estado de Hidalgo, México, en DA. Derecho Animal. Forum of Animal Law Studies 7 (2016).

MORALES, D., MORALES, J. Bienestar animal y legislación; el reto de los animales destinados al consumo humano en México, en dA. Derecho animal (2017).

MORALES, D., MORALES, J. Genealogía diacrónica del conflicto humano-jaguar, en dA. Derecho Animal (Forum of Animal Law Studies) 12 (2021).

MORALES, D., MORALES, J. Nahnahuatilli en la huasteca hidalguense, en Antrópica. Revista de Ciencias Sociales y Humanidades 3 (2017).

MORALES, D., MORALES, J. Patrimonio Cultural y Biodiversidad; el caso del jaguar mexicano, en Boletín Mexicano de Derecho Comparado 153 (2018).

MORALES, D., MORALES, J., CÓRDOVA, M. Animal Law in Mexico: A Genealogical Approach to Speciesist Positivism, in DALPANE, F. & BAIDEL-DINOVA, M. (Eds.). Animal Law Worldwide (The Hague 2024).

MORALES, J. La asolación del jaguar en el capital, en dA. Derecho Animal (Forum of Animal Law Studies) 12/1 (2021).

MORALES, J., MORALES, A., CEBALLOS, G., GIMÉNEZ-CANDELA, M. Tepeyóllotl: corazón de la montaña. El jaguar en Hidalgo (México 2024).

MORELL, A. La legitimación social de la pobreza (Barcelona 2002).

MULÀ, A. Derecho ambiental versus derecho animal, en FAVRE, D., GIMÉNEZ-CANDELA, T. (Eds.). Animales y derecho. Animals and the Law (España 2015).

MULÁ, A. La protección de los animales en la Convención sobre el Comercio Internacional de Especies Amenazadas de Fauna y Flora Silvestres (CITES), en Revista Aranzadi de derecho ambiental 34 (2019).

NAVA, C. Legislación Ambiental en América del Norte. Experiencias y mejores prácticas para su aplicación e interpretación jurisdiccional (México 2011).

O'CONNOR, J. ¿Es posible el capitalismo sostenible?, en ALIMONDA, H. (Comp.). Ecología política. Naturaleza, sociedad y utopía (Buenos Aires 2002).

OLIVIER, G. Tepeyóllotl, "corazón de la montaña" y "señor del eco": el dios jaguar de los antiguos mexicanos, en Estudios De Cultura Náhuatl 28 (1998).

ORTIZ-URQUIDI, R. Los conflictos de leyes en el tiempo a la luz de la doctrina, de la legislación y de la jurisprudencia. Ensayo de revisión a su teoría general y a su solución legislativa, en Revista de la Facultad de Derecho de México (1975).

PADILLA, L. Corrupción policiaca en Sinaloa en el temprano combate a las drogas. El caso contra Francisco de la Rocha Tagle en 1947, en BRITO, F., PEREA, D., VIDALES, M. (Coords.). Violencia, criminalidad y delito en Sinaloa. Del siglo XX al pasado reciente (México 2023).

PEÑA-MONDRAGÓN, J., de la TORRE, A., RIVERO, M. Recomendaciones de mejores prácticas ganaderas para disminuir el riesgo de depredación (México 2016).

PEREIRA-GARBERO, R., SAPPA, A. XVIII. Historia del Jaguar en Uruguay y la Banda Oriental, en MEDELLÍN, R., de la TORRE, A., ZARZA, H., CHÁVEZ, C., CEBALLOS, G. (Coords.). El jaguar en el siglo XXI. La perspectiva continental (México 2016).

PEREVOCHTCHIKOVA, M. La evaluación del impacto ambiental y la importancia de los indicadores ambientales, en Gestión y política pública 22 (2013).

PÉREZ, M. El patrimonio cultural inmaterial. Acuerdos básicos para su protección, en MORALES, C., WACHER, M. (Coords.). Patrimonio inmaterial. Ámbitos y contradicciones (México 2012).

POZAS, R., de POZAS, I. Los indios en las clases sociales de México (México 1990).

QUIGLEY, H., FOSTER, R., PETRACCA, L., PAYAN, E., SALOM, R., HARMSEN, B. 2017. *Panthera onca.* The IUCN Red List of Threatened Species.

RABASA, A., CAMAÑO, D., CARRILLO, J., MEDINA, R. Contenido y alcance del derecho humano a un medio ambiente sano (México, 2022).

RETANA, O. Fauna Silvestre de México. Aspectos históricos de su gestión y conservación. (México 2006).

ROBINSON, J., REDFORD, K., RABINOVICH, J. Uso y Conservación de la Vida Silvestre Neotropical (México 1997).

ROLDÁN-CLARÀ, B., ESPEJEL, I. El oficio de pajareros, una práctica biocultural viva de México, en Letras Verdes, Revista Latinoamericana de Estudios Socioambientales 32 (2022).

ROLDÁN-CLARÀ, B., TOLEDO, V. Y ESPEJEL, I. The use of birds as pets in Mexico, in Journal of Ethnobiology and Ethnomedicine 13 (2017).

ROSAS, O., GUERRERO-RODRÍGUEZ, J., HERNÁNDEZ-SAINTMARTÍN, A. Manual de prácticas ganaderas para regiones con grandes carnívoros en la Sierra Madre Oriental (México 2015).

SÁNCHEZ-CORDERO, J. Introducción al Derecho Mexicano. Derecho Civil (México 1981).

SÁNCHEZ, C. & RUIZ, J. Código Civil para Gobierno del Estado Libre de Oajaca —1828— (México 2010).

SÁNCHEZ, J. El derecho y la cultura (México 2016).

SANDOVAL, A., VALDEZ, R., ESPINOSA, A. El borrego cimarrón en México, en VALDEZ, R., ORTEGA, A. (Eds.). Ecología y Manejo de Fauna Silvestre en México (México 2014).

SEMARNAT. La evaluación del impacto ambiental (México 2012).

SERNA, J. Participación ciudadana y función judicial: hacia la regulación del *amicus curiae* en México, en Cuestiones Constitucionales. Revista Mexicana de Derecho Constitucional (2024).

SILVA, J. Lucio Cabañas y la guerra de los pobres (Venezuela 2017).

SIMONIAN, L. La defensa de la tierra del jaguar. Una historia de la conservación en México (México 1999).

SOSA-ESCALANTE, J., MASÉS-GARCÍA, C., MARTÍNEZ-MEYER, E., GONZÁLEZ-MORENO, J., GONZÁLEZ-SAUCEDO, Z., CAO, R., GONZÁLEZ-BERNAL, A., BAUTISTA-GONZÁLEZ, J., CRUCES-CASELLAS, A., PECH-CANCHÉ, J., HERNÁNDEZ, A., ROSAS-ROSAS, O., NÚÑEZ-PÉREZ, R., HIDALGO-MIHART, M., LÓPEZ-GONZÁLEZ, C., CONTRERAS, F., CRUZ-ROMO, J. Comercio ilegal del jaguar en México (México 2024).

TABER, A., CHETKIEWICZ, C., MEDELLÍN, R., RABINOWITZ, A., REDFORD, K. La conservación del jaguar en el nuevo milenio, en MEDELLÍN, R., EQUIHUA, C., CHETKIEWICZ, C., CRAWSHAW JR., P., RABINOWITZ, A., REDFORD, K., ROBINSON, J., SANDERSON, E., TABER, A. (Comps.). El jaguar en el nuevo milenio (México 2002).

TERBORGH, J., ESTES, J., PAQUET, P., RALLS, K., BOYD-HEGER, D., MILLER, B., NOSS, R. The Role of Top Carnivores in Regulating Terrestrial Ecosystems, in SOULÉ, M. and TERBORGH, J. (Eds.). Continental Conservation (USA 1999).

THORNTON, D., ZELLER, K., RONDININI, C., BOITANI, L., CROOKS, K., BURDETT, C., RABINOWITZ, A., QUIGLEY, H. Assessing the umbrella value of a range-wide conservation network for jaguars (Panthera onca), in Ecological Applications 26 (2016).

URQUIZA, J. Una historia ambiental global: de las reservas forestales de la nación a las reservas de la biosfera en México, en Iztapalapa. Revista de Ciencias Sociales y Humanidades 40 (2019).

VALDÉZ, R., ORTEGA, A., Ecología y manejo de fauna silvestre en México (México 2014).

VALENCIA, J. El Acceso a la Justicia Ambiental en Latinoamérica (México 2014).

VAN UHM, D. Wildlife Crime and Security, in REICHEL, P., RANDA, R. (Eds.). Transnational Crime and Global Security (USA 2018).

VARGAS-CHAVES, I., CUMBE-FIGUEROA, A. Los derechos de la naturaleza en Colombia, Ecuador y Bolivia: De la gramática constitucional y los procesos de reconocimiento, a una nueva interpretación, en Revista Catalana de Dret Ambiental 14 (2023).

VÁSQUEZ, J. Derecho Forestal (México 1997).

VELASCO, A., CARRILLO, J., GARCÍA, I. Protocolo para juzgar casos que involucren derechos de acceso en materia ambiental: Acuerdo de Escazú (México 2023).

VILLORO, L. El poder y el valor. Fundamentos de una ética política (México 1997).

Von WRIGHT, G. H. Norma y acción. Una investigación lógica (Madrid 1979).

WCS & JSM. Conviviendo con el Jaguar-Manual de buenas prácticas ganaderas para mejorar la convivencia con los jaguares en la Selva Maya (México 2020).

WEBER, D. The mexican frontier 1821-1846 (Albuquerque 1982).

WEBER, M., GARCIA G., REYNA, R. The Tragedy of commons: wildlife management Units in Southwestern Mexico. En Wildlife Society Bulletin 34 (2006).

WISE, S. Sacudiendo la jaula. Hacia los Derechos de los animales (Valencia 2018).

WYATT, T., VAN UHM, D. & NURSE, A. Differentiating criminal networks in the illegal wildlife trade: organized, corporate and disorganized crime, in Trends in Organized Crime 23 (2020).

Fuentes jurídicas

Normativas

Acuerdo A/001/2023, la Unidad Especializada en Investigación de Delitos contra el Ambiente y Previstos en Leyes Especiales se elimina y se crea la Fiscalía Especial en Investigación de Tráfico de Menores, Personas y Órganos, y Contra la Biodiversidad. DOF: 09-10-2023.

Acuerdo fijando las bases para que los indios kikapoos puedan ejercitar el derecho de caza de animales útiles. DOF: 19-09-1923.

Acuerdo fijando las disposiciones reglamentarias a que se sujetará la explotación de tortugas en aguas federales. DOF: 20-04-1922.

Acuerdo por el cual se establece veda por tres años para la caza del castor en los Estados de Chihuahua y Coahuila. Acuerdo por el cual se establece veda por tres años para la caza de todas las especies de venado, en los Estados de Chihuahua y Coahuila. DOF: 16-10-1928.

Acuerdo por el cual se establecen nuevas épocas de veda para la captura y comercio de las aves canoras y de ornato. DOF: 07-06-1929.

Acuerdo por el que declara veda indefinida del aprovechamiento de la especie jaguar (panthera onca) en todo el territorio nacional, quedando en consecuencia estrictamente prohibida la caza, captura, transporte, posesión y comercio de dicha especie. DOF. 23-04-1987.

Acuerdo por el que se declara veda indefinida del aprovechamiento de la especie jaguar (panthera onca) en todo el territorio nacional, quedando en consecuencia estrictamente prohibida la caza, captura, transporte, posesión y comercio de dicha especie. DOF: 23-04-1987.

Acuerdo por el que se declara veda indefinida del aprovechamiento de la especie jaguar (panthera onca) en todo el territorio nacional, quedando en consecuencia estrictamente prohibida la caza, captura, transporte, posesión y comercio de dicha especie. DOF: 23-04-1987.

Acuerdo por el que se instruye a las dependencias y entidades de la Administración Pública Federal a realizar las acciones que se indican, en relación con los proyectos y obras del Gobierno de México considerados de interés público y seguridad nacional, así como prioritarios y estratégicos para el desarrollo nacional. DOF: 22-11-2021.

Acuerdo Prevención reglamentaria que establece veda absoluta para la pesca del "manati". DOF: 18-01-1922.

Acuerdo prohibiendo la caza de lobos y aves marinas, en los islotes "Coronados". DOF: 25-10-1918.

Acuerdo que declara indefinida la veda establecida para la captura de castor. DOF: 04-03-1932.

Acuerdo que dispone que la caza o captura de las especies animales silvestres permitidas, las zonas, así como el número de ejemplares autorizados, se sujetarán estrictamente al calendario y disposiciones para la temporada 1970-1971. DOF: 29-04-1970.

Acuerdo que establece el calendario y reglamenta el ejercicio de caza para la temporada 1966-67. DOF: 27-07-1966.

Acuerdo que establece el calendario y reglamenta el ejercicio de caza para la temporada 1969-1970. DOF: 27-05-1969.

Acuerdo que establece el calendario y reglamenta el ejercicio de la caza para la temporada 1971-72. DOF: 10-07-1971.

Acuerdo que establece el calendario y reglamenta el ejercicio de la caza para la temporada 1972-73. DOF: 12-07-1972.

Acuerdo que establece el calendario y reglamenta el ejercicio de la caza para la temporada 1973-1974. DOF: 18-07-1973.

Acuerdo que establece el calendario y reglamenta el ejercicio de la caza para la temporada 1974-75. DOF: 06-06-1974.

Acuerdo que establece el calendario y reglamenta el ejercicio de la caza para la temporada 1975-1976. DOF: 25-06-1975.

Acuerdo que establece el calendario y reglamenta el ejercicio de la caza para la temporada 1976-1977. DOF: 06-07-1976.

Acuerdo que Establece el Calendario y Reglamenta el Ejercicio de la Caza para la Temporada 1977-1978. DOF: 24-06-1977.

Acuerdo que establece el calendario y reglamenta el ejercicio de la caza para la temporada 1978-1979. DOF: 21-06-1978.

Acuerdo que establece el calendario y reglamenta el ejercicio de la caza para la temporada 1979-80. DOF: 06-06-1979.

Acuerdo que establece el Calendario y regula el ejercicio de la Caza para la Temporada de 1980-81. DOF: 09-06-1980.

Acuerdo que establece el Calendario y regula el ejercicio de la Caza para la Temporada de 1980-81. DOF: 09-06-1980.

Acuerdo que establece la temporada hábil y período de veda para la captura de guajolote silvestre en los Estados de Coahuila, Nuevo León y Tamaulipas. DOF: 13-05-1933.

Acuerdo que establece las épocas hábiles de caza de las especies animales silvestres permitidas, durante la temporada 1967-1968. DOF: 24-06-1967.

Acuerdo que establece las épocas hábiles de caza o captura de las especies animales silvestres permitidas, así como el número de ejemplares autorizados durante la temporada 1968-69. DOF: 05-07-1968.

Acuerdo que establece las épocas hábiles de caza para la temporada 1964-65 y número de ejemplares autorizado. DOF: 27-07-1964.

Acuerdo que establece las épocas hábiles de caza para la temporada 1965-68 de las especies que integran la fauna silvestre del país. DOF: 03-07-1965.

Acuerdo que levanta la prohibición para la caza y pesca del lobo marino en aguas de la Costa Occidental de la Baja California DOF: 17-08-1918.

Acuerdo que modifica el de 1o. de julio de 1960, permitiéndose en el Estado de Chihuahua la caza de liebres en el período comprendido del 1o. de noviembre al 28 de febrero, con un límite de posesión de cinco ejemplares por día, y en el Estado de Coahuila, la caza de animales depredadores. DOF. 10-12-1960.

Acuerdo vedando la caza del berrendo (Antilocapra Americana). DOF: 17-10-1922.

Acuerdo vedando la caza del borrego salvaje (Ovis Montana y Ovis Cervina). DOF: 17-10-1922.

Código Civil del Distrito Federal y Territorio de la Baja California. 8 de diciembre 1870.

Diario Oficial del Gobierno Supremo de la República: 28-02-1871.

Código Civil del Distrito Federal y Territorios de Tepic y Baja California, promulgado el 31 de Marzo de 1884.

Código Civil para Gobierno del Estado Libre de Oajaca. Imprenta del Gobierno, Oajaca. 1828.

Código Civil promulgado el 30 de agosto de 1928 con el título de Código Civil para el Distrito y Territorios Federales en Materia Común, y para toda la República en Materia Federal, estableciéndose por decreto en el DOF: 01-09-1932.

Código Nacional de Procedimientos Penales. DOF: 05-03-2014.

Código penal de 1871. Exposición de motivos del Código Penal de 1871, en Revista de la Escuela nacional de jurisprudencia 32 (1942).

Código penal para el Distrito Federal y Territorio de la Baja California sobre delitos del fuero común, y para toda la República sobre delitos contra la Federación. DOF: 7-12-1871.

Código penal para el Distrito y Territorios Federales en materia de fuero común, y para toda la república en materia del fuero federal. DOF: 14-08-1931.

Código Penal para el Distrito y Territorios Federales. DOF: 05-10-1929.

Constitución Política de la Ciudad de México, publicada en la Gaceta Oficial de la Ciudad de México el 05-02-2017.

Constitución Política del Estado de México, reforma publicada en el Periódico Oficial el 21-05-2024.

Constitución Política del Estado Libre y Soberano de Colima, reforma publicada en el Periódico Oficial el 03-08-2019.

Constitución Política del Estado Libre y Soberano de Guerrero, con reforma publicada en el Periódico Oficial del Estado de Guerrero el 29-04-2014.

Constitución Política del Estado Libre y Soberano de Oaxaca, reforma publicada en el Periódico Oficial el 22-05-2021.

Convención para la Protección de la Flora, de la Fauna, y de las Bellezas Escénicas Naturales de los Países de América. 1940.

Decreto de Promulgación de la Convención Americana sobre Derechos Humanos, adoptada en la ciudad de San José de Costa Rica, el 22 de noviembre de 1969. DOF: 07-05-1981.

Decreto de promulgación del Convenio sobre la Diversidad Bilógica. DOF: 07/05/1993.

Decreto de promulgación del Convenio sobre la Diversidad Biológica. DOF: 07-05-1993.

Decreto de Promulgación del Pacto Internacional de Decretos Civiles y Políticos, abierto a firma en la ciudad de Nueva York, E.U.A. el 19 de diciembre de 1966. DOF. 20/05/1981.

Decreto de Promulgación del Pacto Internacional de Derechos Económicos, Sociales y Culturales, abierto a firma en la ciudad de Nueva York, E.U.A., el 19 de diciembre de 1966. DOF: 12-05-1981.

Decreto de reforma a la Ley General de Vida Silvestre. Artículo 60 Bis. DOF: 10-01-2002.

Decreto de reforma a la Ley General de Vida Silvestre. Artículo 60 Bis. Último párrafo. DOF: 26-01-2006.

Decreto de reforma del artículo 60 Bis de la LGVS publicada en el DOF: 16-07-2025.

Decreto estableciendo distintas disposiciones reglamentarias para las vedas de caza. DOF: 15-07-1924.

Decreto por el que se adiciona el artículo 419 Bis al Código Penal Federal. DOF: 22-06-2017.

Decreto por el que se adiciona el Código Federal de Procedimientos Penales y el Código Penal Federal. DOF: 08-02-2006.

Decreto por el que se adiciona un artículo 60 Bis 2 a la LGVS. DOF: 14-10-2008.

Decreto por el que se adiciona un párrafo noveno al artículo 4o.; se reforma la fracción XXV y se adiciona una fracción XXIX-Ñ al artículo 73 de la Constitución Política de los Estados Unidos Mexicanos. DOF: 30-04-2009.

Decreto por el que se aprueba el Protocolo entre el Gobierno de los Estados Unidos Mexicanos y el Gobierno de los Estados Unidos de América, por el que se modifica la Convención para la Protección de Aves Migratorias y de Mamíferos Cinegéticos, firmado en la Ciudad de México, el cinco de mayo de mil novecientos noventa y siete.DOF: 26-12-1997.

Decreto por el que se declara Coto de Caza, el área que comprende el predio de Propiedad Particular denominado El Bellotal, con superficie de 6.500 00 Has., ubicado en el Municipio de Nacozari de García, Son. DOF: 11-08-1982.

Decreto por el que se declara la adición de un párrafo quinto al artículo 4o. Constitucional y se reforma el párrafo primero del artículo 25 de la Constitución Política de los Estados Unidos Mexicanos. DOF: 28-06-1999.

Decreto por el que se Declara reformado el párrafo quinto y se adiciona un párrafo sexto recorriéndose en su orden los subsecuentes, al artículo 4o. de la Constitución Política de los Estados Unidos Mexicanos. DOF: 08-02-2012.

Decreto por el que se Reconoce la Danza del Pochó como Patrimonio Cultural del Municipio de Tenosique y del Estado de Tabasco. Periodico Oficial. Órgano de Difusión Oficial del Gobierno Constitucional del Estado Libre y Soberano de Tabasco. Decreto 227. 20 de diciembre de 2006.

Decreto por el que se reforma, adiciona y deroga diversos artículos del Código Penal para el Distrito Federal en materia de Fuero Común, y para toda la República en materia de Fuero Federal. DOF: 13-12-1996.

Decreto por el que se reforman y adicionan diversas disposiciones de los códigos Penal Federal y Federal de Procedimientos Penales. DOF: 06-02-2002.

Decreto por el que se reforman y adicionan diversas disposiciones de la Ley General del Equilibrio Ecológico y la Protección al Ambiente y la Ley General de Vida Silvestre donde se reformó el artículo 78 para prohibir el uso de ejemplares de vida silvestre en circos. DOF: 09-01-2015.

Decreto por el que se reforman y adicionan diversas disposiciones de la Ley General del Equilibrio Ecológico y la Protección al Ambiente y de la Ley General de Vida Silvestre. DOF: 09-01-2015.

Decreto por el que se reforman y adicionan los artículos 3o., 4o. y 73 de la Constitución Política de los Estados Unidos Mexicanos, en materia de protección y cuidado animal. DOF: 02-12-2024.

Decreto por el que se reforman y adicionan los artículos 418, 419 y 423 del Código Penal Federal, en materia de tala ilegal. DOF: 08-05-2023.

Decreto Promulgatorio de la Convención para la Salvaguardia del Patrimonio Cultural Inmaterial, en el marco de la Organización de las Naciones Unidas para la Educación, la Ciencia y la Cultura (UNESCO), adoptada en París, Francia, el diecisiete de octubre de dos mil tres. DOF: 28-03-2006.

Decreto promulgatorio de la convención sobre el comercio internacional de especies amenazadas de fauna y flora silvestres. DOF: 06-03-1992.

Decreto Promulgatorio del Acuerdo Regional sobre el Acceso a la Información, la Participación Pública y el Acceso a la Justicia en Asuntos Ambientales en América Latina y el Caribe, hecho en Escazú, Costa Rica, el cuatro de marzo de dos mil dieciocho. DOF: 22-04-2021.

Decreto promulgatorio del Convenio 169 sobre Pueblos Indígenas y Tribales en Países Independientes. DOF: 24/01/1991.

Decreto Promulgatorio del Protocolo Adicional a la Convención Americana sobre Derechos Humanos en Materia de Derechos Económicos, Sociales y Culturales "Protocolo de San Salvador", adoptado en la ciudad de San Salvador, el diecisiete de noviembre de mil novecientos ochenta y ocho. DOF: 01-09-1998.

Decreto Promulgatorio del Protocolo por el que se Sustituye el Tratado de Libre Comercio de América del Norte por el Tratado entre los Estados Unidos Mexicanos, los Estados Unidos de América y Canadá, hecho en Buenos Aires, el treinta de noviembre de dos mil dieciocho; del Protocolo Modificatorio al Tratado entre los Estados Unidos Mexicanos, los Estados Unidos de América y Canadá, hecho en la Ciudad de México el diez de diciembre de dos mil diecinueve; de seis acuerdos paralelos entre el Gobierno de los Estados Unidos Mexicanos y el Gobierno de los Estados Unidos de América, celebrados por intercambio de cartas fechadas en Buenos Aires, el treinta de noviembre de dos mil dieciocho, y de dos acuerdos paralelos entre el Gobierno de los Estados Unidos Mexicanos y el Gobierno de los Estados Unidos de América, celebrados en la Ciudad de México, el diez de diciembre de dos mil diecinueve. DOF: 29-06-2020.

Decreto que adiciona diversas disposiciones a la LGVS. Artículo 60 Bis 1. DOF: 26-06-2006.

Decreto que adiciona un segundo párrafo al artículo 60 Bis 1 de la LGVS. DOF: 13-05-2016.

Decreto que declara Coto de Caza los terrenos nacionales ubicados en el Municipio de Pitiquito, Estado de Sonora. DOF: 08-11-1947.

Decreto que fija la tarifa para la explotación, comercio y aprovechamiento de los animales silvestres, sus productos y despojos. DOF: 30-12-1944.

Decreto que promulga el Convenio celebrado entre México y los Estados Unidos de América para la protección de aves migratorias y mamíferos cinegéticos. DOF: 15-05-1937.

Decreto que promulga la Convención para la protección de la flora, fauna y bellezas escénicas naturales de los países de América. DOF: 29-04-1942.

Decreto referente a la "Protección, Salvaguardia y Declaración de las Expresiones Culturales Asociadas a la Tuza, Como Patrimonio Biocultural Municipal de Pachuca de Soto, Hidalgo". POEH: 20-03-2023.

Disposiciones vedando la caza del venado conocido con el nombre de Cola Blanca (Odocoileus Virginianus) en el Estado de Coahuila. DOF: 19-09-1923.

Ley de Caza. DOF: 13-09-1940.

Ley Federal de Fomento a las Actividades Realizadas por Organizaciones de la Sociedad Civil. DOF: 9-02-2004.

Ley Federal de Protección al Ambiente. DOF: 11-01-1982.

Ley Federal de Responsabilidad Ambiental (LFRA). DOF: 07-06-2013.

Ley General de Responsabilidades Administrativas. DOF: 18-07-2016.

Ley General de Vida silvestre. DOF: 03-07-2000.

Ley General del Equilibrio Ecológico y la Protección al Ambiente. DOF: 28-01-1988.

Libros Rojos de Especies Amenazadas en Colombia. Normatividad de protección a la vida silvestre Resolución 584 de 2002 Ministerio del Medio Ambiente. Diario Oficial 44.859.

Modificación del Anexo Normativo III, Lista de especies en riesgo de la Norma Oficial Mexicana NOM-059-SEMARNAT-2010, Protección ambiental-Especies nativas de México de flora y fauna silvestres-Categorías de riesgo y especificaciones para su inclusión, exclusión o cambio-Lista de especies en riesgo, publicada el 30 de diciembre de 2010. DOF: 14-11-2019.

Norma Oficial Mexicana NOM-059-ECOL-1994, que determina las especies y subespecies de flora y fauna silvestres terrestres y acuáticas en peligro de extinción, amenazadas, raras y las sujetas a protección especial, y que establece especificaciones para su protección. DOF: 16-05-1994.

Norma Oficial Mexicana NOM-059-ECOL-2001, Protección ambiental-Especies nativas de México de flora y fauna silvestres-Categorías de riesgo y especificaciones para su inclusión, exclusión o cambio-Lista de especies en riesgo. DOF: 06-03-2002.

Norma Oficial Mexicana NOM-059-SEMARNAT-2010, Protección ambiental-Especies nativas de México de flora y fauna silvestres-Categorías de riesgo y especificaciones para su inclusión, exclusión o cambio-Lista de especies en riesgo. DOF: 30-12-2010.

Norma Oficial Mexicana NOM-169-SEMARNAT-2018, Que establece las especificaciones de marcaje para los ejemplares, partes y derivados de Totoaba (Totoaba macdonaldi) provenientes de unidades de manejo para la conservación de vida silvestre. DOF: 28-09-2018.

Periódico Oficial del Gobierno del Estado de Guerrero 10-01-2025.

Periódico Oficial. Órgano del Gobierno Constitucional del Estado Libre y Soberano de Oaxaca. 2 de septiembre del 2017.

Prevenciones reglamentarias para la caza o trampeo del castor. DOF: 26-04-1923.

PROY-NOM-059-SEMARNAT-2025 DOF: 14-04-2025.

Proyecto de Norma Oficial Mexicana PROY-NOM-059-SEMARNAT-2025, Protección ambiental-Especies nativas de México de flora y fauna silvestres-Categorías de riesgo y especificaciones para su inclusión, exclusión o cambio. DOF: 14/04/2025.

Reforma publicada en el Periódico Oficial El Estado de Sinaloa 18-10-2024.

Reglamento de la Ley General de Vida Silvestre. DOF: 30-11-2006.

Reglamento para la Explotación de los Bosques y Terrenos Baldíos y Nacionales. Secretaría de Estado y del Despacho de Fomento, Colonización e Industria de la República Mexicana. 26 de Marzo de 1894.

Sentencias

SCJN. Primera Sala. Amparo en Revisión 639/2016. 15-11-2015.

SCJN. Primera Sala. Amparo en Revisión 163/2018. 31-10-2018.

SCJN. Primera Sala. Amparo Directo en Revisión 2716/2024. 30-10-2024.

Tesis Aisladas y Jurisprudencias

Gaceta del Semanario Judicial de la Federación. Tesis: 1a./J. 164/2024 (11a.) 06-12-2024.

Gaceta del Semanario Judicial de la Federación. Tesis: 2a. IV/2025 (11a.) 08-08-25.

Gaceta del Semanario Judicial de la Federación. Tesis: I.10o.A.52 A (10a.) 24-11-2017.

Gaceta del Semanario Judicial de la Federación. Tesis: I.10o.A.54 A (10a.) 24-11-2017.

Gaceta del Semanario Judicial de la Federación. Tesis: I.11o.A.23 A (11a.) 26-06-2023.

Gaceta del Semanario Judicial de la Federación. Tesis: I.20o.A.100 A (11a.) 21-11-2025.

Gaceta del Semanario Judicial de la Federación. Tesis: I.20o.A.104 A (11a.) 21-11-25.

Gaceta del Semanario Judicial de la Federación. Tesis: I.20o.A.102 A (11a.) 14-08-25.

Gaceta del Semanario Judicial de la Federación. Tesis: I.20o.A.103 A (11a.) 21-11-25.

Gaceta del Semanario Judicial de la Federación. Tesis: I.20o.A.101 A (11a.) 21-11-25.

Gaceta del Semanario Judicial de la Federación. Tesis: XVII.2o.P.A.10 P (11a.) 10-10-25.

Expedientes

Av. Previa: 29/UEIDAPLE/DA/10/2016.

AP/PGR/HGO/PACH2-II/411/2011.

Expediente: PFPA/17.7/2C.28.2/00138-24.

Expediente PFPA/5.1/2C.10.1/0010 en relación con el Juicio de Amparo 1278/2022.

Órgano Interno de Control en la Secretaría de Medio Ambiente y Recursos Naturales. Número exp: 23047/2016/DGDI/SEMARNAT/DE406.

QUEJA número 40/2012-IV. Órgano Interno de Control de la Procuraduría General de Justicia del Estado de Hidalgo.

Oficios

CONANP. Comisión Nacional de Áreas Naturales Protegidas. Dirección General de Operación Regional Solicitud de Acceso a la Información núm. 1615100015718. Oficio no. F00/DGOR/DEPC-077. 2018.

FGR. Oficio No. FGR/UTAG/DG/000903/2023.

INFOMEX. Número de folio 0001600182416.

INFOMEX. Número de folio 0001600182416. (2016).

INFOMEX. Número de Folio 1613100006116. 2016.

INFOMEX. Número de folio 1613100030115. 2015.

OFICIO NÚM. UCPAST/EU/12/595. Secretaría de Medio Ambiente y Recursos Naturales. Semarnat. 2012.

Oficio SGPA/DGVS/11597/2016.

PGR. Oficio SJAI/DGAJ/02754/2016.

PLATAFORMA NACIONAL DE TRANSPARENCIA (PNT) folio 330024423000027. 2023.

PLATAFORMA NACIONAL DE TRANSPARENCIA. Número de folio 330026723000042. 2023.

SEMARNAT. Oficio Núm. SEMARNAT/UCVSDHT/UT/0387/2023. 2023.

UNIDAD COORDINADORA DE VINCULACIÓN SOCIAL, DERECHOS HUMANOS Y TRANSPARENCIA UNIDAD DE TRANSPARENCIA Oficio Núm. SEMARNAT/UCVSDHT/UT/0387/2023.

Resoluciones, documentos y acuerdos de organismos internacionales

ASAMBLEA GENERAL DE LA ORGANIZACIÓN DE LAS NACIONES UNIDAS. Declaración de las Naciones Unidas sobre los Derechos de los Pueblos Indígenas. 13-09-2007.

ASAMBLEA GENERAL DE LAS NACIONES UNIDAS. Resolución 217 A (III). Declaración Universal de los Derechos Humanos (París 1948).

ASAMBLEA GENERAL. Organización de los Estados Americanos. Declaración Americana sobre los Derechos de los Pueblos Indígenas. AG/RES. 2888 (XLVI-O/16) 15 de junio de 2016.

CBD/SBSTTA/21/3. ÓRGANO SUBSIDIARIO DE ASESORAMIENTO CIENTÍFICO, TÉCNICO Y TECNOLÓGICO. Gestión sostenible de la fauna y flora silvestres: orientaciones para que el sector de la carne de animales silvestres sea sostenible.

CCA. Vaquita marina: expediente de hechos relativo a la petición SEM-21-002 (Montreal 2025).

CITES CoP18 Doc. 77.1 Jaguar (Panthera onca) JAGUAR TRADE.

CITES CoP18 Doc. 77.2.

CITES. CoP18 Doc. 49.1 Cuestiones de interpretación y aplicación Reglamentación del comercio

CITES. Decisiones de la Conferencia de las Partes en la CITES en vigor después de su 18a reunión.

CITES. SC74 Doc. 75. Cuestiones específicas sobre las especies JAGUAR (PANTHERA ONCA).

CITES. SC75 Doc. 13 (Rev. 1). Cuestiones específicas sobre las especies (2022).

Conf. 12.3 (Rev. CoP19)* Permisos y certificados. CITES. Disponible en: https://cites.org/sites/default/files/documents/S-Res-12-03-R19.pdf (última consulta, 1.10.2025).

Conf. 13.7. (Rev. CoP17)* Control del comercio de artículos personales y bienes del hogar. CITES.

Conf. 8.3 (Rev. CoP13) Reconocimiento de las ventajas del comercio de fauna y flora silvestres. CITES.

COP 10 Decisión X/2. CDB.

COP 11 Decisión XI/25. Utilización sostenible de la diversidad biológica: carne de animales silvestres y manejo sostenible de la vida silvestre.

COP 14 Decisión 14/7. Gestión sostenible de la fauna y flora silvestres.

COP 15 CBD/COP/DEC/15/4.

COP 15 Decisión 15/23. Gestión sostenible de la fauna y flora silvestres.

COP 15 Decisión 15/4. Kunming-Montreal Global Biodiversity Framework.

COP 16 Decisión 16/15. Gestión sostenible de la fauna y flora silvestres.

COP 6 Decisión VI/13. CDB.

COP 7 Decisión VI/12. Uso sustentable. (Artículo 10) Principios y directrices de Addis Abeba para la utilización sostenible de la diversidad biológica (Directrices del CDB) Anexo II.

CSM. Decisión 14.178.

CSM. UNEP/CMS/Resolución 14.14.

Declaración de Río sobre Medio Ambiente y el Desarrollo (1992).

Desición 18.251-18.253 CoP18 (2019).

Implicaciones de la transferencia de una especie al Apéndice I.

INICIATIVA JAGUAR DE LA CMS 2025/011: Proyecto del Programa de trabajo sobre el jaguar.

IUCN. 106 – Prioridad continental de conservación del jaguar (*Panthera onca*).

Resolución Conf. 13.11 (Rev. CoP18). Carne de animales silvestres. CITES.

Resolución Conf. 5.10 (Rev. CoP19). CITES.

Segunda Reunión de los Estados del Área de distribución del jaguar. Conservación y comercio del jaguar (Panthera onca) Conf. 20. XX.

Segunda Reunión de los Estados del Área de distribución del jaguar. Proyectos de decisiones sobre jaguares (Panthera onca).

Segunda Reunión de los Estados del Área de distribución del jaguar. Plan de Acción Regional para la Conservación del Jaguar. Versión 11.09.2025.

UNEP/CMS/Resolución 14.14 Jaguar (Panthera onca).

Otras fuentes

Programas gubernamentales

CONANP (Comisión Nacional de Áreas Naturales Protegidas). Programa de acción para la conservación de la especie: Jaguar (Panthera onca) 2009.

FAOSTAT 2020.

GOBIERNO DE MÉXICO, SECRETARÍA DE CULTURA. Pacmyc (2019).

INEGI Censo de Población y Vivienda (CPV) 2020.

Programa de Conservación de Especies en Riesgo (PROCER) 2014.

SEMARNAT (Secretaría de Medio Ambiente y Recursos Naturales). Lineamientos para otorgar subsidios de conservación y aprovechamiento sustentable de la vida silvestre nativa en UMA y PIMVS. 2022.

SEMARNAP (Secretaría de Medio Ambiente, Recursos Naturales y Pesca). Programa de Conservación de la Vida Silvestre y Diversificación Productiva en el Sector Rural 1997-2000 (1997).

Semanario Judicial de la Federación 2025.

Sistema de Información Cultural. SIC México. Inventario de patrimonio cultural inmaterial. Danza del Pochó 2012.

Informes y manuales

AMMAC-WWF. Resumen Ejecutivo. Informe Técnico Integrado Final del Proyecto "Diagnóstico del tráfico ilegal del jaguar y capacidades institucionales para la aplicación de la ley en el corredor selva maya" (México 2022).

Comisión Nacional para el Conocimiento y Uso de la Biodiversidad (CONABIO). Manual general de procedimientos para la formulación de Dictámenes de Extracción No Perjudicial (NDF). (México 2021).

Informe de Comisión DGVS-SEMARNAT 22-11-2017.

PROFEPA. Informe de Rendición de Cuentas de Conclusión de la Administración PROFEPA 2012-2018 (México 2017).

Secretaría del Convenio Sobre la Diversidad Biológica. Perspectiva Mundial sobre la Diversidad Biológica (Montreal 2020).

WWF, Panthera, WCS & UNDP. Plan Jaguar 2030.

Declaraciones y resoluciones internacionales no vinculantes

DECLARACIÓN RIOPLATENSE DE DERECHOS DE LOS ANIMALES (2024).

ENMIENDA A LA DECLARACIÓN RIOPLATENSE DE DERECHOS DE LOS ANIMALES (2025).

Organización de los Estados Americanos. Carta de la Organización de los Estados Americanos (1948).

Terrestrial Animal Health Code (2024).

The Cambridge Declaration on Consciousness (2012).

Reportajes y eventos

EL UNIVERSAL ILUSTRADO. "Jaripeo de tapires" durante caza en Tuxtepec, Oaxaca. (17 de mayo de 1934).

EL UNIVERSAL: PERIÓDICO INDEPENDIENTE. Espectáculo estraordinario de venados y perros 22 de mayo de 1852. Hemeroteca Nacional Digital de México.

EXCELSIOR. Jaguar muerde a dos empleados en zoológico de Morelos. 2016.

PROFEPA. Asegura Profepa cría de jaguar en aeropuerto de Culiacán, Sinaloa. 2014.

TIERRA BEAT. Fiesta internacional de música y acción ambiental (2019).

Iniciativas y exhortos del Poder Legislativo

Diputado Luis Arturo González Cruz, integrante del Grupo Parlamentario del Partido Verde Ecologista de México. Proposición con punto de acuerdo, para exhortar a la Profepa a investigar y sancionar al responsable de lo sucedido en el zoológico Tuzoofari. 07-01-2022.

Iniciativa con proyecto de decreto, por el que se declara el 23 de abril como Día Nacional para la Conservación del Jaguar y se adicionan los artículos 32 BIS y 41 BIS de la Ley Orgánica de la Administración Pública Federal, a cargo de la Dip. Érika Rodríguez Hernández (2017).

Iniciativa que adiciona el artículo 60 BIS 3 a la Ley General de Vida Silvestre, a cargo de la Dip. Erika Araceli Rodríguez Hernández (2016).

Iniciativa que expide la Ley General de Bienestar, Cuidado y Protección Animal y reforma y deroga diversas disposiciones de la Ley Federal de Sanidad Animal (2025).

Iniciativa que reforma diversas disposiciones del Código Penal Federal (2025).

Iniciativa que reforma los artículos 420 del Código Penal Federal, y 3o. y 56 de la Ley General de Vida Silvestre, a cargo de la Dip. Erika Araceli Rodríguez Hernández. (2017).

Material gráfico

Imagen 1.1 Dialogando con las estrellas: El jaguar dialoga con las estrellas y crean el universo, maravillados el uno del otro deciden ser uno, las estrellas se adhieren a su cuerpo, el Tépetl (Montaña) brilla con el jaguar. Elaboración propia.

Imagen 1.2 Maestro del universo: el jaguar llena el universo, es el universo mismo, somos nosotros. Nada es más grande que el universo. Elaboración propia.

Imagen 1.3 El jaguar descarnado. Despojado de las estrellas, del conocimiento, ser y la esperanza, el jaguar guarda las galaxias en su rostro, huye escapando de la extinción, donde su último relicto es la ilusión de un mundo mejor. Elaboración propia.

Imagen 2.1 Aún sin todo, soy y seré. Avasallado, no lo perdí, me lo quitaron, mi andar, mi color, la fuerza y sin saber que, aún sin estar, siempre seré. Elaboración propia.

Imagen 2.2 La caída de Ocelotl. Despojado de las estrellas. Elaboración propia.

Imagen 2.3 Jaguar sin estrellas. Elaboración propia.

Imagen 2.4 Alteridad. Yo, Tú: Nos-Otros. Elaboración propia.

Imagen 2.5 El eterno retorno en alteridad. El jaguar, eternidad, unión del todo y de todos, el comienzo y el fin. Elaboración propia.

Imagen 2.6 Mirada de jaguar. Puntos, líneas y trazos en el universo. Lo he visto también, se fue en el crepúsculo. Eso es fantasía, una fantasía exacta, una planta nace sobre la tierra, tú jaguar, naciste en las estrellas. Elaboración propia.

Imagen 2.7 El jaguar con estrellas. Elaboración propia.

tirant PRIME

Inteligencia jurídica
en expansión

Trabajamos para
mejorar el día a día
del **operador jurídico**

Adéntrese en el universo
de **soluciones jurídicas**

prime.tirant.com/es/